Corine Hartman

Schone kunsten

Karakter Uitgevers B.V.

© Corine Hartman
© 2007 Karakter Uitgevers B.V., Uithoorn
Omslag: Hesseling Design, Ede
Opmaak: ZetSpiegel, Best

ISBN 978 90 6112 086 5
NUR 305

I

Geen bloed. Een vredige glimlach op haar lippen, ze zou kunnen slapen. Alleen die ogen. Wat moet hij de politie in vredesnaam vertellen? Geloven ze hem als hij zegt dat hij geen enkel idee heeft hoe dit lichaam, deze vrouw, hier terecht is gekomen? Zonder sporen van braak?

Zodra hij een blik in de galerie werpt, weet hij dat er stront aan de knikker is. Ondanks de kater, die zijn hoofd doet aanvoelen als een zware bonk ijzer, registreert zijn brein het direct. Zware shit. Hij heeft zelf de deur op slot gedaan, dat weet hij zeker. Bijna zeker. Roerloos staat hij in de deuropening, kan het niet bevatten. In zijn galerie. Zijn blik gaat rond, spiedend naar meer onheil. In de kleine spiegel naast de kapstok kijkt hij naar zichzelf. Zijn mond hangt licht open en, erger, dikke wallen van een ondefinieerbare kleur grijs ontsieren zijn ogen. Een scherp contrast met gisteravond, toen hij met zijn charmante verschijning volop aandacht trok in het café. En van één jongedame in het bijzonder. Een dame die nu kakelende woorden tot hem richt vanuit de keuken achter de galerie. Hij vangt iets op over suiker en jam. Over croissantjes, en calorieën. Het zullen er te veel zijn voor haar naar Rubensachtige vormen neigende lichaam. Hij hoort het geluid van het tostiapparaat in de keuken. Wat zei ze gisteravond in De Zaak? Hij sluit de deur tussen de galerie en de keuken en doet die op slot. Dan weet hij in ieder geval zeker dat ze niet onverwacht binnen zal komen. Haar gekakel sterft weg. Een bijkomend voordeel, want zijn hoofd is er op dit moment niet tegen bestand. Hij had al een halve fles whisky achterovergeslagen vóórdat hij naar het café ging.

O ja, dat zei ze. Alleen door drie dagen in de week te vasten kon ze haar omvang in toom houden, zoiets. Vandaag dus geen vastendag, blijkbaar. Hij houdt wel van voluptueuze vrouwen, van goed gevulde vormen. En hij houdt van Rubens. Waarom vrouwen altijd en eeuwig lijnen heeft hij nooit begrepen. Geen enkele man die hij kent houdt van breinaalden in bed.

Zijn geest maakt rare sprongen terwijl zijn lijf niet in beweging wil komen. Waarom voelde hij zich in hemelsnaam weer aangetrokken tot zo'n jong ding? Als bijna vijftigjarige in een dorp waar iedereen elkaar kent en waar verhalen graag worden aangedikt, zou hij beter moeten weten. De sociale controle heeft ook zijn voordelen. Hij kan zijn fiets zonder zestig sloten bij de bakker laten staan. Gelukkig zijn de meeste mensen in het dorp ervan overtuigd dat galeriehouders halve kunstenaars zijn, met hun daarbij behorende eigenaardigheden. Ze vergeven hem zijn uitspattingen omdat hij niet alledaags is. Hij moet erom lachen. Af en toe een modieuze, gewaagde bril of een dag op slippers, gecombineerd met een zwart kostuum, en voilà. Zo liep hij er gisteravond ook bij en dat jonge ding – Miranda, of was het nu Miriam? – had hem gelijk in haar vizier. Miriam, ja. Ze kwam niet van hier en vond hem 'vreselijk cool'. Hij houdt de illusie graag in stand. Alleen echte kunstenaars houd je niet voor de gek. Dan is hij zelf op zijn best, zonder poespas. Door anderen vervaardigde kunstobjecten beoordelen op hun kunstwaarde en die exposeren in zijn bescheiden, maar populaire en drukbezochte galerie; dat is zijn vak.

Meer absoluut niet ter zake doende gedachten stromen zijn

brein binnen, terwijl hij als een robot, stijf en onvrijwillig, dichterbij schuifelt. De figuur heeft niet bewogen. Als dat al zo leek, lag dat aan zijn eigen hoofd. Hij knielt naast het lichaam en dan weet hij het zeker, want hij kijkt recht in een paar lege ogen; lichtgrijze ogen die eeuwig in het niets blijven staren als niemand het verhelpt. Dood is ze.

Ineens is hij goed wakker. Actie, hij moet actie ondernemen. Hoe langer hij wacht, hoe verdachter het zal lijken. Hij twijfelt even of hij de politie of het alarmnummer moet bellen, maar pakt dan resoluut de telefoon en belt 112. Hij merkt dat zijn stem hier en daar overslaat, maar dat zal toch normaal zijn in zo'n situatie? De boodschap lijkt in ieder geval over te komen; de vrouw aan de telefoon reageert kort en zakelijk. Misschien wordt ze dagelijks met zulke telefoontjes geconfronteerd. Zou dit haar ambitie zijn geweest toen ze elf, twaalf jaar oud was? Hoi pap, ik weet wat ik wil worden…

In afwachting van ongetwijfeld niet echt aangenaam bezoek gaat hij naar de keuken, waar Miriam net een laatste hap wegwerkt.

'Dat was lekker,' zegt ze. 'Tosti ham-kaas. Zal ik er voor jou ook eentje maken?'

'Lieve, zalige Miriam, ik krijg over een klein kwartiertje een klant in de galerie,' liegt hij, zonder moeite. *'Excusez-moi,* ik was het compleet vergeten.'

'Op zondag?' Het klinkt eerder verrast dan argwanend.

'Iemand die liever niet voor de buitenwereld wil weten dat hij kunst aanschaft, vermoed ik. Zulke mensen krijg ik wel vaker in mijn zaak. Vind je het heel erg…' Hij maakt een gebaar richting de deur. Als zij hem er zo overduidelijk uit zou bonjouren zou hij hevig gepikeerd zijn. Zo niet Miriam. Ze is jong. En naïef. Ze kijkt hem nog steeds vol aanbidding aan en omhelst hem, terwijl hij zelf moeite moet doen om haar niet nu direct buiten de deur te zetten.

Met pruilende mond sputtert ze tegen. 'Jammer. Ik kreeg net weer zin in je.'

Jammer? Dat hij die ochtenden nooit kan overslaan. Dat is jammer. Hij werkt zich zo onopvallend mogelijk uit haar verstikkende greep. Vannacht vond hij dit opwindend.

'Twaalf minuten, de tijd vliegt voorbij, schatje.' Hij pakt een strip paracetamol uit een keukenla, neemt er drie uit en slikt die weg met veel water. Eindelijk. Ze beweegt zich richting slaapkamer.

'Ik bel je,' zegt hij als ze even later terug is, haastig aangekleed, het lange haar in een scheve staart. Geen haar op z'n grijze hoofd. Maar de drie woordjes komen er redelijk geloofwaardig uit, vindt hij zelf.

'Echt?' Ze slingert haar armen om hem heen. Hij wringt zich los, opent de deur en stuurt een charmante handkus haar kant op. 'Je bent prachtig,' krijgt hij er met enige moeite uit. Ze verdwijnt stralend.

'Ik sms je,' roept ze nog.

Sms'en, msn'en… Wat is er mis met telefoneren? Hij zal het vast over haar moeten hebben, als de politie wil weten wie er bij hem was vannacht. Om haar nu meteen als getuige te vragen hier te blijven lijkt hem niet handig. Hij kent het type en vreest dat ze volledig overstuur raakt en de vreemdste onzin gaat uitkramen.

Nu houdt hij zogezegd de wacht bij het dode meisje. Op gepaste afstand. Het is een mooi, indrukwekkend beeld, hij kan niet anders constateren. Het schilderij achter haar jonge figuur maakt het tafereel bijzonder. Het olieverfschilderij erachter is twee meter en twintig centimeter breed en een meter tien hoog, Alex zei het nog zo expliciet toen hij zijn kunstwerk kwam brengen. Ze hebben het samen opgehangen. Hij heeft er nog geen serieuze kopers voor gehad, maar zijn vertrouwen in Alex is groot. Alex Hauser wordt een topper, dat weet hij zeker.

Hij bekijkt het gezicht opnieuw. Aandachtiger dan de eerste keer. Een onbehaaglijk gevoel bekruipt hem. Hij kent dit meisje. In een flits meent hij zich te herinneren dat hij haar afge-lopen nacht ook heeft gezien. Maar god, wie is ze? Waar heeft hij haar gezien? Is hij de galerie nog in geweest? Was ze toen al dood? Hij strijkt zijn handen in een gewoontegebaar door zijn grijzende haar. Ineens weet hij het: Lucienne. Wat idioot dat hij het niet meteen wist. Dat krijg je nou van te veel whisky. Nu mist hij, op zijn mildst gezegd, flinke – misschien wel essentiële – scènes uit de film van de zaterdagavondvoorstelling waarin hij zelf de hoofdrol speelde. Een bar slechte film, weet hij. Hij vraagt zich af hoeveel tijd hij heeft voordat de politie er is. Denk na. Denk goed na.

2

Nelleke de Winter opent haar ogen. Langzaam, om aan het daglicht te wennen. Een streep wit zonlicht kietelt onder de rand van de rolgordijnen op haar gezicht. Ze negeert het geluid van de telefoon, die zich, weliswaar met een vrolijk deuntje, indringend meldt. Telefoon op zondagmorgen? Dat betekent werk. Of haar moeder is gevallen in de badkamer. Jaap gromt iets onverstaanbaars met zijn zware, donkere stem en rekt zijn arm uit, over haar heen. Een sterke arm, bruin gebrand door de voorjaarszon. Ze voelt haartjes tegen haar neus kriebelen. Hij pakt de telefoon, drukt het groene knopje in en zwaait het apparaatje voor haar neus heen en weer.

Ze graait de telefoon uit zijn hand.

'Goedemorgen? Inspecteur De Winter?' vraagt een heldere mannenstem bij haar oor. 'Hallo?' klinkt het, iets harder dit keer. Ze herkent de stem van hoofdagent Gerritsen. Op de achtergrond hoort ze enkele collega's praten.

'Ja?' Ze klinkt hees.

Gerritsen geeft haar kort en bondig het bericht en vraagt wie er nog meer opgetrommeld moeten worden. Ze is ineens klaarwakker, schraapt haar keel, geeft de hoofdagent instructies. Ze kruipt onder Jaaps dekbed. Het waterbed wiebelt. 'Psst, Jaap, we hebben een dode,' fluistert ze, zijn bruine ogen vlak bij de hare.

'En wij hadden een zondag,' bromt hij bijna onverstaanbaar.

Haar hoofd voelt duf. Als niet naar bed te branden avondtype heeft ze er per definitie elke ochtend moeite mee om op te staan. Ze heeft wel goed geslapen, voor zover ze weet zonder dromen. In ieder geval niet díé droom, want dan was ze nu klam van het zweet geweest.

Gisteravond heeft ze te veel gedronken. Jaap begon over haar werk, dat ze veel weg is en dat ze het daar in Utrecht zelf maar eens uit moeten zoeken, ondanks die aimabele hoofdcommissaris Nummerdor, waar ze het zo goed mee kan vinden. Zij reageerde verongelijkt, werd emotioneel en Jaap hield zijn mond. Daarna was er zoals gewoonlijk de sluipende onzekerheid of hij wel van haar houdt. Hij zag de twijfel in haar ogen en stelde haar gerust, zonder dat ze iets hoefde te zeggen. Een hartstochtelijke vrijpartij volgde, ze aten de overgebleven pasta met pesto op, vreeën opnieuw, douchten en vielen daarna tegen drie uur uitgeput in slaap. 'Ik houd enorm veel van je, had ik je dat vandaag al verteld?' Ze kon nog net glimlachend ja fluisteren voor ze in een diepe slaap viel.

Maar nu roept het werk. Ze rolt zich terug naar haar eigen kant en gooit haar benen buiten bed. Jaap klemt zijn arm om haar heen.

'Hé, Pumuckl, blijf nou,' mompelt hij.

Ze wurmt zich handig los. Op het matglazen nachtkastje ligt tegen haar gewoonte in dit keer geen detective, maar *De Tweeling* van Tessa de Loo. Met een kaart van restaurant De Leeuw, waarop een bord met asperges en zalm staat afgebeeld, tussen pagina 62 en 63, weet ze, zonder dat ze hoeft te kijken. Ze heeft het boek ooit gelezen, de film gezien, maar toen ze laatst een exemplaar bij een kleine boekhandel in Arnhem tegenkwam, kon ze het niet laten liggen. Ze herinnert zich dat ze, toen ze het verhaal voor de eerste keer las, jaloers was op de band van de twee vrouwen, ondanks alles. Terwijl ze opstaat vraagt ze zich af of ze vandaag nog aan de hereniging zal toekomen. Het is waarschijnlijker dat het boek de komende dagen onaangeroerd zal blijven liggen.

Ze staat op en trekt de linnen rolgordijnen omhoog. De slaapkamer, in ivoorwit met bruine accenten geverfd, is opeens gevuld met het licht van de nieuwe dag.

Vanuit het raam, boven, aan de oostkant van hun verbouwde boerderij, kijkt ze op een deel van hun grond; een lap waar ze voorlopig geen doel voor hebben en waar de buurman zijn schapen laat grazen.

Achter de afrastering loopt een zandpad, dat leidt naar een bosje, twee kilometer verderop. Met kriskras erdoorheen een door haarzelf in de loop van de tijd platgelopen pad.

Ze houdt van het coulisselandschap, van de begraasde weilanden en stille bossen.

De Achterhoek, een land van mozaïek door de vele stukjes landbouwgrond, waar maïs, aardappelen en tarwe elkaar van jaar tot jaar opvolgen. Ontelbare stukken land die doorsneden worden door paden en houtwallen. Ze houdt van de geuren van haar jeugd die ze nog steeds vaak opsnuift; gemaaid gras, kamperfoelie en seringen, waarmee hun tuin vroeger gevuld was. Zelfs de geur van koeienstront kan haar bekoren als ze enkele dagen in de Randstad haar longen met autodampen heeft volgezogen.

De Achterhoek, waar vroeger het aantal dakpannen op je dak je rijkdom aantoonde; de rest van het dak werd met het goedkopere riet bedekt. Jaap koos voor een in verhouding nu veel duurder rieten dak, vanwege de nostalgische, romantische uitstraling. Tijden veranderen.

Het raam staat open. Ze zuigt de frisse ochtendlucht in haar longen en rekt zich uit. Ze ziet beweging in bed, Jaap komt langzaam boven het dekbed uit. Ze ziet zijn verwarde, donkerblonde haardos, gevolgd door een gezicht dat meer slaapt dan wakker is.

Ze gooit haar slaapshirt op bed en loopt naar de aangrenzende badkamer. Geen tijd voor een watermassage in de whirlpool, alleen een snelle douche. Ze sluit haar ogen en laat het warme water van de luxe Raindance over zich heen stromen. De douchecombinatie is ingebouwd in het plafond van grote platen marmer, zodat het lijkt alsof de regen uit het steen komt. 'Prachtig,' glunderde Jaap, toen ze er de eerste keer met z'n tweeën onder stonden. 'We worden zelfs samen in een keer nat.'

Ze droogt zich af, smeert zich in met bodylotion en spuit een vleugje musk op haar rechterpols. Ze trekt haar oranje badjas aan en bekijkt haar gezicht in de spiegel. Dankzij het mooie voorjaarsweer en de kilometers die ze wekelijks hardloopt in de omgeving heeft ze al aardig kleur. Alleen een licht getinte dagcrème en haar bronskleurige oogschaduw vindt ze genoeg. Ze houdt haar hoofd ondersteboven om met gel haar krullen in model te kneden.

Jaap komt de badkamer binnenlopen en slaat zijn armen om haar heen. 'Als je niet weg moest nam ik je mee in de infrarood om daarna weer acuut het bed in te duiken.'

Ze drukt een kus op zijn behaarde, brede borst.

Jaap tilt haar op. Alsof ze niks weegt, kust hij haar op haar schouders. Hij glijdt met zijn handen over haar ribben als hij haar neerzet. 'Ik kan ze tellen.'

'Tja, dat is bij jou lang geleden.' Ze wrijft over zijn goed gevulde buik. 'Slank heet dat trouwens.'

'Ja, ja.'

Handig duikt ze onder zijn armen weg en haast zich naar de inloopkast. Ze struikelt bijna over een paar hardloopschoenen. Ze kiest een oranje lingeriesetje van Esprit, een crèmekleurig hemdje en T-shirt met bijpassende broek en zandkleurige moccasins. Om haar rechterpols doet ze haar chique, goudkleurige horloge; verder vandaag geen sieraden, behalve de twee ringen die ze dag en nacht draagt. Ze draait even aan de trouwring van haar vader om haar duim. De andere, een gouden, glimmende ring met vijf diamantjes, heeft ze van Jaap gekregen ter ere van

vijf jaar samenwonen. Ze grist een crèmekleurig linnen colbertje mee uit de kast.

De wedstrijd begint. Ze moet de slimste zijn, haar krachten
beter verdelen dan haar tegenstander. En ze moet de snelste zijn.
Sneller dan de tijd, die doet vergeten. Met haar team moet ze
getuigen horen, sporen zeker stellen, forensisch onderzoek doen.
Zo snel mogelijk weten in welke richting ze het moeten zoeken.
Elke zaak is voor haar een nieuwe hardloopwedstrijd. Soms een
sprint, soms een lange duurloop. Het maakt haar niet uit. Als ze
maar wint.

'Broodje?' vraagt Jaap, zodra ze de keuken binnenkomt.

'Honing, lekker.'

Ze drinken een kop espresso aan de bar, die woonkamer en
keuken deels scheidt. Ze zitten er veel. Eten er een snelle hap of
blijven er 's avonds plakken met een glas cognac. Napraten over
de voorbije dag of filosoferen over de dag die komen gaat. Jaap
heeft de oude bar, compleet met tap, uit de inboedel van een op-
geheven café om de hoek gekocht toen hij nog in Amsterdam
woonde. Hij heeft het hout laten opknappen en het resultaat, in
hun keuken met strakke lijnen en natuurlijke materialen, is bijzonder. Boven de bar hangen, zoals het een echt café betaamt, de
glazen en enkele flessen ondersteboven. Met doseersysteem,
waar ze zich nooit aan houden.

'Je drie-minuten-eitje is klaar.'

Ze schudt haar hoofd. 'Ik moet gaan.'

'Hier hebben onze kippen urenlang op zitten persen. Eten.
Anders gaan die beesten vandaag nog in staking. En ik erbij.'

'Oké.'

'Weet je al wat er aan de hand is?'

'Een dode, misschien moord.'

Jaap vergeet prompt een hap van zijn broodje door te slikken
en kijkt haar aan alsof ze een mop vertelt. 'Ga weg,' grijnst hij.
'In óns dorp?'

'Een meisje, in de galerie aan de Rapenburgsestraat.'

Zijn gezicht betrekt zodra ze het woord 'meisje' zegt. 'Is dat niet een beetje te veel voor je? Utrecht loopt nog, net daarvoor die jonge knapen op de Veluwe…' Jaap staat op en drukt op het knopje voor een cappuccino. Het apparaat gaat meteen aan het werk. Hij snijdt een broodje doormidden. Ze denkt na wat ze zal zeggen, maar blijkbaar hoeft hij geen antwoord.

'Wat wil je op je de andere?' vraagt hij.

'Is er nog pindakaas?'

3

Het raam van de zilverkleurige metalic Volvo S40, die nog te nieuw ruikt om echt van haar te zijn, zoeft geruisloos naar beneden. Frisse lucht. Volvo is haar merk. Solide, betrouwbaar. Ze moet omrijden, er wordt een wegvernauwing gemaakt. Ze draait de Twenteroute op, langs het industrieterrein en rijdt de bebouwde kom binnen. Weilanden met bontgekleurde koeien maken plaats voor kleine huizen; vooroorlogse pandjes met glas-in-loodramen vormen het straatbeeld aan deze kant van het dorp. Opvallend is de fitnesshal, vorig jaar gebouwd ter vervanging van een verwaarloosde woning die gesloopt werd. Een lelijke puist, zo tussen de huizen, met felblauwe kleuren, kunststof materialen en fantasieloze vormgeving. Dat de gemeente dat wel heeft goedgekeurd, stoort haar. Jaap heeft vorige week de derde tekening ingediend voor een veranda. Ditmaal vielen ze over de afwerking van de boeiboorden. Een flauwe manier om je macht te tonen.

Haar mobiel gaat. Enkele tonen van een salsamuziekje; ze heeft net een nieuwe gekocht, een mooi klein formaatje, en dit was het eerste deuntje dat ze tegenkwam bij de instellingen waar ze zich niet rot van schrok. Wagener, toont haar display.

'Ja, Ferry?'

'Hoi! Kom je langs? Ik moet mijn laptop meenemen. Of ben je er al?' Zijn heldere stem klinkt vrolijk.

'Ik moet langs het bureau, maar daarna kom ik bij je langs. Een minuut of vijf.'

'Thanks.'

Ze rijdt een winkelstraat in. Langzaam hobbelt ze over drempel na drempel. Wat maakt het uit, een dode wordt er niet levend van als zij harder gaat rijden. Tien uur, wijst haar horloge aan, terwijl ze langs de katholieke kerk in het centrum rijdt. Ze wordt voor haar werk vaak op de meest onmogelijke tijden uit bed gebeld, moordenaars houden nooit rekening met de slaapbehoeften van politiemensen, of wat voor behoeften dan ook. Ze had zich verheugd op een zorgeloze zondag. De kinderen van Jaap zijn dit weekend bij hun moeder; alleen zijn jongste, Josien, komt vanmiddag terug met een vriendinnetje. Emma en Anouk komen vanavond. Ze zouden vanmorgen of vanmiddag samen een wandeling maken en later op de dag met Pim en Simone buiten tapas eten onder de dikke beuk, die zijn takken en bladeren als grote parasol laat gebruiken.

Soit. Het werk gaat voor.

Het salsamuziekje klinkt opnieuw. Ze kijkt op de display. Hoofdcommissaris Nummerdor? Het zal toch niet...

'Ruud?'

'Nelleke, we hebben hem, denken we. Wanneer kun je komen?' Hij verspilt nooit woorden, dat is ze gewend, maar zijn stem klinkt opgewekt, en dat hoort ze laatste tijd niet vaak bij hem. Hij belt ook vanuit de auto, te horen aan de geluiden die ze opvangt door de telefoon. Ze ziet hem voor zich, zittend in zijn zwarte Renault Scénic. De ruime wagen lijkt ineens klein als Ruud erin zit met zijn te dikke lichaam. Hoewel hij nooit veel eet – ze verbaast zich soms over de bescheiden porties die hij opschept als ze samen eten – zeult hij al jarenlang zeker veertig kilo overgewicht mee. Het zit in de familie, net als de hoge bloeddruk, volgens de hoofdcommissaris. Zelf vermoedt ze dat zijn favoriete Schotse whisky van grotere invloed is.

'Helemaal niet, vrees ik. Ik ben net op weg naar een plaats delict.'

'Waar?'

'Hier, in Lichtenvoorde.'

'In dat gat van jou?' Zijn stem klinkt hoogst verbaasd.

'Helaas wel. Een jonge vrouw.'

Hoofdcommissaris Nummerdor vindt het jammer dat ze ervoor heeft gekozen terug te gaan naar de plek waar ze is opgegroeid. Hoewel hij hun omgeving prachtig vindt. Als hij op bezoek is, wil hij steevast wandelen in de steengroeve bij Winterswijk, of in het Korenburgerveen, achter Vragender. Al is het dan een klein stukje. Zijn conditie laat nogal te wensen over, wat, gezien zijn omvang, niet zo verwonderlijk is.

'Dan wens ik je sterkte en wacht ik op nader bericht van je.' Hij klinkt alsof hij dat allesbehalve prettig vindt, maar ze kan er niets aan veranderen. Haar baas, commissaris Markant, zal haar morgen nooit naar Utrecht laten gaan. Een eigen zaak die snelle actie vereist heeft voorrang en de eerste uren in een onderzoek zijn van wezenlijk belang. Dat weet Ruud ook. Hij mompelt iets ter afscheid.

'Ruud?' Ze is net op tijd, hij heeft haar nog niet weggedrukt.

'Ja?'

'Ik was bang dat je belde om Ans. Hoe gaat het met haar?'

'Ze slaapt veel.'

'Geef je haar een zoen van mij?'

'Doe ik, Nelleke. De groeten aan Jaap.'

Ze heeft niet veel fantasie nodig om de bezorgde frons boven de vriendelijke bruine ogen van de hoofdcommissaris voor zich te zien.

Ze is blij dat ze niet in zijn schoenen staat. De Utrechtse hoofdcommissaris Ruud Nummerdor leidt het onderzoek naar de moordenaar van een zestienjarig meisje, een psychopaat die het stoffelijk overschot van zijn slachtoffer in stukken naar de ouders heeft gestuurd. Na de derde verdachte met een sluitend

alibi heeft Ruud om haar assistentie gevraagd. Een nieuw da-
derprofiel. Getuigen horen, soms voor de derde, vierde keer.
Bizar. Kippenvel kruipt over haar armen. Ze is er trots op dat
Ruud haar nog steeds vraagt voor groot rechercheonderzoek,
terwijl ze al zo lang weg is uit zijn district, maar deze zaak
breekt iedereen op. Het wordt hoog tijd dat ze de dader pakken;
hopelijk heeft haar gevoel haar niet in de steek gelaten en is hij
degene die ze zoeken. Ze was van plan morgen naar Utrecht te
gaan, dan kon ze meteen bij Ans langs. Ook wat dat betreft is
ze niet jaloers op Ruuds situatie en ze weet dat hij verlangt naar
rustiger tijden. Voorzichtig heeft hij haar gepolst of ze bij hem
wil komen werken, als leider van een rechercheteam in zijn
regio, een team dat bestaat uit dertig man. Ze voelde zich gevleid.

Nu zitten ze hier met een dode; een jonge vrouw. Wellicht
vermoord. Ze zucht bezorgd.

Zou het minder erg zijn? Dat je het weet? Vroeger dacht ze van
niet, hoop doet leven, maar inmiddels is ze ervan overtuigd dat
die tegelwijsheid de prullenbak in kan. Het is beter om te weten. Want anders blijft altijd iets van die hoop over. Onterechte
hoop. En die nekt je.

Ineens trapt ze hard op de rem. Intuïtief heeft ze gecheckt of er
geen auto achter haar reed. Haar hart klopt in haar keel. De
reden waarvoor ze remde, een lapjeskat, loopt aan de andere kant
van de weg de struiken in. Ze haalt een keer diep adem en geeft
gas.

Een paar minuten later rijdt ze de Schatbergstraat in. Aan de
rechterkant op de hoek is de plaatselijke videotheek gevestigd,
met een levensgrote James Bond in vol ornaat in de etalage.
Blauwe lampjes knipperen bij een rondborstige blonde dame in
een uitdagende positie. De bevallige manier waarop ze een pistool in haar hand heeft, komt niet erg realistisch over. Maar wie
kan dat wat schelen? Als het spannend en spectaculair is en er

vallen genoeg doden, komt de dvd in de top tien. Er is onlangs een Italiaanse ijssalon bij de videotheek ingekomen, tot grote vreugde van Wagener.

Ze draait haar auto links de parkeerplaats op, voor het bureau. In het met bodembedekkers gevulde voortuintje staat een donkerblauw bord met het logo van de politie erop. Het plaatselijke bureau is gevestigd in een twee-onder-een-kapwoning, waarbij beide woningen, met een kleine aanbouw, tot één kantoorpand zijn verbouwd. Het gebouw valt niet echt op in de wijk, maar het naambord en het ijzeren hek, dat toegang verschaft tot de achterkant van het bureau en enkele privé-parkeerplaatsen, verraden direct dat hier geen gezinnen wonen. Ze loopt langs de balie, de ontvangstruimte en de spreekkamer. Daarnaast is haar eigen kantoor. Haar team beschikt hier over twee kantoren – die van haar collega's met een piepkleine keuken – de spreekkamer en een reserveruimte, waar commissaris Markant nog wel eens wil gaan zitten als hij rustig wil werken. Achter in het pand bevinden zich de trap naar boven, de verhoorkamers, de toiletten, een douche en een heuse cel, waar af en toe een dronkaard zijn roes uitslaapt tot de volgende ochtend, en dan, na een sterke bak koffie, kan vertrekken. Meestal met alleen een waarschuwing om het alcoholgebruik de komende tijd te beperken. Op de eerste verdieping bevindt zich archiefruimte en zijn enkele kantoorruimtes die op het moment niet worden gebruikt, maar waar ze eventueel over kunnen beschikken. Ze loopt haar kantoor in en pakt de kleine, zilverkleurige taperecorder uit haar bureaulade.

Ze kan hier goed werken en mensen durven er binnen te komen. Het districtsbureau in Doetinchem is haar te massaal. Hoewel de samenwerking met de collega's er goed is, geeft ze de voorkeur aan het kleine bureau in Lichtenvoorde.

In ieder geval heeft het werken in deze omgeving altijd nog iets van de rust van het platteland. Toen ze van de winter griep had, kwam de buurvrouw met een grote pan kippensoep. Zelfgemaakt, uiteraard. Daar moet je in Utrecht eens om komen.

Daar kennen de buren elkaar vaak niet eens. Soms heeft dat natuurlijk ook zo zijn voordelen. En als ze ooit hoofdinspecteur, commissaris wil worden? Dan moet ze misschien ook bereid zijn te verhuizen. Jaap ziet haar aankomen...

4

Terug in de auto zet ze de mp3-speler aan. Hardrock vult de ruimte. Die heeft Anouk erop gezet, dat kan niet missen. Ze switcht snel naar de radio. Op dit tijdstip, en eigenlijk altijd, liever iets anders. De presentator kondigt een Portugese diva aan. De zangeres zit midden in een gepassioneerde ode aan haar land, voor zover ze het kan volgen, als haar mobiel opnieuw gaat. Commissaris Markant, ziet ze aan het nummer. Telefoonnummers en kentekens; als ze die één keer heeft gezien, staan ze in haar geheugen gegrift. Soms volledig overbodige informatie voor haar 'harde schijf', maar het gaat vanzelf. Het zou handiger zijn als ze de regels van het Wetboek van Strafrecht zo moeiteloos zou onthouden.

'De Winter.'

'Met mij. Ben je al onderweg?'

'Ja.'

'Een natuurlijke dood?'

'Een jonge vrouw, dood gevonden in een galerie? Dat lijkt me niet. Dus ik heb Van Amerongen vanmorgen ook meteen laten oproepen.'

'Bel je als je iets weet?'

'Zoals altijd.'

'Dan spreek ik je later.'

Markant. Even charmant als altijd. In gedachten ziet ze hem voor zich, terwijl hij ongeduldig over zijn stoppelbaardje wrijft.

De diva is amper uitgezongen, of ze stopt haar auto bij hoofdagent Ferry Wagener voor het raam. Ze toetert kort. Hij woont sinds kort in een appartementencomplex in een van de oudere wijken van het dorp. Het complex is gesitueerd in een voormalige, moderne kerk. Hout en beton; die ingrediënten zijn in het nieuwe, strakke ontwerp behouden, in combinatie met veel glas.

Een wandelaar met hond loopt langs haar auto, knikt haar toe. Ze steekt haar hand op en mompelt 'goedemorgen meneer Wiegerinck, en goedemorgen Tibbie'. De teckel lijkt geen zin te hebben in de ochtendwandeling; zijn baas moet hem meetrekken en bij elke lantaarnpaal wil het beest snuffelen wie van zijn kameraadjes langs is geweest. Voor het raam van het appartement, tussen witte jaloezieën, verschijnt Wageners jonge hoofd.

Even later legt hij de laptop op de achterbank en schuift hij, op een hap brood kauwend, naast haar in de auto. Ze ruikt salami.

'Goedemorgen, Ferry. Eet smakelijk.'

'Dank je.'

Ze rijdt vlot weg, langs meneer Wiegerinck en de hond, die weinig zijn opgeschoten.

Wagener is gekleed in een lichte jeans, een smetteloos wit T-shirt en een lichtblauwe, glad gestreken bloes los eroverheen. Hij weet zich goed te kleden, zeker voor een vrijgezel. Of misschien juist omdat hij vrijgezel is. Ze vindt het prettig dat hij zich goed verzorgt en kleedt; het zegt iets over zijn ambitie. Een paar weken geleden, op een feestje van het korps, heeft hij zich voor de gelegenheid in een heuse, zij het geleende, smoking gestoken. De schaarse vrijgezelle dames op het feest waren niet bij hem weg te slaan. De geruchten gingen de volgende dag dat hij iets zou hebben met een hoofdagente van het bureau in Doetinchem.

'Ik zag witte jaloezieën bij je. Is het nu helemaal klaar?'

Wagener knikt. 'Gisteren eindelijk gekregen. Te duur, dat wel. Dan maar iets minder eten,' grijnst hij, terwijl hij een hap van zijn brood neemt.

'Of bij je collega aanschuiven,' zegt ze lachend. Afgelopen vrijdag heeft Ferry weer eens bij haar thuis gegeten.

Ferry snapt waar ze op doelt en kijkt haar verontschuldigend aan. 'Vond je het vervelend? De hele dag al samen op pad geweest...'

'Nee, natuurlijk niet, anders vraag ik je niet, malloot.' Ze greep zelf vaak naar iets kant-en-klaars toen ze alleen woonde en bij iemand aanschuiven vond ze dan een feestje. De meiden vinden het super als de jonge rechercheur mee komt eten. Of ze nu spruiten of spaghetti op hun bord krijgen, alles is dan 'vet smerig'. Het stiekeme geginnegap als hij de kamer uit is verraadt hun gepuber. Met zijn vijfentwintig jaar en in hun ogen 'vet stoere' uiterlijk is Ferry een droomvriendje. Ferry heeft vorige week een van de dienstauto's total loss gereden bij een achtervolging. Hij belandde achter op de auto van de verdachte in een ultieme poging om die te laten stoppen. Wat moest hij dan?, was zijn nuchtere commentaar. Ze wilden de man toch? Gelukkig heeft hij er zelf niks aan over gehouden. Tot er een nieuwe auto is moeten ze zich behelpen en Wagener wordt continu te voet of per fiets op pad gestuurd, tot groot vermaak van zijn collega's. Simmelinck voorop. Wagener heeft zelf nog geen auto gekocht sinds hij uit Engeland terug is. Hij leent de oude Renault van zijn ouders soms; die rijden er nooit meer in.

Op een van de weinige plaatsen rondom het marktplein parkeert ze haar auto. Het plein is omgeven met bomen en doet in de zomer grotendeels dienst als terrasruimte. De eerste cafébazen zetten hun meubilair al weer klaar voor dorstige bezoekers, en die zullen ongetwijfeld komen met dit warme weer.

'Zo. Werk aan de winkel. Onderzoek, ondervragingen, een sectie, wellicht.' Verbeeldt ze het zich of ziet ze Wageners gezicht betrekken? Alleen omdat hij niet tegen bloed kan? Bij hun

eerste gesprek heeft hij haar dat met zichtbare tegenzin toever-
trouwd. Met het dringende verzoek om het stil te houden. Zij
zal niets vertellen, maar hoe lang zal het hem lukken om het te
verzwijgen? Ferry Wageners proeftijd zit er bijna op. Ze zal
moeten beslissen of hij een vast lid van haar team wordt. Hij
heeft het in zich om een goede rechercheur te worden, het enige
wat hem in de weg staat om zich volop te ontplooien is zijn
eigen twijfel of hij het goede vak heeft gekozen.

Ze stapt uit, gooit het portier achter zich dicht en snuift de
frisse lucht op. 'Heerlijk, het ruikt al helemaal naar zomer.' Die
moet nog beginnen, en nu al kunnen ze volop buiten zitten. Dat
belooft nog wat. Een lekkere rosé, Italiaanse bruschetta met tapenade en tot diep in de nacht genieten van het buitenleven; het
is helemaal haar seizoen. Hopelijk komen Pim en Simone gewoon volgens plan, ook al wordt het bij haar misschien later.
Wagener gooit het portier aan zijn kant dicht en woelt met zijn
handen door zijn haar. Hij gaapt ongegeneerd.

'Bij jou is het laat geworden,' zegt ze.

'Veel te gezellig.' Hij lacht breeduit; zijn mond laat een rech-
te rij hagelwitte tanden zien. Het vooruitzicht van bloed of een
dode schijnt vergeten. 'En jij, Nel, nog uit geweest? Hoe is het
met jullie swingcapaciteiten?'

'Kijk jij nou maar of je iets opvalt in de omgeving, Watson.'

De Rapenburgsestraat. Hartje centrum, aan de markt. Hoge
panden, aan elkaar gebouwd. Even verderop is de galerie gevestigd. Ze slentert altijd graag door het kleine, maar gezellige
winkelcentrum van het dorp. Ze lopen langs George, de kaasboer, die de lekkerste knoflookolijven heeft, en langs boekhandel Kramer. De nieuwe Elizabeth George ligt in de etalage, ze
heeft hem al in huis. Vrijwel alle boeken van de Engelse detec-
tiveschrijfster staan thuis in haar wandvullende boekenkast. Net
als die van Sue Grafton en Henning Mankell; verhalen waar ze
zich uren in kan verliezen. Met de uitdaging hoe snel ze erachter is wie het heeft gedaan.

De galerie is in stijl gerenoveerd, met ouderwets metselwerk en authentieke luiken, die het een klassieke, chique uitstraling geven. Het pand is in een frisse, lichtgele kleur geschilderd.

'Alles ziet er normaal uit, lijkt me,' zegt hij, terwijl hij tegen een geplet bierblikje aan schopt. 'Behalve de rotzooi op straat. Alhoewel, na zaterdagavond ook vaste prik. Er zijn behoorlijk wat patatjes oorlog en berenhappen doorheen gegaan. Zie jij iets bijzonders?'

Ze schudt haar hoofd.

'Heeft die kunstenmaker zelf gebeld?' vraagt Wagener.

'Vanmorgen, om tien over negen, heeft menéér Peters het alarmnummer gebeld.' Ze kijkt haar jonge assistent quasi vermanend aan. Ze laten een stel jongens op de fiets passeren voor ze de straat oversteken. De jongelui wensen hen uitgelaten goedemorgen.

'Ik kijk even opzij.' Het steegje aan de zijkant van het pand is smal en onhandig beloopbaar door het plaveisel van oude kinderkopjes. Ze ziet niets bijzonders en draait zich om.

'Ik vind het een raar type,' zegt Wagener.

'Peters, raar?'

'Ja. Hij speelt graag de populaire jongen in de kroeg. Met een air alsof hij de directeur van ik weet niet wat voor toko is. We zien hem wel eens bij Van Ooijen; druk doen, meiden nakijken, zo helemaal midlifecrisis.'

'En? Ben je er klaar voor?'

Wagener knikt. 'Hij verkoopt wel goed, tenminste wat ik ervan hoor. Een vriendin van mijn moeder heeft er onlangs iets gekocht, die was *really impressed*. Maar, of dat nou van de galerie was of van hem?' zegt hij er grijnzend achteraan.

Dat de galerie succes heeft, gelooft ze onmiddellijk. Twee panden verder is de praktijk van haar vriendin, Simone. Als ze daarheen gaat voor een koffiestop, wordt haar blik telkens als vanzelf naar binnen getrokken. Er zijn altijd bezoekers.

'Vandaag nog?'

Hij kijkt haar vragend aan. 'Wat zei je?'

Ze wijst naar de bel.

'Yep, *of course*.' Wagener drukt op de bel. Lang. Indringend. Zijn vingers trillen. Haar blik gaat van zijn handen naar het moderne plexiglas reclamebord naast de deur. *The Arthouse* – galerie. Met openingstijden en een telefoonnummer in dunne zwarte letters eronder. Ze laat haar vingers over de chic gevormde A van Arthouse gaan.

5

Maarten Peters maakt een lichte buiging als uitnodigend gebaar dat ze welkom zijn. Een gastvrije ontvangst, alleen de telefoon aan zijn oor past niet in het plaatje. Een bos donker, grijzend haar, een mysterieuze glimlach en een uitstraling waar je zomaar voor zou kunnen vallen. De milde, maar daardoor des te sensuelere geur van zijn aftershave sluipt haar neus binnen. Gelukkig ontbreekt een lijkengeur, die weeïge geur, zoals je die ruikt als je te dicht langs een koeienslachterij fietst op een warme zomerdag. Het slachtoffer ligt er dus nog niet lang. Het ruikt wel muf in de galerie, maar dat komt vast door de gebrekkige ventilatie in het oude pand. De galeriehouder is ongeschoren. Wel aftershave, niet scheren. Te weinig tijd? In de war door de lugubere vondst op de vroege ochtend?

'De politie, ja, dat klopt...' Peters maakt een verontschuldigend gebaar.

Ze lopen naar de plek waar het slachtoffer ligt. Het is inderdaad een jonge vrouw.

Frits van Amerongen bergt zijn spullen op. Een serieuze man met een grijs ringbaardje, dat hem een soort autoriteit geeft die past bij een arts, vindt ze.

Hij heeft zijn werk er hier op zitten; zorgvuldig verdwijnen zijn instrumenten en papieren in zijn brede dokterstas.

'Zo,' zegt de arts, 'geen eenvoudige zaak, lijkt me. Een zichtbare oorzaak voor de dood van het slachtoffer heb ik niet kunnen constateren. Ik vermoed dat ze ongeveer acht of negen uur dood is. De galeriehouder heeft het slachtoffer vanmorgen om negen uur hier zo aangetroffen, zei hij.' Hij zucht bezorgd. 'Je ziet mijn rapport zo snel mogelijk op je bureau, zoals je gewend bent. Ik wens jullie verder een aangename dag, hoewel dat bij deze wellicht niet meer het geval zal zijn.' Van Amerongen knikt vriendelijk naar Nelleke en haar assistent en vertrekt.

Met een glimlach kijkt ze de arts na; ze mag de rustige man graag en vertrouwt al jaren op zijn gedetailleerde rapporten.

Van der Haar houdt met een pincet een roze velletje voor haar neus, verpakt in een plastic zakje.

'Lucienne Vos. Van '85,' leest ze. 'Eenentwintig jaar. Gouden Regenstraat.'

'En in het bezit van een rijbewijs. Dat is zo ongeveer alles wat we tot nu toe weten,' zegt de forensisch onderzoeker.

Wagener maakt aantekeningen.

'Wat is Frits snel deze ochtend,' zegt ze.

'Hij was hier al voordat wij kwamen,' antwoordt Van der Haar. 'Dat verbaasde mij ook, maar hij kwam net van een patiënt vandaan, hiertegenover in een van de appartementen. Hij leek nogal blij dat hij twee gevallen kon combineren.' Van der Haar schudt zijn hoofd, alsof hij zich niet kan voorstellen dat iemand om die reden verheugd kan zijn. 'Zeg, Nel, ik neem aan dat je een uitgebreid sporenonderzoek wilt, ook al zijn er geen uiterlijke aanwijzingen?'

Ze knikt. 'Zeker.'

De kleine forensisch onderzoeker Harm van der Haar kent ze niet anders dan met een serieuze blik en een rond brilletje op zijn neus. Een laboratoriummuis. Zijn iele gedaante lijkt vormloos door de smetteloos witte overal. Van der Haar heeft een schedel als een biljartbal, alleen langs de zijkanten is een smalle rij blonde stoppeltjes zichtbaar. Harm Potter, noemt Markant hem schamperend, als hij weer een technisch rapport produceert waar niemand iets van snapt. Poeders en pincetjes. Gelatinefolie voor vinger- en voetsporen. Een fotocamera. Ze kent de routine-handelingen van de forensisch onderzoeker, die zich in Amerika heeft gespecialiseerd. Na veel praktijkwerk is hij een jaar of tien geleden overgestapt naar de afdeling *Research and development*. Hij is op elk belangrijk congres – ook internationaal – te vinden om geen ontwikkeling te missen. Het fijne weet ze er niet van, maar ze weet wel dat de Nederlandse directeur van het NFI voorzitter is van de ENFSI, het Europese NFI, en dat ook Van der Haar daar een rol in speelt.

Toen ze hem vertelde dat ze een eigen team op ging zetten en dat ze hem daar het liefst als forensisch onderzoeker bij wilde hebben, was hij direct enthousiast. Hij verlangde ernaar af en toe weer eens echt 'in het veld' te werken. Hij zei 'ja' en zij kneep haar handen dicht. Dat ze vroeger ooit samen in de disco hebben gedanst heeft vast niet geholpen bij zijn beslissing; ze moest altijd lachen om de houterige bewegingen van de iele jongen. Dat hij in de Achterhoek is blijven wonen en deze streek hem dierbaar is, heeft waarschijnlijk meer invloed op zijn be-sluit gehad om gedeeltelijk weer in zijn eigen regio te komen werken. Ze heeft flink gelobbyd, en met de start van haar team was er zelfs een laboratorium ingericht in het Doetinchemse districtsbureau. Een klein hok van drie bij drie weliswaar, niet te vergelijken met zijn riante lab bij het NFI, maar hij kan er de meest gangbare onderzoeken zelf uitvoeren.

Van der Haar is al weer in opperste concentratie en lijkt zijn omgeving daarbij te vergeten. Cornelissen kijkt verveeld. 'Op tv ziet het er altijd zo flitsend uit,' bromt hij.

'Daar selecteren ze dan ook de acteurs op,' antwoordt Van der Haar.

Ze glimlacht om het gekibbel, waarbij Cornelissen expres zijn Amsterdams accent nog iets overdrijft.

Ton Cornelissen is een op en top buitenman, met een verweerde, bruine kop. Hij loopt het liefst in een Levi's spijkerbroek, ook al heeft hij een flinke buik, zoals bierdrinkende veertigers die kunnen hebben. Zijn buik is zelfs in de witte overall die hij nu over zijn kleding draagt duidelijk zichtbaar. Op het districtsbureau wordt hij in de wandelgangen 'brigadier propje' genoemd. Hij volgt geen enkel dieet meer, nadat hij daar jarenlang druk mee is geweest met als resultaat twintig kilo extra gewicht. Hij probeert het nu met kettingroken in plaats van een pakje per dag. Meer roken kost extra energie, beweert hij stellig. Gelukkig voor de vrijgezelle rechercheur heeft hij een uitstraling waar vrouwen voor vallen. Het zijn de zeeblauwe ogen en krullende haardos. Die laten hem niet zozeer jonger lijken dan de zesenveertig jaren die hij telt, maar maken hem wel aantrekkelijk, op een kwajongensachtige manier. Cornelissen rijdt een zwarte Peugeot 307 Cabrio. Stoere bak. Wie het waagt om hem te vragen die voor het werk in te zetten wordt acuut voor seniel verklaard. Cornelissen neemt het technisch onderzoek voor zijn rekening als Van der Haar er niet is en dat doet hij uitstekend, maar als Van der Haar er wel is erkent hij zijn meerdere op dit gebied en wordt hij soms zelfs onzeker. Cornelissen heeft in zijn Amsterdamse periode de opleiding voor technisch rechercheur afgerond, maar verkoos toch het 'normale' rechercheleven boven dat van de techneuten, zoals hij ze zelf noemt. Hij laat bijna een potje omvallen, Van der Haar is er net op tijd bij.

'Ga jij je maat maar helpen,' zegt Van der Haar. 'Ik kan het verder alleen wel af.'

Opgelucht wurmt Cornelissen zijn grote handen uit de latex handschoenen, ontdoet zich van zijn overall en fatsoeneert zijn overhemd, dat half uit zijn spijkerbroek hangt. Hij pakt een Marlboro uit zijn hemd.

Wagener lijkt geïrriteerd en bijt op zijn Bic-pen. 'Dat die

man dan gewoon aan het bellen is. *Ridiculous,*' zegt hij ongewoon fel. Intussen knakt hij zijn vingers een voor een achterover; een teken dat hij nerveus is.

'Gaat het?' vraagt ze.

'Ze is nog... nog jonger dan ik.'

Ze ziet dat de galeriehouder de telefoon weglegt. 'Volgens
mij is hij nu uitgebeld. Als jij Peters de routinevragen eens gaat
stellen?'

Haar assistent is zichtbaar blij met de concrete opdracht en
stevent op de galeriehouder af.

Ze kijkt rond in het lichtgrijze keukentje, waar het ruikt naar
aangebrand brood. Iemand heeft een tosti gemaakt. Het apparaat, dat midden op het zwartgranieten aanrechtblad staat, is
nog warm. De keuken is netjes, in de kastjes staan pannen en
borden keurig opgestapeld. Aan de achterkant van de keuken is
de deur naar een smalle, lichte woonkamer, die uitkijkt op de
achtertuin, waarin rood overheerst. Rozen. Ze heeft geen groene
vingers, maar ze houdt van wilde tuinen en grote boeketten
bloemen in huis. Vooral rozen. Gracieuze bloemen. Naast de
woonkamer treft ze een slaapkamer aan, en daarachter een rom-
melkamer, met een groot raam, ook op de achtertuin uitkijkend.
Misschien noemt hij het een atelier. Ze ziet er oude kranten-
knipsels, foto's van modellen en doeken, half beschilderd, een
enkele kapot of bekrast.

Terug in de galerie voelt ze direct dat er ramen open zijn gezet.
De lucht is een stuk aangenamer.

Peinzend knielt ze bij het lijk, zonder daarbij Van der Haar
te storen, die met een vergrootglas en uv-lamp elk plekje centimeter voor centimeter geduldig bekijkt.

'Al iets bijzonders?' vraagt ze zacht.

Van der Haar schudt zijn hoofd.

'Heb je alle foto's gemaakt?'

'Ja,' antwoordt hij.

Als ze van tevoren niet had geweten dat het om een dode ging, dan zou ze niet eens raar op hebben gekeken als ze hier binnen was gekomen op een onschuldige middag. Zo goed past de stille figuur in de ruimte. Het lijk ligt pal onder het grootste doek in de galerie. Een surrealistisch beeld. Ook door het zonlicht, dat precies op het gelaat van het dode meisje binnenvalt. Zoals de zon vanmorgen haar gezicht kietelde. Maar zo zal deze jonge vrouw het nooit meer meemaken. Het licht benadrukt haar blonde, lange haar, dat bijna doorschijnend rond het inwitte gezicht is uitgewaaierd. Ze kijkt er langdurig naar, alles minutieus in zich opnemend. Ook al ligt het meisje met een lichte kromming op de grond, ze ziet dat ze vrij lang is, zeker rond de een meter tachtig.

Net als Peters. Ze kijkt een moment naar de galeriehouder, die in gesprek is met Wagener, om daarna haar aandacht weer op het slachtoffer te focussen. Peters zou vroeger helemaal haar type zijn geweest. Jaap is ook lang, maar daar houdt de overeenkomst op. Jaap heeft meer weg van een beer. Soms een beetje grommend, alleen actief als het moet – als hij honger heeft – en een groot lijf, dat uitnodigt tot knuffelen. Een geboren bourgondiër. Ze denkt aan hun etentje vorige week, bij De Brul, waar Jaap zich tot zoveel zoetigheid liet verleiden dat hij er de volgende ochtend misselijk van was. Raar, hoe haar geest zijn eigen gang gaat, zelfs terwijl ze een dode observeert. Brownies en vanilleijs zijn niet bepaald de meest voor de hand liggende gedachten als je een lijk ziet.

Van der Haar pakt een draadje met een pincet, dit keer van het crèmekleurige truitje dat het slachtoffer draagt.

Behoedzaam, elk detail in zich opnemend, loopt ze langs het lijk. De stille figuur lijkt te slapen, geen enkel teken wijst erop dat de jonge vrouw dood is.

Ze zucht. Eenentwintig is geen leeftijd om dood te gaan. Waarom heeft het slachtoffer dan toch een glimlach op haar gezicht? Er is geen enkele vorm van angst te bespeuren op het mooie gezicht. Hoge jukbeenderen. Noemen ze dat geen klassieke schoonheid? Ze vindt de benaming in ieder geval wel van toepassing. Geen spoor van geweld. Maar die ogen. Het zijn altijd de ogen die haar niet loslaten. Zelfmoord? Een overdosis?

Ze gelooft niet in een natuurlijke dood. Niet met die ogen, niet op deze locatie op een zondagochtend.

Voorzichtig streelt ze een lok blond haar op het voorhoofd van het slachtoffer. Zacht, fijn haar. 'Ik zal degene die dit op zijn geweten heeft te pakken krijgen,' fluistert ze.

Teruglopend kijkt ze nog eens naar het lichaam, dat ze nu van de achterzijde ziet. Het doek boven het lijk toont eveneens de achterkant van een vrouwenlichaam. Het lijkt alsof de figuur op het doek net zo levenloos is als het slachtoffer. Is dat het effect van het lijk? De schilder heeft vast niet een soortgelijk tafereel voor ogen gehad. De signatuur van de enige die dat zeker weet, A. Hauser, is groot, met ferme letters. Vast een man. Hij – daar houdt ze het voorlopig op – heeft het dit jaar gemaakt, of in ieder geval voltooid. Ze kijkt de galerie nog eens rond, waarbij haar de kleine, lege plek in de hoek opvalt. Het maakt de wand onevenwichtig, alsof er iets ontbreekt. Van de andere kant viel het haar niet op, maar nu stoort het haar. Ze loopt ernaartoe. Inderdaad, hier hing iets. *Doodgewoon, van A. Hauser. Compositie (2006) 2.500 euro*, leest ze op het kaartje.

6

'Mijn oprechte excuses voor de ontvangst van zo-even. Ik was in gesprek met een journalist van *De Gelderlander*. Hij belde voor informatie over de expositie van aanstaande woensdag, maar intussen viste hij natuurlijk ook naar de tragische situatie hier ter plekke op deze ochtend. Op zo'n moment kan ik zo'n type wel kielhalen. Maar ja, ik heb ook goede recensies nodig, dus, tja. Geven en nemen, hè? Welnu, dat is niet uw probleem. Ik zag u kijken... Het schilderij is van Alexander Cornelius Hauser,' zegt hij tegen haar, terwijl hij naar het grote doek wijst. 'Alex Hauser.'

Een man dus.

'Maarten Peters,' stelt hij zich voor, terwijl hij haar een stevige, aangenaam warme hand geeft. 'Uw assistent is voorlopig klaar met mij, geloof ik. Hij had weinig oog voor de kunst hier. En u? Kan het u enigszins boeien?'

'Inspecteur De Winter. Mits kunst vragen stelt en sommige beantwoordt, ben ik zeker geïnteresseerd. Maar ook mijn aandacht gaat op dit moment uit naar de dode,' antwoordt ze, 'zoals u zult begrijpen. U bent de eigenaar van deze galerie.' Het is meer een constatering dan een vraag.

Peters glimlacht innemend naar haar. 'En u komt helaas niet

voor een mooi schilderij, jammer, ik had u graag iets verteld over enkele prachtstukken die ik momenteel in de collectie heb.' Peters maakt een gebaar richting een oude houten tafel in een hoek van de galerie. 'Zullen we gaan zitten?'

Hij zet galant een stoel voor haar klaar.

Dat de galeriehouder haar nauwlettend heeft geobserveerd vanaf haar binnenkomst is haar niet ontgaan. Gezien zijn welwillende lach is ze blijkbaar goedgekeurd. Voorlopig in ieder geval. Ze pakt haar recordertje uit haar tas. 'Als u het geen probleem vindt neem ik op wat mij belangrijk lijkt.'

'Is dat niet wat ouderwets? Hoewel het een prachtig vormgegeven apparaatje is, moet ik zeggen.'

'Ouderwets? Kan zijn, ik heb nog steeds geen betere methode ontdekt. Ik neem op wat me belangrijk lijkt en het is rechtsgeldig bewijsmateriaal.'

'Ben ik dan nu verdachte?'

'Iedereen die het slachtoffer kende is voor ons voorlopig verdachte. Of getuige, wat u wilt.'

'U neemt maar op, ik heb niets te verbergen.'

Duidelijke taal. Beetje macho, treedt graag op de voorgrond. BMW of Mercedes, schat ze. Als hij het zich kan veroorloven, een sportuitvoering. Zou hij het oprecht menen? Het lijkt er wel op, gezien zijn ogen, die recht in de hare kijken. Ze zou het aantal talentvolle acteurs onder criminelen echter niet de kost willen geven.

'Een vrouwelijke inspecteur,' zegt Peters. 'Ik ben niet thuis in het politieapparaat, maar dat lijkt me vrij uniek.'

'Uniek is een groot woord, maar het is inderdaad overwegend een mannenwereld.'

'Een schande. Eigenlijk geldt dat voor de kunstenaarswereld ook. Daarom heb ik mateloze bewondering voor elke vrouw die hogerop komt.'

'Ik moet u bekennen dat ik liever met mannen samenwerk dan met vrouwen. Maar goed, meneer Peters, we zijn hier niet om over mij te praten.' Ze zet de recorder aan. 'Wilt u mij vertellen wat er is gebeurd?' Vlak bij de recorder zegt ze: 'De heer Peters, galeriehouder, tien uur vijfenveertig.'

'Ik kwam vanmorgen om een uur of negen deze ruimte binnen,' zegt de galeriehouder, terwijl hij naar het slachtoffer kijkt, 'ben me om het kort maar krachtig samen te vatten ter plekke het apelazarus geschrokken en heb 112 gebeld.'

'Kent u het slachtoffer?'

Peters haalt zijn schouders op. 'Wat heet kennen. Lucienne Vos, student kunstacademie, laatstejaars. Ik heb een paar van haar illustraties verkocht, zoals ik wel eens meer werk van studenten hier exposeer.'

Nelleke knikt. 'Is die verkocht?' Nelleke wijst op de lege plek aan de muur.

'Gestolen, vrees ik. Gisteren hing het stuk er nog. Een prachtfoto van Hauser, een van zijn mooiste zwart-witwerken van vorig jaar. Toen was hij pas derdejaars, maar door die foto wist ik dat hij het in zich had om landelijk, of zelfs internationaal, door te breken.'

'Alex Hauser is een student?' onderbreekt ze zijn verhaal.

'Vierdejaars. Eindexamenjaar,' legt Peters uit. 'Maar zijn werk getuigt nu al van een professionaliteit en vernieuwing die je, voor zover ik het kan beoordelen, maar eens in de zoveel jaar tegenkomt. Om die zelf te ontdekken is in één woord formidabel, onbeschrijfelijk.' Peters' ogen glinsteren.

'Wat voor jongen is Alex Hauser?'

Peters wrijft met duim en wijsvinger over zijn kin. Voor haar vanzelfsprekend een gebaar dat hij ongemerkt maakt, terwijl hij nadenkt. Omdat haar vader dat precies zo kon doen. Ook al klonk het bij hem anders; schrapend, vanwege zijn stoppelige baard. Ze draait aan haar ring, een gebaar dat ze waarschijnlijk ook regelmatig maakt zonder dat ze het merkt. Ze zou haar vader willen vragen of hij Peters kent, van vroeger. Peters komt van hier, heeft ze zich laten vertellen, al heeft hij jarenlang in het westen gewoond. Haar vader kende iedereen in het dorp en had een feilloos instinct om mensen op hun eerlijkheid in te schatten. Volgens Nummerdor heeft ze dat gevoel van haar vader geërfd. Dat kan natuurlijk niet, dat weet de hoofdcommissaris ook, maar juist daarom zegt hij het graag. Vanuit je opvoeding kun je ook dingen erven en die zijn misschien wel meer waard dan wat je via de genen meekrijgt, is zijn opvatting.

'Wat voor jongen is Alex Hauser. Daar vraagt u me wat. Gedreven. Vastbesloten om het te gaan maken. Overtuigd van zijn eigen kunnen, op het arrogante af, zou je kunnen zeggen. Maar onder die laag zelfverzekerdheid zit natuurlijk de eeuwig twijfelende kunstenaar, die erkenning zoekt bij iedereen die zijn creaties aanschouwt en bekritiseert.'

'En 2500 euro is een gangbare prijs voor een werk van een startend kunstenaar?'

'Niet echt, nee. Deze wilde ik niet kwijt, vandaar.'

Van der Haar sluit net met de grootste voorzichtigheid de ogen van de jonge vrouw. Haar blik wordt naar het slachtoffer getrokken, en ze ziet dat dat bij haar assistent niet anders is. Wagener ziet bleker dan daarnet, valt haar op. Hoewel er geen spatje bloed te zien is, lijkt hij danig van zijn stuk gebracht. Ook Peters lijkt onder de indruk; hij zucht diep. Van der Haar wenkt naar hen beiden. Ze stopt de taperecorder. Even pauze.

'Heeft u het slachtoffer aangeraakt?' vraagt Van der Haar aan de galeriehouder.

'Dat was niet nodig om te zien dat ze dood was. Ik ben op gepaste afstand gebleven.' Zijn antwoord lijkt oprecht.

Wagener maakt ijverig aantekeningen; een diepe frons tussen zijn wenkbrauwen.

'Kan ik een van u misschien verblijden met een espresso of cappuccino?' Zijn blik is alleen op haar gericht.

Ze knikt. 'Een cappuccino, heerlijk.'

Peters lijkt opgelucht dat ze koffie wil en verdwijnt in de keuken. Van der Haar loopt hem achterna, ze hoort hem vragen om zijn vingerafdrukken.

De bel van de galerie klinkt. Wagener doet de deur open voor Cornelissen en zijn partner Simmelinck.

Simmelinck slaat Wagener op de rug met een joviale groet. 'Zo, de jeugd is al vroeg wakker op deze zondagochtend, zie ik. Ben je helemaal komen lopen, hiernaartoe?'

'Ik heb een taxi gebeld,' antwoordt Wagener grijnzend.

Rechercheur Han Simmelinck is niet groot van stuk; hij is net iets over de een meter zeventig, een paar centimeter langer dan zij. Met zijn zwarte en hier en daar grijze haar, zijn getinte huid en vrolijke, drukke gebaren doet Simmelinck eerder aan een Italiaan denken dan aan de geboren en getogen Achterhoeker die hij is. Hij kauwt; ongetwijfeld op een mueslireep met een laagje melkchocolade. De bijbehorende, gebruikelijke vrolijkheid van de brigadier is echter ver te zoeken. Zijn blik is somber. De laatste tijd komt hij 's morgens soms met donkere wallen onder zijn ogen en een bleek gezicht op het bureau. In zijn zwarte kleding – Simmelinck loopt meestal in zwarte spijkerbroek met zwart T-shirt – lijkt hij dan soms nog bleker. Ze weet dat hij huwelijksproblemen heeft. En nu, dit slachtoffer... hij heeft zelf een dochter in die leeftijd. Ondanks de jarenlange ervaring heeft ook zij er soms nog moeite mee om haar eten binnen te houden. Zoals onlangs, met dat vermoorde meisje in Utrecht.

Cornelissen komt hijgend bij haar staan.

'Rook er nog eentje, Ton, je conditie gaat er met sprongen op vooruit.'

De rechercheur schudt zijn hoofd. 'Ja, ja. Hoor eens, wist je dat Peters' vrouw de pijp uit is gegaan? Een jaar of vier geleden. Ze woonden toen in Amsterdam. En het schijnt dat hij vroeger ooit artiest wilde worden,' zegt hij. 'De nieuwe Van Gogh zo gezegd, maar helaas, verder dan tekenleraar met een potlood achter zijn oor is hij niet gekomen.'

'Van Gogh nog wel.'

Haar collega is onverstoorbaar. 'Nadat zijn vrouw overleed, heeft hij zijn baantje opgezegd en is hij hier de galerie begonnen; hij had ineens geld zat, zo gezegd...'

'Had hij iets met de dood van zijn vrouw te maken?'

Cornelissen haalt twijfelend zijn schouders op. 'Daar werd wel over gepraat.'

7

'Hoe laat is uw bezoek vanmorgen vertrokken?' vraagt ze, de geur van haar koffie opsnuivend. De galeriehouder kijkt haar verbaasd aan. 'Ik rook een sigarettengeur in de keuken,' legt Nelleke uit.

'Misschien rook ik zelf.'

Ze schudt haar hoofd. 'U bent geen roker, te zien aan uw huid en vingers. En het was geen Marlboro.'

Hij kijkt haar verbaasd aan.

'Dat merk rookt mijn collega,' verklaart ze.

'Er is niets mis met uw opmerkingsgave,' zegt Peters. Hij neemt een slok koffie. 'U vroeg? O ja, hoe laat. Ik heb haar zo snel mogelijk de deur uitgewerkt nadat ik had gebeld,' erkent hij. 'Ze had niets gezien en ik wilde dat voor het moment graag zou houden.'

'Waarom?'

'Een dergelijk schouwspel voor een jongedame? Ik vond het zelf al moeilijk om de biefstuk van gisteravond binnen te houden.'

'Zijn er drugs in het pand?'

'Ik gebruik niet,' antwoordt Peters. 'Vroeger wel, in de hippe jaren zeventig, met lang haar en plateauzolen. Maar toen lag u nog in de wieg.'

Charmeur.

'Bent u de enige met een sleutel van de galerie?'

Peters aarzelt voor hij antwoordt. 'Ja, althans, dat wil zeggen, ik heb er uiteraard hier eentje, maar er ligt er ook een verstopt bij de achterdeur; u weet wel, voor het geval dat.'

'Wist iemand daarvan?' vraagt ze.

Peters haalt zijn schouders op. 'Misschien heeft iemand een keer gezien dat ik die pakte.'

'Midden in de nacht, na een kroegentocht bijvoorbeeld. Dan kan er dus iemand in de galerie binnen zijn geweest.'

'Ja.'

Dat komt hem natuurlijk goed uit.

'Om terug te komen op het slachtoffer, hoe heeft u Lucienne Vos leren kennen?'

Wagener gebaart naar haar, dat hij naar buiten gaat. Ze knikt naar hem; laat hem maar frisse lucht happen, zo te zien kan hij het gebruiken.

'Zo'n beminnelijk meisje. Een doodzonde,' zucht hij.

De galeriehouder ziet er vermoeid uit, ze ziet grijze wallen onder zijn ogen.

'Pardon, wat vroeg u?'

'Hoe u haar leerde kennen.'

Peters vertelt dat Lucienne op een ochtend in de galerie kwam. 'Een ochtend, dat weet ik zeker. Want ik kwam binnen, en het licht scheen zo mooi op haar blonde hoofd. Net zo mooi als nu,' voegt hij eraan toe. 'Ze had haarfijne pentekeningen van fantasiefiguren. Roze elfjes juichend in de achtbaan, lachende kabouters in een karretje van het reuzenrad. Hartverwarmende sprookjestaferelen. Dat was haar passie. Ze schreef er verhaaltjes bij voor kinderen. En gedichtjes. Ik hing ze op. Ik vind het geen kunst. Kunst ontstaat pas als er visuele zeggingskracht in een werk zit. En dat is niet alleen mijn mening. Luciennes werk heeft dat niet. Bovendien is het niet mijn genre, moet ik u eerlijk bekennen. Als galeriehouder zoek ik naar vernieuwende kunstenaars, dat zult u begrijpen. Dat gepriegel op de millime-

ter à la Anton Pieck hoort daar niet bij, vanzelf, maar ja, ik gun-
de haar een kans. En, eerlijk is eerlijk, ze verkochten als warme
broodjes. Eén klant vroeg zelfs of ik contact op wilde nemen als
er iets nieuws van haar hand binnenkwam.'

'Zou ze kwaad zijn geweest, omdat u haar werk niet waar-
deerde? Zou ze vannacht hier binnen zijn geweest met de bedoeling iets te vernielen?'

'Dat zou Lucienne nooit doen.'

'Hoe was ze dan, als persoon, volgens u?'

'Meisjesachtig, slungelig bijna nog, misschien door haar
lengte, maar erg pienter, en ze had veel gevoel voor kunst. Ze
respecteerde mijn mening over haar werk en was stomverbaasd
toen ik vertelde dat ik een tekening van haar had verkocht.'

Veel meer weet Peters niet. Of ze bij Alex Hauser in de klas
zat, of ze een vriend had. Hij vertelt alleen dat hij haar twee
weken geleden voor het laatst zag. 'Toen stond ze 's avonds plotseling voor mijn neus.'

'Ze kwam hier ook 's avonds?'

'Het was vrijdag. Koopavond. Ze kwam met drie nieuwe tekeningen. Ik dacht... eh, ja, ik heb de laatste van die serie net
verkocht. Ze hingen daar, bij de ingang.' Peters wijst naar een
stuk kale muur, waar de tekeningen blijkbaar hebben gehangen.

Ze heeft de indruk dat hij haar de waarheid vertelt. 'Hoe heet
uw alibi ook alweer, veronderstellend dat u er een nodig zou
hebben?'

'Eh... alibi... tja, ik ben bang dat ze geen geloofwaardig alibi
is. Ik ontmoette Miriam, Miriam Vieberink pas na middernacht
in café De Zaak en...' Peters twijfelt.

'En...?' vraagt ze.

'We hebben natuurlijk wat gedronken. Flesje wijn. Nog een
paar whisky's. Hoe betrouwbaar vindt u dat alibi?' Een grijns.
Geforceerd luchtig, lijkt het.

Ze drukt haar recorder uit en stopt die in haar tas. 'Voor het
moment hebben we hier niets meer te zoeken.'

'Als ik u nog ergens mee kan helpen, dan weet u me te vinden,' zegt hij. Het klinkt zelfverzekerd, maar ze bespeurt een zenuwtrekje om zijn mond.

Ze loopt naar de deur van de galerie, waar haar collega's met elkaar in gesprek zijn. Wagener komt net weer binnen, met gelukkig iets meer kleur in zijn gezicht.

'Heeft het buurtonderzoek iets opgeleverd?' vraagt ze aan Simmelinck.

De rechercheur bladert hoofdschuddend door zijn notitieboekje. 'Weinig wakkere mensen op de vroege ochtend. Laat staan 's nachts. Alleen een oude buurvrouw, tachtig plus, mevrouw Stöteler, is vannacht om een uur of twee, drie wakker geworden van geluid op straat, zei ze, dat klonk als, eh...' hij bladert terug in zijn boekje, '... dat klonk als een deur die hard dicht sloeg. Verder veel mensen die van alles en nog wat hebben gehoord en gezien, maar niet wat wij graag zouden willen.'

'Goed. Ik zie jullie rapport wel.'

Als ze de galeriedeur achter zich dichtdoet, blijft Wagener staan. Hij kijkt haar vragend aan. 'Ga je geen officiële verklaring opnemen van die Peters en zijn scharrel?'

'Voorlopig niet.'

'Hoezo niet? Denk je dat het zelfmoord is? Pillen of zo?'

'Nee,' bekent ze. 'Als ze zelfmoord wilde plegen, waarom zou ze dat dan hier in de galerie doen?'

'Het is wel theatraal,' zegt Wagener. 'Maar misschien past dat bij haar.'

Ze steken de straat over en lopen rustig richting de auto.

'Er is geen briefje gevonden. En dat voor iemand die gedichten schrijft?'

'Het kan een ongeluk zijn,' reageert Wagener. 'Een overdosis coke?'

'Iemand kan haar die overdosis gegeven hebben,' pareert ze. 'Maar wat ik het belangrijkste vind: een kunstacademiestudente die dood wordt gevonden in een galerie. Ferry, dat kan geen toeval zijn.'

'Dus waarom dan geen verklaringen? Ik heb geleerd om zo snel mogelijk verklaringen op papier te hebben. Ondertekend.'

'Ik heb het gevoel dat Peters niet alles heeft verteld.'

'Moet je hem dan niet juist de duimschroeven aandraaien?'

'Ik wil liever eerst meer weten. De doodsoorzaak, bijvoorbeeld. We zien meneer Peters ongetwijfeld terug.'

Ze ziet dat hij moeite doet om zich goed te houden. Ze legt haar hand op zijn arm.

'Zelfs Han, met al zijn ervaring, was van slag door de aanblik van het dode meisje. Geneer je niet.' Eigenlijk vindt ze het bij nader inzien helemaal niet zo vanzelfsprekend dat Simmelinck zich anders dan normaal gedroeg. Ook al heeft hij een dochter van dezelfde leeftijd als het slachtoffer, de rechercheur is wel wat gewend en ze vraagt zich af of er een andere reden voor is. Zijn problemen thuis?

'In Engeland stuurden ze me altijd direct achter de computer. Net als jij, tot nu toe. Ik heb nog niet veel doden gezien.' Wagener grijnst. Hij doet zich stoerder voor dan hij zich voelt. 'Doet het jou niks?'

'Het went nooit,' antwoordt ze. Ze zucht. 'En vooral niet als het om jonge mensen gaat.' Haar stem slaat over bij die laatste zin. Wagener kijkt haar aan alsof hij verwacht dat ze meer zal zeggen.

8

'Een ouwe lul die graag scoort bij de vrouwen,' zegt Wagener. 'Hij was shaky, maar als er iemand onder je eigen dak morsdood ligt, *my god*, dan flip je toch compleet?' Voorzichtig kijkt hij vanuit een ooghoek naar zijn baas. Hij ziet dat ze van slag is. Haar normaal zo warme uitstraling is veranderd in een strakke blik, die niet uitnodigt tot een vrolijk gesprek, al probeert ze het niet te laten merken. De grote, sprekende ogen lijken ergens in de verte te staren zonder iets te zien.

'Ik zie het hem wel doen,' zegt hij.

'Motief?'

'Een onbeantwoorde liefde?'

'Hij is gisteren goed dronken geweest, aan de lege wijnflessen in de keuken te zien, en volgens mij was hij bang dat hij dingen vergeten is van vannacht. Maar moord?'

'Misschien hadden ze iets met elkaar,' oppert hij. 'Zij wilde van hem af en daar kon hij niet tegen. Hij werd kwaad en gaf haar een overdosis coke.'

Een fietser rijdt langs. De keurig geklede oudere man in driedelig grijs pak, vast afkomstig van de kerk, knikt hen goedgemutst gedag, zoals hij waarschijnlijk iedereen op deze mooie ochtend een goede dag wenst, nog niet op de hoogte van de gebeurtenissen in de galerie. Dat zal zeker niet lang meer duren.

'Ja, wie weet,' vervolgt de inspecteur. 'Vervolgens probeert hij er een sinistere wending aan te geven door het lichaam opzichtig in de galerie neer te leggen. Dan gaat hij na twaalven zeer aanwezig zitten wezen in het café, zodat hij zeker weet dat hij gezien wordt.'

Ze heeft er moeite mee om dat te geloven, ziet hij aan haar blik. Maar hij ziet die mislukte *artist* er wel toe in staat een dergelijke act op te voeren.

Een druk gebarende man komt, zo hard als de vele kilo's vet die zijn lijf meesleept het toelaten, op hen af hobbelen. 'Mevrouw Nelleke!' Een lichte regenjas, die twee knopen mist, slobbert om zijn dikke buik; in zijn handen houdt hij een fototoestel.

De man stopt abrupt en nietsvermoedend kijkt Wagener ineens in de lens van een dure Nikon. Klik, klik. 'Wat moet...' Hij houdt zijn handen voor de lens van de camera.

Nelleke legt een hand op zijn arm. 'Laat maar,' sust zijn baas. 'Gerrit is er altijd als de kippen bij. Deze foto's zijn vast voor later een keertje, toch, Gerrit?' Nelleke lacht. De man knikt gehoorzaam en neemt enkele shots van de inspecteur.

Gerrit kijkt hem nieuwsgierig aan. 'Ben jij nieuw hier?' vraagt hij.

Wagener is lichtelijk van zijn à propos en voelt zich ongemakkelijk bij de directe vraag, waarbij Gerrit hem door de lens van alle kanten bekijkt en fotografeert. 'Je komt me ergens bekend voor. Waar ben je van?'

'Wagener. Van de Molendijk.' Hij doet een stap terug. De man knikt, zijn hele gezicht straalt. 'Van Marcus en Annie. Ben je net zo goed als je pa vroeger was?' De man kijkt hem met een scheef hoofd polsend aan.

Hij twijfelt wat hij moet zeggen.

Nelleke redt hem. 'Ferry Wagener is mijn assistent. Een goeie, Gerrit, bijna net zo goed als jij plaatjes schiet.'

Gerrit groeit zo mogelijk nog meer door dit compliment, aan

zijn stralende ogen te zien die Nelleke bewonderend aankijken.

'Wat is er gebeurd?' vraagt Gerrit aan Nelleke. 'Is het waar dat er een meisje dood is gevonden in de galerie?'

Nelleke knikt. 'Triest maar waar. Verder weten we nog net zo weinig als jij, Gerrit.'

Hij zet zijn toestel nogmaals in de aanslag, maar Nelleke schudt gedecideerd haar hoofd. Ze trekt haar rechter wenkbrauw op. Volgens hem heeft ze dat zelf meestal niet eens in de gaten, maar het is duidelijk een teken van ongeduld. Als je dan doorzeurt volgt er een vriendelijke, maar besliste reprimande.

'Stop nu maar,' zegt ze. 'Je hebt genoeg foto's van mij liggen om twee jaargangen te vullen.'

Gerrit stopt onmiddellijk – zou hij de wenkbrauw ook kennen? – en salueert ter afscheid, waarbij zijn kwabbige onderkin meedeint. Inspecteur De Winter kijkt hem na, haar warme blik is terug.

'Onze Gerrit. Maakt leuke plaatjes hoor. Hij gaat ermee naar ons plaatselijke sufferdje,' zegt ze. 'De redacteur zorgt wel voor een goede keuze. Dus je hoeft niet bang te zijn dat je hoofd dinsdag zomaar op de voorpagina staat.'

'Het lijkt alsof hij je goed kent.'

'Ik heb met Gerrit nog in de zandbak gezeten,' zegt ze.

Hij kijkt haar verbaasd aan.

'Op de kleuterschool.' Ze grinnikt. 'Zullen we verder gaan?' vraagt ze, terwijl ze in beweging komt. 'Zeg, wil jij Peters alvast gaan checken en wat papierwerk voor je rekening nemen als je tijd over hebt? Dan zien we elkaar tegen een uur of twee op het bureau voor het overleg. Als jij de anderen daarover wilt bellen?'

Hij knikt.

'Zal ik je bij het bureau afzetten?'

'Ik wil graag even een stukje lopen,' zegt hij.

'Hier, kijk maar of je eraan toekomt. Anders morgenvroeg iemand op het bureau?' Ze geeft hem het kleine bandje uit haar taperecorder en pakt een ander bandje uit haar tas.

Hoe is het toch mogelijk dat ze dat ding zo snel uit die chaos opvist?

Ze loopt naar haar auto. Licht, met souplesse, als een hinde. Geen wonder dat ze makkelijk hardloopt. Hij voelt zich altijd onhandig vergeleken bij haar, terwijl hij toch ook een sportief lijf heeft. Hij diept een pakje kauwgom uit zijn zak en stopt twee stukjes in zijn mond. Toen hij haar voor het eerst ontmoette, zijn nieuwe baas, was hij verrast. *Fragile*, was zijn eerste gedachte. Op het moment dat zij zijn hand schudde, krachtiger dan hij verwachtte, wist hij dat hij het mis had. Ook al meet ze amper een meter zeventig, ze is een opvallende aanwezigheid in elk gezelschap. Koperkleurige krullen, groene ogen en een figuurtje om u tegen te zeggen. Maar het kwam niet zozeer door haar uiterlijk, dat hij direct onder de indruk was. Op de een of andere manier twijfelde hij er al bij hun kennismaking niet aan dat ze haar werk met succes doet. Pas midden veertig, bovendien, en dan al een ervaren inspecteur van naam. *Crazy.* Het is haar uitstraling, haar innemende persoonlijkheid, die vanaf het eerste moment zijn respect afdwong.

'Ik ben weg. Naar de familie.' Haar gezicht betrekt. Ze stapt in de auto. 'Voordat ze het straks van iemand anders horen.'

'Ik denk dat het nieuws inmiddels zelfs in Zieuwent wel bekend is.'

Ze glimlacht.

Wagener kijkt de Volvo na als ze wegrijdt en haalt diep adem. Doe jij maar niet zo stoer, zegt hij tegen zichzelf, terwijl hij over de markt loopt. Hij is als de dood dat hij morgen naar de sectie moet. *First time.* Hij heeft Nelleke niet verteld dat hij die in Engeland altijd heeft ontlopen. Hij heeft haar wel al verteld over zijn angst voor bloed en dat leek hem wel genoeg watjesgedrag voor een tijdje.

Soms droomt hij ervan. Dan hoort hij het slijmerige geluid van organen die uit een lijk worden gehaald en ziet hij het bloed langzaam op de grond druppelen. Het druppelt op zijn tenen, ook al probeert hij nog zo hard om het te ontwijken. Dan valt hij flauw, om met een schok wakker te worden. Het is vast een teken dat hij niet geschikt is voor dit werk. Hij heeft lang getwijfeld tussen de muziek en dit vak. Hij kon na het vwo naar het conservatorium, als hij had gewild, later trok de rockacademie. Nog steeds. Hij heeft zijn vader er nooit iets van verteld; die wilde niets anders horen dan dat hij ook bij de politie zou gaan. Zijn moeder wel, die zag zijn twijfel. In zijn vrije tijd is hij toetsenist bij een plaatselijke rockband. Oude songs van The Doors, Eagles, maar ook nieuwe nummers die hij met zijn vriend Marc schrijft.

Een frituurlucht onderbreekt zijn gedachten. Hij snuift de geur op van Broodje Bram. Als geprogrammeerd is hij ernaartoe gelopen.

Als hij weer buiten komt, heeft hij twee broodjes rosbief achter de kiezen en een zak met een broodje warm vlees bij zich. Voor straks.

Hij bedenkt zich dat zijn laptop nog bij Nelleke in de auto ligt.

Zijn laptop staat op zijn bureau. Nelleke heeft het apparaat gezien en is langs kantoor gereden. Dat is mooi. Er staan wel andere computers in het kantoor, maar die zijn minder snel. Hij schuift met een kop koffie achter het apparaat. Hij ruikt de pindasaus van zijn broodje. Normaal loopt het water dan in zijn mond, maar de knagende angst voor de sectie bekruipt hem opnieuw en dat doet zijn gewoonlijk onverzadigbare eetlust geen goed. Sinds hij hier begon, bij inspecteur Nelleke de Winter, vijf maanden en drie weken geleden, zijn er een paar zaken geweest met doden erbij. Een verkeersongeluk met een vrouwelijk slachtoffer, waarbij de doodsoorzaak niet duidelijk was, en een vermoorde asielzoeker in Velp. Hij werkte rapporten uit. Ze heeft hem nog niet gevraagd om erbij te zijn. Nog niet. Terwijl hij de vertrouwde geluiden van Windows hoort, knakt hij zijn vingers. Eén voor één. Concentratie. Maar goed dat zijn moeder hier niet is. Die ergert zich aan dat geluid. Zijn eerste echte moordzaak, nog wel hier in Lichtenvoorde. De afgelopen maand is hij af en toe met Nelleke mee geweest naar Utrecht, om haar te assisteren, maar daar voelde hij zich niet echt betrokken bij de zaak en heeft hij – gelukkig, dacht hij toen hij de foto's zag – geen lijk gezien. Maar dit is het echte werk.

9

Gefluit op de gang. Simmelinck, kan niet missen, misschien alleen een beetje overdreven vrolijk?

'Zo! Opnieuw een goedemorgen.' Hij gooit zijn tas op zijn bureau en pakt er wat papieren uit. 'Hoewel, goed…' Hij zet zijn computer aan, gaat zitten en schuift met stoel en al naar hem toe. 'Wat ruik ik, een broodje warm vlees? Eet je die niet op?'

Ferry schuift de zak naar hem toe. '*Go ahead,*' zegt hij.

Dat laat Simmelinck zich geen twee keer zeggen.

'Dus we hebben een lijk in Lichtenvoorde. Dat mag in de krant, net als jij, die een broodje laat liggen. Weet je welke moord in Lichtenvoorde ooit echt wekenlang de krant heeft gehaald?'

Hij schudt zijn hoofd.

'Ken je ouwe Berta, van de Vijfhoek?'

Wagener schudt twijfelend zijn hoofd. 'Vaag, die naam.'

'Berta was getrouwd met een grove, brutale kerel die iedereen verrot sloeg die 'm in de weg liep. En dat deden zijn kinderen natuurlijk nogal eens. Een alcoholist, daar lusten de honden geen brood van. Lekker broodje trouwens.'

Simmelinck neemt een laatste hap en ineens heeft hij spijt dat hij het broodje niet zelf heeft opgegeten.

'In ieder geval,' zegt Simmelinck, terwijl hij met een tevreden gebaar zijn mond afveegt en een kruimel van zijn zwarte shirt plukt, 'na jarenlange angst voor de heer des huizes hadden moeder en de oudste kinderen het helemaal gehad. Na rijp beraad hebben ze hem in een zatte bui een rake klap verkocht, waarna ze die ouwe in de kruipruimte hebben begraven. Bij de voordeur. Dichtgemetseld en klaar.'

'Dat meen je niet.'

'Zeker wel. En elke keer als de kinderen thuiskwamen en hun voeten veegden riepen ze: 'pa, ik ben weer thuis'. Helaas hadden ze niet zo veel verstand van metselen en specie. Na een tijdje begon pa te stinken.' Simmelinck lacht breeduit.

Wagener trekt een vies gezicht. 'En dat vind jij humor?'

'Ach, joh, het is al zeker dertig jaar geleden. Ik kom haar wel eens tegen in het dorp en dan lachen we er samen om. Berta nog wel het hardst. Ze heeft een tijdje vastgezeten en daarna werd haar leven – en dat van haar kinderen – een stuk aangenamer.' Simmelinck laat zich achterover hangen in de krakende bureaustoel. 'En voor wat betreft deze zaak, het lijkt mij zo klaar als een klontje. Een jonge meid, op zo'n rare plek, die heeft een overdosis gehad,' zegt de brigadier. 'Daar hebben Ton en ik er genoeg van gezien. Misschien hebben ze zelfs wel een feestje gehad daar in die galerie. Met een paar van die kunstenmakers erbij.' Hij kijkt naar zijn lege kop koffie en veert op. 'Ook nog een?'

Hij knikt, concentreert zich op zijn beeldscherm. *TrackID* leest hij op het scherm en hij logt in met een beveiligingscalculator, waarin hij een code moet toetsen. *Welcome*, zegt het beeldscherm met felle, gele letters. Hij moet denken aan een van de eerste keren dat hij het internet op ging. Het beeld van hem en Katja ziet hij voor zich, achter in klas vijf van het vwo in Haarlem. Ze hing dat schooljaar continu om zijn nek. En hij had alleen oog voor de computer. Er ging een wereld voor hem open. Een wereld van kennis en van onbegrensde *possibilities*. Hij zeurde net zo lang tot hij thuis ook zo'n link met de wereld kreeg.

Even het nieuws bekijken. Een moord in New Hampshire. Interessant. Niet nu, hij heeft werk te doen. Er is een psychopaat in Londen opgepakt. Cool. Londen. Af en toe kan hij er nog van balen dat hij terug moest naar Nederland, *yes sir, it is a pity, family matters.* Hij moet niet vergeten vanavond of morgen bij zijn ouders langs te gaan. Of in ieder geval te bellen.

Het geluid van kerkklokken klinkt. De Big Ben; zijn telefoon. Simmelinck zet, met verve de klokken imiterend, een kop dampende koffie op zijn bureau.

'Ferry Wagener.'

'Nel. Is Han al bij je?'

Hij grinnikt. 'Ja, dat kun je wel zeggen.'

'Wil je die Alex Hauser ook meteen checken? Was ik vergeten. Alexander Cornelius, geloof ik. Kijk maar even, anders moet je de band afluisteren.'

'*Of course.*'

'Mooi. Tot later.'

Hij doorloopt de noodzakelijke stappen in het computerprogramma en zoekt in het menu naar de plek waar hij moet zijn. Met zijn ID-code en een tweede veiligheidscode meldt hij zich aan en dan is hij welkom in het internationale opsporings- en dataprogramma. Hij toetst in: *Peters, Maarten*, en de geboortedatum van de galeriehouder: *13-08-1957*. De computer zoekt, voegt data samen. De cursor knippert, twijfelend. Een foto verschijnt. Een onduidelijke krantenfoto, blijkbaar van Peters, hij herkent de galeriehouder niet. Wat heeft die op z'n kerfstok? In 1981 aangehouden wegens deelname aan een of andere demonstratie in de buurt. Tegen de kernbom. Wie niet. Rond die tijd was toch ook een van de laatste giga-demonstraties? Hij leest het rapport; Peters heeft zich misdragen toen hem iets gevraagd werd door een politieagent. Hij werd kwaad en heeft 'de diender een optater gegeven'. De naam van de agent staat niet vermeld. Misschien weet zijn vader daar iets van, of was hij er zelfs bij. Hij kan het hem vragen, als hij een goede bui heeft. Zijn vader weet dat soort dingen als de dag van gisteren en soms leeft hij helemaal op als hij in zijn herinneringen graaft. Zijn tijd bij de geüniformeerde dienst was zijn beste tijd, zegt hij te pas en te onpas. Nu is hij een verbitterd man. Afgekeurd na een auto-ongeluk. Niet eens onder diensttijd, maar gewoon een lullig ongeluk; 's avonds van de weg geraakt en in de sloot beland. Met een te hoog alcoholpromillage in zijn bloed. Iets wat zijn collega's voor zich hebben gehouden zodat hij recht had op een uitkering, maar uiteraard waren zijn reputatie en carrière naar de maan. Misschien kan hij ook beter niets vragen, want na zijn herinneringen aan die fantastische tijd bij de politie begint zijn vader altijd weer over dat ongeluk en hoe oneerlijk de wereld in elkaar steekt. En dan is de verdere dag verpest, vooral voor zijn moeder. Hij kent zijn moeder niet anders dan labiel, sinds het ongeluk. Voor haar is hij teruggekomen uit Londen. Hij zou het zichzelf nooit vergeven als er iets gebeurt en hij zit onbereikbaar aan de andere kant van het water.

Als hij verder leest in Peters' dossier wordt het interessanter. De man heeft een flinke levensverzekering uitgekeerd gekregen toen zijn vrouw overleed. Er is onderzoek gedaan door de collega's van het bureau in Amsterdam. Hij geeft zijn computer opdracht om de informatie te printen.

Simmelinck heeft net zijn rapport geprint en legt dat op Wageners bureau. 'Van vanmorgen,' zegt hij. 'Weinig bijzonders.' Wagener geeft hem alvast de informatie over Peters. Het is hun werkwijze. Zo veel mogelijk communiceren. Nelleke draait met haar team al zo'n vijf jaar, zo ongeveer vanaf de start, mee in de top tien van bureaus met de hoogste oplossingspercentages van misdaden, dus haar filosofie werkt. Hopelijk maakt hij er vanaf deze zaak ook echt deel van uit. Dat lijkt hem pas echt vet cool. Het echte werk. Behalve dan die sectie. Misschien moet hij toch informatie aanvragen bij de rockacademie.

'Heb je iemand zien wegrennen, vlak voordat ik terugkwam van het buurtonderzoek? Of heeft Nelleke daar iets over gezegd?'

Hij schudt zijn hoofd. 'Niets gezien of gehoord. Kwam er iemand uit de galerie dan?'

'Dat vroeg ik me af,' zegt Simmelinck. Hij of zij zette nogal plotseling de sokken erin toen ik in de buurt kwam.'

'Ik heb naast onze mensen en Peters geen mensen gezien bij de galerie.'

'Misschien heeft er iemand door het raam gegluurd.'

Hij toetst opnieuw een naam in: *Vieberink, Miriam*. Als hij toch bezig is. Hij ziet de geboortedatum van het meisje. Zo, die is minderjarig, en niet zo'n beetje ook. Geen wonder dat Peters haar de deur uit heeft gewerkt voordat zij kwamen. In ieder geval een meisje zonder crimineel verleden. Daar heeft ze ook nog amper tijd voor gehad. *Hauser*, toetst hij in. A. Alex, Alexander Cornelius, ook van hem heeft hij geen geboortedatum. De computer komt vlot met vier Hausers op de proppen. Een Alexie, die kan weg. Eerst verder kijken; hij gaat er voorlopig vanuit dat ze zich niet heeft laten ombouwen. Hij grinnikt in zichzelf. Hoewel… Geen mogelijkheden uitsluiten, zegt Nelleke altijd. Maar nee, deze Alexie woont schijnbaar vrij en blij in Zeeland. Shit, daar is-ie. Alex. Met *picture*. Het lijstje van Alex is van recentere datum. De jongeman heeft tweemaal mishandeling aan z'n broek gehad. Mishandeling van een leraar van school, M. Eggelink, in 2004, en vorig jaar van ene Janine Hubers. Zijn telefoon piept. Een sms van Karin, ziet hij op de display, met een berichtje dat ze vanmiddag om drie uur bij de Walk Inn zijn. Hij niet.

Hij typt *doden, overdosis, 2000-2006* in het zoekmenu van zijn computer. De waslijst op zijn scherm zou hem een week leeswerk bezorgen. Laat dat maar aan hem over. Papierwerk. Recherchewerk is geen papierwerk. Hij moet naar de sectie gaan als Nelleke dat van hem vraagt. Een politieman die niet tegen bloed kan, nee, die is lekker. De pesterijen over de auto zijn tot daaraan toe, daar kan hij zelfs wel om lachen, maar als de collega's daar achter komen dan is hij echt het mietje van het jaar.

IO

Een ruim opgezette wijk met bomenstraatnamen. Met in elke straat de bijpassende bomen geplant. Ze herinnert zich de bouw van deze wijk. Ze was toen net terug in Lichtenvoorde, leerde Jaap kennen. Ze rijdt langzaam de Gouden Regenstraat in. De bomen zijn bijna uitgebloeid, de lange bloemtrossen laten hun blaadjes vallen, waardoor de hele straat een gouden, warme glans heeft. De mensen op nummer achtentwintig zullen het nodig hebben, die warmte. Nog niet zo lang geleden heeft ze Emma hier afgezet bij haar vriendinnetje Kim. Emma, Jaaps dochter van dertien, die een piercing in haar tong en een *tattoo* van een lieveheersbeestje op haar enkel wil. Gelukkig vindt ook Jaap dat ze daarmee moet wachten. 'Je weet nog niet eens hoe je het woord moet spellen,' was Jaaps droge commentaar. 'T-a-t-o-o, wijsneusde Emma met de nadruk op de twee o's. 'Ha, fout!' had Jaap gegrijnst. Het onderwerp is inmiddels aan haar aandacht ontsnapt. Dat schijnt aan ene Emiel te liggen.

Als Kim op twintig woont, dan moet de familie Vos in dat vrijstaande huis in Amerikaanse stijl wonen. Nummer achtentwintig, leest ze op de brievenbus aan de weg.

Nelleke stopt haar auto langs de stoeprand. Ze neemt een slok water uit het Spa-flesje naast de zitting en schraapt haar keel.

Ze pakt haar mobiel. Toetst voorkeurnummer vier in. De telefoon gaat over.

'Met mevrouw De Winter.'

'Met mij. Hoe is het?'

'O, wel goed hoor. Beetje snotterig, maar daar heeft iedereen hier last van. Zelfs de dokter was gisteren aan het niezen.'

'Ik kan niet komen, vanmiddag.'

'Je bent toch niet alweer aan het werk? Op zondag? Gaat het wel goed met je? De buurvrouw hier, je weet wel, mevrouw Gierkink, die maakt zich ook veel te druk, en nu heeft ze hart-tabletten.'

'Dat is vervelend voor haar. Mam, dinsdag komen we je halen, dat hadden we afgesproken hè?'

Ze praat er maar gauw overheen. Haar moeder vindt het niks dat ze bij de politie is, zelfs na al die jaren kan ze opmerkingen daarover niet laten. Het werk is de oorzaak van haar scheiding, van het ongeluk, waarbij ze bijna het loodje heeft gelegd, en zij, moeder, zit hele dagen bezorgd te wezen. Waarom zou je in godsnaam zo'n baan willen? Ze weet nooit wat ze dan moet zeggen. Als iemand het niet wil of kan begrijpen, valt het toch nooit uit te leggen. Maar ja. Ze bedoelt het goed, houdt ze zich altijd voor.

Een mild schuldgevoel bekruipt haar. Ze had als beschaafd opgevoede dochter vandaag bij haar moeder langs gemoeten. Ze is de hele week al niet geweest.

'Ja, je jongste dochter is dan jarig.'

'Jaaps dochter.'

'De jouwe toch ook, nu. Zeg, hoe laat kom je me dan halen? Ik moet dinsdag ook naar het ziekenhuis. Voor het darmonder-zoek, weet je wel.'

'Ja, dat weet ik.'

'Kom jij me daarvoor ook ophalen?'

'Dat moet ik bekijken, ik moet werken.'

'Op je dochters verjaardag?'

Het is even stil.

'Moet ik Rien vragen of die met me meegaat?' vraagt haar moeder. 'Als hij thuis is, tenminste.'

'Doe dat maar. En als broerlief niet kan, mag je ook de taxi bellen. Het nummer staat in het boekje naast je telefoon. Of vraag het even aan je thuishulp. Oké?'

'Als ik dan maar op tijd terug ben.'

'Mam, je moet 's morgens om half tien al bij die specialist zijn. Dat red je makkelijk.'

'Nou, vorige keer moest ik bijna twee uur wachten. Ik zie er erg tegenop.'

'Het komt wel goed, mam, ik bel je nog, oké? Ik moet verder.'

Een paar slokken water drinken en de auto uit, kom op. Vreemden vertellen dat hun kind is overleden is zo ongeveer de meest irreële boodschap die je kunt brengen. Telkens weer. Zo lang je aanwezig bent geloven ze soms nog dat het niet waar is. Het liefst wil je de mensen alleen laten, zodat ze de waarheid onder ogen kunnen gaan zien. Maar er is altijd een vat vol vragen. Ze stapt uit. Langzaam. Het begint benauwd te worden. De temperatuur is het afgelopen uur snel gestegen, zo te voelen gaat die richting de vijfentwintig graden. Ze zucht en maant zichzelf tot actie.

Een kwartier later zit mevrouw Joriene Vos als een dood vogeltje op de bruinleren driezitsbank. Ze zit tegenover de vrouw, wachtend tot die in staat is om haar vragen te beantwoorden. Ze probeert tevergeefs om op de smetteloze, hardstenen vloer een stofje of oneffenheid te ontdekken. Geen kleden op de vloer. Haar man, strak in driedelig zwart met krijtstreep, loopt heen en weer tussen het koffieapparaat in de keuken en zijn vrouw in de kamer. Een lepeltje. Suiker. Als hij tot slot niets meer weet te doen, blijft hij als een zoutpilaar bij de deur staan. Hij is minstens een meter negentig, Lucienne heeft haar lengte van hem.

Ze schat ze beiden midden veertig, van haar leeftijd, maar ze lijken van een totaal andere wereld. Al vanaf het moment dat ze binnen is voelt ze een vreemd soort afstandelijke spanning, die niets met haar bezoek te maken heeft. Het is er doodstil. Geen radio, geen huisdier, niets.

Het verdriet dat zij zojuist op hun bord heeft gelegd, dwingt haar om haar gedachten op iets anders te focussen. Ze denkt aan het papierwerk. Aan het onderzoek. Wie waren haar vriendjes, waar ging ze uit? Niet meegaan in het verdriet, ze moet haar eigen wedstrijd lopen, haar eigen finish voor ogen houden. Een troostend woord, maar vooral de vragen beantwoorden, bewijzen verzamelen. Scherp zijn. De waarheid boven tafel brengen. Daar gaat het om.

'Toen ze vier was kwam ze met haar eerste zelfportret aan. Ze had een uur met een spiegel voor een grotere spiegel gezeten. "Jullie zien mij anders dan ik mezelf," zei ze.' De stem van Eugène Vos klinkt monotoon, alsof hij bang is dat anders zijn emoties met hem op de loop gaan. Alleen in de laatste zin sprankelt iets van Lucienne door.

'Illustratrice worden van kinderboeken is haar grote droom.' Joriene Vos dept haar ogen voorzichtig met een Kleenex. 'Was,' zegt ze er zacht achteraan.

'Ze had net een baan gevonden, bij een uitgeverij in Doetinchem. In augustus zou ze beginnen. Een degelijke baan, god zij gedankt.' De vader kijkt haar niet aan, zijn gedachten lijken totaal ergens anders te zijn.

'Heeft u de laatste tijd iets bijzonders gemerkt aan Lucienne?' vraagt ze.

Joriene Vos kijkt haar hulpeloos aan, om vervolgens van haar weg te kijken, in de richting van de achtertuin, maar of de moeder ook iets ziet van het vele groen daarin, betwijfelt ze. 'Ze zag witjes. "Eet je wel goed?" vroeg ik haar. "Ja hoor, twee ons groente twee ons fruit," grapte ze. Maar ze keek afwezig. Wat moet je? Als ze het huis uit zijn...'

Keek Joriene haar man een moment verwijtend aan? 'Had Lucienne ruzie met iemand? Een ex-vriend, iemand van school?'

Joriene Vos schudt haar hoofd, begint te huilen.

'Kan dit een andere keer?' Eugène Vos probeert zijn stem in

bedwang te houden en daardoor klinkt die extra hard. De vader gaat naast zijn vrouw zitten, maar hij raakt haar niet aan.

'Het spijt me. De eerste uren zijn cruciaal in het onderzoek en alles wat u me kunt vertellen kan belangrijk zijn. Ze woonde dus niet meer thuis?'

'Luus had een appartement in Arnhem, dat ze deelde met een vriendin. Noortje. Noortje zit bij haar in de klas.'

'Het adres?'

'Ik zal het voor u opschrijven.' Eugène Vos loopt naar een dressoir, pakt er pen en papier uit. Hij schrijft, rustig, legt de pen terug, vouwt het papiertje langzaam, met grote precisie dubbel en smijt dan de klep van het meubel plotseling keihard dicht. Ze ziet zijn vrouw schrikken.

'Die van god verlaten school! We hadden haar nooit moeten laten gaan.' Zijn stem slaat over, klinkt hard en hol. 'Nooit! Ik heb het je nog zo gezegd!' Joriene krimpt ineen onder de harde woorden van haar man. Eugène Vos beent de kamer uit, gooit de deur achter zich dicht.

'We hebben een sleutel gevonden,' zegt ze zacht tegen de moeder. 'Deze had uw dochter bij zich, met wat geld en haar rijbewijs; op dit adres. Kunt u zien of die van haar appartement is?'

Luciennes moeder bekijkt de sleutel uitdrukkingsloos. 'Ik geloof het wel. Al die dingen lijken op elkaar.'

Eugène Vos komt terug, onwennig, met verontschuldigende blik. Hij blijft weifelend vlak bij hen staan. Joriene Vos is ineens paniekerig. 'Ik moet naar haar toe, Eugène. Ze kunnen het toch mis hebben? Er zijn zoveel meisjes met lang blond haar. Ze kunnen haar rijbewijs gestolen hebben, toch?' Joriene grijpt haar man bij zijn colbert. Hij sust, strijkt onhandig over haar rug. Reikt een Kleenex aan. Zouden ze hier samen doorheen komen? Ze hoopt het voor hen. Ze heeft hun al verteld dat ze straks voor de vorm het lichaam moeten identificeren, maar twijfel is er niet. De foto op het rijbewijs liet geen enkele twijfel, bovendien heeft de galeriehouder Lucienne herkend. Mocht er daarna nog enige twijfel zijn geweest, dan is die bij haar binnenkomst hier weggenomen. Op het dressoir staan enkele foto's van het gezin, waarop ze direct het lachende gezicht van Lucienne herkende. Ze kan zich echter levendig indenken dat, zo lang de ouders het lichaam nog niet hebben gezien, ze hopen dat er misschien sprake is van een misverstand. Hoop doet leven.

'Je hebt gelijk. We hadden haar niet moeten laten gaan.' De moeder zonder dochter houdt haar armen krampachtig om haar buik. In een fractie van een seconde voelt ze de pijn van de vrouw door zich heen gaan.

'Wanneer was Lucienne voor het laatst hier?'

'Vrijdag, tegen het einde van de middag,' zegt Joriene Vos. 'Ze zou die avond bij een vriendin slapen.'

Haar man kijkt haar ietwat verbaasd aan, lijkt het, maar misschien heeft ze dat niet goed gezien. Hij zegt in ieder geval niets.

'Bij wie?' vraagt ze aan de moeder.

'Ik denk bij Vera. Daar bleef ze wel vaker slapen in het weekend.' Joriene Vos prutst nerveus aan een lusje van haar jurk. 'Ze belde met iemand. Ze ging met haar mobiel naar buiten en klonk nogal boos, zo helemaal niet gewoon voor Luus. Toen ze later binnenkwam had ze gehuild, maar ze wilde niet zeggen wat er was.' De moeder kijkt verwonderd om zich heen, alsof haar dochter elk moment kan binnenlopen.

'Wie is Vera?' vraagt ze.

'Vera Boschker.'

'Ook een vriendin?'

'Ja.'

'Zegt de naam Alex Hauser u iets?'

'Hauser?' vraagt Eugène Vos. 'Zo heet toch die specialist in het ziekenhuis?'

Joriene Vos knikt.

'Wat voor specialist?' vraagt ze.

'Cardioloog. Lucienne had een kleine hartafwijking. Al van jongs af aan. Eens per jaar stond ze onder controle. De laatste keer was alles nog steeds in orde.'

Ze maakt er een notitie van. 'Deze Alex Hauser moet rond de twintig zijn,' zegt ze.

'Misschien een zoon,' suggereert Eugène Vos.

'Verder was Lucienne gezond?'

'Ja,' antwoordt de moeder.

'En Maarten Peters, zegt die naam u iets?'

'De galeriehouder,' knikt Eugène Vos. 'Een losbandig seigneur, als ik de verhalen mag geloven.'

'Hij heeft schilderijtjes van Lucienne verkocht,' klinkt de stem van mevrouw Vos aarzelend.

Eugène Vos kijkt zijn vrouw donker aan. 'Wat zeg je?'

'Luus vertelde dat een paar weken geleden. Ze was bang dat je het niet zou goedkeuren.'

'Heeft ze iets verteld over de galeriehouder?'

Mevrouw Vos schudt haar hoofd. 'Ik vond het jammer dat ze het niet eerder had verteld, ik was blij voor haar.' Ze kijkt haar man verontschuldigend aan. 'Ze bloosde toen ze het vertelde, ik dacht dat het kwam omdat ze wist dat we die verkopen niet zouden goedkeuren.'

Ze komt niet verder met de ouders. Ze weten weinig van hun dochters leven sinds die het huis uit is.

'En u heeft geen idee waar Lucienne zaterdagavond geweest kan zijn? Had ze een vaste plek waar ze met vrienden of vriendinnen naartoe gingen?'

Ze weten het niet.

II

Een deur slaat dicht. Een jonger evenbeeld van Lucienne wil goedendag zeggen, maar blijft met open mond steken in de deuropening, alsof het verdriet daar de weg blokkeert. Dezelfde lichtgrijze ogen van vanmorgen kijken haar aan, maar nu glanzend en levendig, verontrust ook, zich ongetwijfeld bewust dat er iets onomkeerbaar fout is.

'Dus toch,' fluistert het meisje.

Ze staat op. 'Inspecteur Nelleke de Winter,' zegt ze, terwijl ze het meisje een hand geeft. 'Jij bent dus Monique.'

Het meisje knikt aarzelend.

'Hoe bedoel je, dus toch?' vraagt ze.

Moniques stem klinkt dof. 'Ik kreeg een paar sms'jes, dat Luus een ongeluk heeft gehad en dat ze... dat ze...' Het meisje laat zich op een stoel vallen zonder haar zin af te maken. 'Vertelt iemand me nog iets?'

Vroeger verbaasde het haar soms hoe snel het geruchtencircuit in het dorp werkte. Was er een fiets gestolen bij de supermarkt, dan wist de volgende dag iedereen ervan. Maar met de komst van de mobieltjes gaat alles nog veel sneller en duurt het hooguit een paar uur voordat nieuws geen nieuws meer is.

'Lieverd, Luus is... dood.' Eugène Vos' stem klinkt hees en

64

haperend. Ze vraagt zich af hoe Jaap in een dergelijke situatie zou reageren. Zou hij het hele dorp bij elkaar schreeuwen van pure onmacht, om vervolgens het complete politiekorps in beweging te brengen tot ze de dader hebben gekielhaald? Of zou hij op een dergelijk moment juist in zichzelf kruipen, bij zo veel emotie die niet te bevatten is?

De vader laat zich in de bank zakken en Monique – hooguit zestien zal ze zijn – laat zich in een katachtige beweging naast hem, half op zijn schoot vallen. Ze is een en al armen en benen, maar ze beweegt zich met de souplesse van een danseres. De vader sluit het meisje in zijn armen zoals een vader dat kan. Veilig. Hij is er ietwat onhandig in, merkt ze. Zo hebben ze vroeger vast naar Sesamstraat zitten kijken, maar toen was ze een kind, nu wordt het een echte vrouw, waar hij zich ongemakkelijk bij lijkt te voelen. Ze ziet dat bij Jaap soms ook, als Anouk hem uit baldadigheid in zijn nek springt. Dan weet hij niet waar hij zijn handen moet houden.

Door haar tranen heen kijkt Monique haar vader aan. 'Wat is er gebeurd?'

'Dat weten we niet. Daarom is de politie hier.'

'Heeft Daan er iets mee te maken?' vraagt Monique aan haar.

Ze vraagt het meisje, dat haar ogen droog veegt met haar vaders stropdas, welke Daan ze bedoelt.

'Daan Westerhuis.'

'Liep ze met een jongen van Westerhuis?' De donkere blik van Eugène Vos verraadt dat hij allesbehalve blij is met de opmerking van zijn dochter.

Monique schudt haar hoofd. 'Niet echt, maar hij is gek op haar, zeker weten.'

'Toch zeker niet op die...' Joriene Vos' stem komt er fel tussendoor, maar stokt in haar zin.

'Wat bedoelt u?' Ze vraagt het aan de moeder, maar Monique is haar moeder voor.

'Daan wilde 's avonds uit de kroeg met haar mee, maar Luus weigerde,' vertelt Monique. 'Toen heeft hij haar een mep verkocht. Luus kreeg een vuurrode wang en dreigde om aangifte te doen. Iedereen was doodstil. Daan taaide af, maar was wel duidelijk in zijn kruis getast. In zijn eer; sorry.' Monique begint weer te huilen. Eugène Vos zucht. Je ziet hem denken: mijn enige dochter, nu. Verder hebben ze geen kinderen, vertelde hij eerder. Ze had het al gezien aan de collectie familiefoto's boven het dressoir. De kinderen, jaren jonger, op pony's, met een ijsje, met vermoedelijk hun opa en oma. En de schoolfoto's. Wat haar verder opviel was de inhoud van de boekenkast. Literatuur over de geschiedenis van Nederland, over Mao, Hitler, de Koude Oorlog en dikke exemplaren over religie. *Atheologie, de hoofdzonden van jodendom, christendom en islam*, las ze, en *Macht zonder grenzen*. Het zijn boeken van hem. Waarom is ze daar zo van overtuigd? Hij straalt een soort van dominantie uit. Er is verder geen ontspannende lectuur, krant of tijdschrift te bekennen in de kamer. Ze heeft er een notitie van gemaakt.

'Luus had toch niet opnieuw contact met Daan?' Joriene Vos kijkt haar dochter dwingend aan. Monique schudt haar hoofd, waarbij haar lange haren bij haar vader in het gezicht fladderen. Die aait ze met een soort van onhandige gereserveerdheid weg.

'Nee, ze was al een tijdje weer verliefd.'

'Weet je op wie?'

Monique schudt ontkennend haar hoofd. 'Ze deed er nogal geheimzinnig over.'

'Was het dat, inspecteur?' Eugène Vos verschuift ongeduldig op de bank.

'Bijna. Monique, weet jij met wie Lucienne uitging, en waarnaartoe?'

Monique hoeft er niet over na te denken. 'Nou, Vera, Noortje en Marieke. Die gaan wel vaak samen uit. Een paar weken geleden heb ik ze nog gezien bij café De Kletskop. En soms bij De Radstake.'

'Was Lucienne ongelukkig?' Ze gooit de vraag in de kamer, zich niet op een van de drie speciaal richtend.

'Denkt u dat ze zelfmoord heeft gepleegd?' vraagt de vader. Ongeloof klinkt in zijn stem.

'Ze zou geen zelfmoord plegen,' zegt Joriene Vos. Ze zegt het zacht, maar zelfverzekerd. 'Luus was altijd positief ingesteld.'

'Dan had ze op zijn minst een briefje achtergelaten voor ons,' vult haar man aan. 'Ze schreef gedichten, nota bene. Het moet een ongeluk zijn geweest.'

'Heeft Lucienne een adresboekje of een agenda waar de gegevens van haar vrienden en vriendinnen in staan?'

'Bij haar computer,' zegt Joriene Vos.

'Is die hier?'

De moeder knikt. 'Vond ze onhandig om mee te nemen, 't is een oud beestje, geloof ik. Maar ze had ook een laptop.'

'Ze had er een netwerkje van gemaakt,' vult Monique aan. 'Van die laptop en de computer. Zo had ze altijd een back-up van haar scripties en zo, zei ze. Luus was heel handig met die dingen, ze zat er veel meer achter dan ik.'

'Kan ik haar kamer zien?'

Op Luciennes kamer staat inderdaad een computer. Joriene Vos geeft haar een klein, gebloemd boekje. Ze kijkt in enkele kasten. Bekijkt foto's. Op het eerste gezicht niets bijzonders.

Ze geeft haar kaartje en vraagt of ze willen bellen als een van hen iets te binnen schiet wat belangrijk kan zijn. 'Ik neem morgen contact met u op. Dan wil ik graag Luciennes kamer nog een keertje zien, misschien willen we de computer meenemen. We zullen eerst de laptop onderzoeken; als het goed is staat daar dus hetzelfde op als op deze computer. En ik wil u verzoeken tot ik geweest ben alles op haar kamer te laten zoals het is.'

Even later zit ze in haar auto. Ze is al bijna veertien jaar van haar rookverslaving af, maar ze wilde dat ze nu een sigaret bij zich had. En dan diep inhaleren. Ze krijgt met moeite haar linnen colbertje uit, stoot haar elleboog aan de deur en vloekt. Ze kwakt haar jasje op de stoel naast haar en kijkt om zich heen of iemand haar heeft gehoord. Dit onderdeel van haar werk haat ze. Tegelijkertijd popelt ze om erin te duiken. Geen ongeluk. Geen zelfmoord. Haar intuïtie zegt, vanaf de eerste blik op Lucienne Vos, dat het geen zelfmoord is geweest. Ondanks de glimlach van de jonge vrouw, die op haar netvlies staat gebrand. Ze gelooft de moeder, die heeft haar alleen niet alles verteld. Ze moet terug als de vader er niet is. Wie kan verantwoordelijk zijn geweest voor de dood van Lucienne? Daan Westerhuis? Ze drukt voorkeurtoets 6 in.

'Ferry, met Nel. Wil je ene meneer Daan Westerhuis ook aan je lijstje te checken personen toevoegen? Begin twintig. Ik ga even naar huis en dan kom ik naar je toe.' Ze toetst het voorkeurnummer van Simmelinck in en vraagt hem naar het mortuarium te gaan, zodat hij erbij is als de ouders voor identificatie komen. Daarna kiest ze in haar menu het mobiele nummer van José de Boer. De uitvaartverzorgster zou in het mortuarium van het ziekenhuis in Doetinchem zijn en ze wil haar voorbereiden op de komst van de heer en mevrouw Vos, vanmiddag. De sectie is morgenochtend en ze kan de ouders nu de gelegenheid geven hun dochter te zien. Dan moeten ze de waarheid onder ogen zien. Dan kunnen ze definitief afscheid nemen.

Zij wel.

12

Zodra ze binnenkomt hoort ze de stem van Jaap, zo te horen uit de keuken. Ze snuift de aangename geur van versgebakken brood op.

'Ach, wat nou,' hoort ze hem zeggen. 'Ritselend riet, kleurige klaprozen... Dat geneuzel over bloemetjes en blaadjes, straks gaan ze de composthoop op. Ga toch fietsen! Wat een zomers gezeik zeg. Heel Nederland zogenaamd vrolijk op de pedalen. O, wat genieten we van onze vrije natuur. Tussen de uitlaatgassen, dieseldampen, enge wespen, stekende vliegen en altijd wind tegen. Het is net te koud, of veel te warm, de terrasjes zijn vol, of er is geen plekje in de zon, of juist geen plek uit de zon, pfff. Doe mij maar gewoon thuis. Hoewel. Ben je hier, kun je de tuin in. Grasmaaien, heg snoeien, bladeren harken, planten water geven, gras sproeien, kunstmest strooien zodat je straks nog weer vaker moet maaien... zomer? Schei toch uit!' Ze hoort de andere stem door de telefoon heftig commentaar geven, met gelach tussendoor en Jaap staat er droog bij te kijken, intussen met de nodige herrie deeg rollend voor een tweede brood. 'Zo ging die conference in ieder geval ongeveer,' zegt hij. Afgaand op de overbekende geur bakt hij zijn favoriete brood: een panini met zongedroogde tomaten en groene olijven. Dan ziet hij haar in de deuropening staan.

'Hé, ben je al terug?' Jaap draait zich verrast om. 'Pim, ik zie jullie later, oké?' Hij hangt op.

'Ik kom alleen even proeven,' zegt ze. 'Krijg ik een stukje van je? Ik ga eerst iets anders aan doen.' Ze trekt haar shirt uit. Daaronder voelt haar hemdje klam aan tegen haar rug. Jaap wil die ook alvast uittrekken.

'Ga weg, gek.'

Voor ze het weet heeft hij haar in zijn armen. Klemvast. 'Is het menens?'

Ze knikt. Jaap hoeft ze nooit om de tuin te leiden, die leest haar gemoedsrust feilloos in haar ogen.

'Moord, al zijn er nog geen bewijzen voor. Ik weet niet of ik het vanmiddag op tijd red.'

'Tja. Dan moet je maar hopen dat er iets voor je overblijft van al dit lekkers! De panini is bijna klaar; daarna ga ik een overheerlijke ciabatta bakken.' Jaap tilt haar van de grond en houdt haar tegen zijn borst. 'Ha, lieverd, we houden van je hoor, had ik dat al gezegd vandaag?'

Ze grijnst. 'Ja, vannacht nog.' Ze stompt hem op zijn borst. 'Jan-Jááp, zet me neer, idioot.' Ze zou het wel eens om willen draaien en hem in de houdgreep willen nemen; kijken of hij het dan nog zo leuk vindt.

'Je moet wel je pilletjes nemen.' Hij zet haar neer, na een kus, en wijst op haar ogen. 'Ze worden rood. Jeuk?'

Ze schudt ontkennend haar hoofd.

'Ik zag je net anders wel wrijven.' Jaap legt een houten broodplank klaar op het granieten aanrechtblad. 'O, voor ik het vergeet, Evelien heeft gebeld.'

'Wat had ze?'

'Iets over een etentje, ze wilde ons uitnodigen, geloof ik.'

'Helemaal naar Drente...'

'Daar wilde ze het geloof ik ook met je over hebben. Er staat hier een prachtig penthouse te koop, zei ze.'

Ze kijkt Jaap vragend aan. Evelien zal het toch niet in haar hoofd halen hiernaartoe te verhuizen?

Jaap merkt haar blik niet op, hij zit met zijn hoofd in de oven en voelt voorzichtig of het brood klaar is. 'En ik had vanmorgen ook Anouk al aan de telefoon.' Hij haalt het brood eruit. 'Dat ziet er mooi uit.'

'Wat zei ze?'

'Ze gaat dinsdag over een week naar de open dag van de rockacademie. Ferry's mooie verhalen over een carrière in de muziek hebben geholpen.'

'Dat is mooi.'

Jaap knikt, kijkt niet bepaald blij. 'Maar Rekken is nog niet van de baan. Ze was blij dat je die afspraak met Simone voor haar hebt gemaakt. Ze gaan er volgende week samen heen.'

'Goed, toch?'

'Ik heb haar min of meer verboden te gaan.' Jaaps woorden komen er aarzelend uit, hij heeft zelf blijkbaar al geconcludeerd dat het geen slimme zet van hem was.

'En nu?'

'Gaat ze natuurlijk nog liever.'

'Gelijk heeft ze.'

Jaap is het niet met haar eens, te zien aan zijn ontevreden blik. 'Luister goed, mevrouw de commissaris...'

'Inspecteur.' Het is eruit voor ze er erg in heeft. Jaaps ogen glinsteren geamuseerd. Ze trapt er iedere keer in.

'Je moet het wel met míj eens zijn, hoor,' zegt hij.

'Alleen als je het verdient,' zegt ze, niet onder indruk. 'Als Anouk in de psychiatrie wil, dan moet ze dat doen.'

'Ja ja, wrijf het er nog maar een keer in!' Jaap pakt haar vast en geeft haar een zoen op haar voorhoofd.

'Ik maak me net zo bezorgd als jij.'

'Dat weet ik wel, Pumuckl.'

Ze ziet zijn begrip. Een pijnlijke steek scheurt door haar buik, terwijl ze de keuken uit loopt. Het gaat nooit over. Nooit. Net als je het van je af hebt gezet, krijg je het dubbel en dwars terug. Ze haalt diep adem.

'Joe-hoe!' Een hoge vrouwenstem klinkt en de achterdeur slaat hard dicht. Geen twijfel mogelijk. Mevrouw Cuppers. Geen andere stem klinkt zo schel in haar oren. Bovendien praat ze zo plat als dertien dubbeltjes. Mevrouw Cuppers woont net binnen de bebouwde kom, vlak na het plaatsnaambord is haar Hans en Grietje-bungalow het eerste huis aan de rechterkant, als ze het dorp in rijdt. Van haar huis is het bijna een kilometer naar hun stek, maar het begrip 'buren' wordt hier ruim genomen. Mevrouw Dubbelcup wordt ze genoemd, vanwege haar gigantische boezem. Volgens de kaasboer is het deze week precies dertig jaar geleden dat ze voor het laatst haar tenen heeft gezien, wist Josien een paar dagen geleden te vertellen. Ze keek daarbij zo serieus, dat Anouk, Emma en zij acuut in hun spaghetti bleven steken en Jaap onder tafel dook om achter een denkbeeldig gevallen stukje komkommer aan te gaan. 'Onze wandelende roddelrubriek', is ook een veelgebruikte omschrijving voor mevrouw Cuppers.

'Ik ben geëmigreerd,' sist Jaap. Over gastvrij gesproken. Het is gebruikelijk dat buren en bekenden bij elkaar achterom binnenkomen, maar bij sommige mensen zou je wensen dat het er iets minder gastvrij aan toe ging.

'Dag, mevrouw De Winter. De Winter is het nog steeds? Geen De Geus?'

'Nee hoor, dan hoort u het vast en zeker als eerste,' zegt ze glimlachend. De ironie ontgaat de vrouw volledig.

'Alsjeblieft, lieverd. De wok. Ik dacht, ik pak even de fiets, het is zulk lekker weer, vind je ook niet? Je zit zeker lekker in de tuin te genieten van het zonnetje met je vriend. Groot gelijk heb je, lieverd. Trouwens, ik heb er gisteren zelf een gekocht.' Ze haalt diep adem voor ze verder ratelt. 'De dokter is groot voorstander van wokken, had je dat ooit gedacht? Het schijnt dat alle vitamines veel beter intact blijven. Nou ja, het is in ieder geval lekker, zal ik maar zeggen. En dat is het. Bedankt voor het lenen. Wat zei je, zat je nou buiten? Of eh... ben je aan het werk? Wat hoorde ik, een dode hè? In de galerie?'

'Bedankt voor het brengen.' Ze kan er wel om lachen. Het is een lief mens. Ze staat op elk moment van de dag voor hen klaar, met haar alom geprezen zelfgemaakte kippensoep of om op te passen. En haar rabarbertaart is beroemd in de buurt. Maar ze moet de vrouw snel de deur uit werken, het bureau roept.

'Het spijt me, mevrouw Cuppers, ik moet rennen.' Ze loopt richting achterdeur, maar de vrouw laat zich niet zomaar met een kluitje in het riet sturen.

'Lucienne Vos, hoorde ik. Is ze vermoord? Weet u wie het heeft gedaan? Was het die galeriehouder? Altijd al gezegd, wat een rare kunstenmaker, zal ik maar zeggen. Gedraagt zich als een jonge god, dat kan nooit goed gaan.'

'Of het moord is, daar kunnen we op dit moment nog geen zinnig woord over zeggen. Daarom moet ik nu juist weer snel aan het werk.'

'Of is het die vreemde vogel van die school? Daar was ze toch gek op? Een *crime passionel?*' Ze spreekt die woorden uit alsof het een enge ziekte is. 'Kom nou, inspecteur, u weet er vast meer van.' De vrouw kijkt alsof ze de woorden wel uit haar wil persen.

'Welke vogel bedoelt u?'

Mevrouw Cuppers legt een hand op haar arm. 'Kind, je kent die kunstenmakers toch? Ook op die school, dat rotzooit allemaal toch maar raak, zal ik maar zeggen. Die leraar, die mooie man, daar was ze helemaal hoteldebotel van!' Mevrouw Cuppers voelt zich zichtbaar belangrijk, dat ze dit weet, ze kijkt haar aan alsof ze de troonrede voorleest in plaats van een plaatselijke roddel opdist.

'Ik heb geen idee, mevrouw Cuppers. Zelfs niet of het om moord gaat, zoals ik u al zei. Als u mij nu wilt excuseren, ik moet dringend naar het bureau.'

'Zeg, die alleraardigste man... vriend van je, zal ik maar zeggen, lieverd, is die er niet? Ik had nog een vraagje over die wok.' Mevrouw Cuppers steekt haar nek uit om in de keuken te kunnen kijken.

'Ik moet echt weg.' Zachtjes maar resoluut begeleidt ze de buurvrouw richting achterdeur.

'En die kleine druktemakers? Of zijn die bij hun mams? In Amsterdam, toch?'

Nu is het genoeg. Ze opent de achterdeur. 'Dag buurvrouw, tot ziens.' En eindelijk, mevrouw Cuppers vertrekt. Opgelucht sluit ze de deur.

Jaap komt gniffelend de keuken in. 'Het is wat met dat mens. Heb ik je helemaal niet verteld, maar laatst heeft ze hier een uur bij me in de keuken gezeten. Pakte zelf haar tweede bakje koffie, ik zweer het je.' Hij snijdt een plakje brood af en geeft het haar. 'Hier, het kapje, speciaal voor jou.'

'Heerlijk.' Het brood is warm en knapperig.

'Je hebt haar wel mooi vlot weggewerkt. Volgende keer als ze komt en je bent er niet, dan bel ik je,' zegt Jaap.

'Als je dat maar laat.' Ze trekt een gekke bek naar Jaap en maakt dat ze naar de slaapkamer komt, waar ze een schoon hemdje aantrekt, met een dun, linnen bloesje los eroverheen.

Ze steekt haar hoofd om de deur. 'Ik heb om twee uur een teamvergadering met daarna in ieder geval enkele gesprekken met getuigen. Ik heb geen idee hoe laat het gaat worden.'

'Anders zullen we vast een droge witte voor je koud zetten.' Hij drukt een kus op haar neus en maakt zijn losgeschoten schort vast. Hij snijdt nog een paar plakken brood voor haar af. 'Hier, meenemen.'

Ze heeft de deur al in de hand als hij nog iets roept. Ze verstaat hem niet, loopt terug de keuken in.

'Wat?'

'Ik zal je matsen, bel ik straks Kollumerzwaag, je weet wel. Was je vast vergeten.'

'Klopt. Heel goed van je.'

Hij roept haar nog iets na.

'Wat?'

'Doe je voorzichtig?'

De achterdeur slaat dicht. 'Ja, jij ook,' zegt ze nog, meer tegen de kleine witte geit in de wei dan tegen Jaap. Ze pakt wat brokjes uit de bak bij het hek. Het beest komt sullig aanlopen en pakt rustig een paar brokjes uit haar hand. Hun geit heeft het woord 'haast' niet in zijn vocabulaire.

'Dag Guus, ik moet opschieten.'

Ze rijdt de oprijlaan van hun verbouwde boerderij af. Een hoge, slanke rij bomen met een breed grindpad. Hoe trager ze daaroverheen rijdt, hoe mooier het grind knarst onder de auto. Ze rijdt het al een jaar of zes op en af, maar ze voelt zich altijd een beetje trots als ze zo wegrijdt. Vooral als ze langs de authentieke voorgevel met de rode luiken gaat. Ze draait de weg op, richting dorp. Toen Jaap de vervallen boerderij wilde kopen, kenden ze elkaar net. Hij had een foto-opdracht voor een bijeenkomst waar zij bij was en eigenlijk vielen ze daar ter plekke voor elkaar. Het is dat zij afstand hield, anders waren ze direct bij elkaar ingetrokken. Ze ging mee kijken. Ze vond de grote open haard in de woonkamer ronduit geweldig. Die zou hij erin houden, beloofde hij haar. Oud en nieuw samen combineerde immers geweldig? Op de deel achter kon hij een doka maken en een kleine studio, een ruime badkamer met sauna en drie grote kamers voor de kinderen. Achter de boerderij wees hij hoe uitgestrekt de kavel was. Daar achterin had hij een wei met schapen en geiten bedacht, en daar, aan de linkerkant, zelf maïs en groenten verbouwen, wat vond zij daarvan? Dat moment staat in haar geheugen gegrift. Zij is juist daar, tussen het metershoge gras en de wild groeiende rozenstruiken, waaraan ze zich sindsdien meermaals heeft geprikt, definitief gevallen voor zijn vrolijke charme. Hoe de boerderij ook verbouwd zou worden, op dat moment realiseerde ze zich in een flits dat ze hoopte met hem gelukkig te worden. Jaap zag het helemaal zitten. Hij had net zijn goedlopende fotostudio in Amsterdam verkocht en wilde eigen werk maken en daarnaast af en toe freelancen. De plek was ideaal. Hij zag zichzelf rust en ruimte vinden hier, op het platteland, met haar. Zijn kinderen zouden er altijd terecht kunnen. Hij zag door de bouwval heen het resultaat voor zich. Hij kan er nog steeds smakelijk over vertellen. Over zijn eerste onhandige pogingen tot klussen. Vers uit de big city, met zijn gave fotografenhanden, heeft hij een jaar lang elke vinger minstens tien keer pimpelpaars geslagen op de houten gebinten en vloeren. Maar, eerlijk is eerlijk, hij heeft er, samen met Pim en zijn medewerkers, een prachtig thuis voor hen van gemaakt.

Dit keer knarst het pad minder mooi. Ze heeft te weinig geduld.

13

Er klinkt gelach als ze het bureau binnenkomt. De zware, door-rookte stem van Cornelissen buldert erbovenuit. Hij lacht vast om een mop die hij zelf vertelt. Soms lacht hij zo hard, dan redt hij het einde van zijn eigen grap niet en schudt zelfs zijn dikke buik van het lachen. Cornelissen. Zijn gewicht in goud waard. Net als Simmelinck. Ze gaan voor elkaar door het vuur. En voor haar. Dat dit niet vanzelfsprekend is, weet ze uit ervaring. Ervaringen met haar baas, commissaris Piet Markant, bijvoorbeeld. Die nu met Wagener staat te praten. Ze heeft zijn dikke Audi A6 al gezien, pontificaal voor de ingang geparkeerd. Ook zonder auto is hij een opvallende en imposante verschijning; hij is ruim twee meter lang en hij is mager, maar heeft wel brede schouders. Perfect gekleed, bovendien. Markant draagt altijd maatkostuums. Waarschijnlijk kan hij niet anders, omdat hij geen gangbaar figuur heeft. Hij loopt meestal in driedelig grijs of zwart – vandaag in het grijs – en hij heeft zowaar zijn colbert uitgetrokken, waarschijnlijk vanwege het warme weer.

'Ha, chef. Kopje koffie?' vraagt Cornelissen.

'Lekker.' Een van de eerste dingen die ze heeft gedaan toen zij en haar team zich hier installeerden is een fatsoenlijk espresso-apparaat bestellen. Koffie van echte bonen. De troep die uit het oude apparaat kwam, mocht de naam koffie niet hebben. Markant vond het onzin.

'Als we ons werk hier goed willen doen, hebben we op zijn minst echte koffie nodig,' zei ze gedecideerd. 'Desnoods betaal ik hem zelf.'

In zichzelf mopperend was hij weggegaan. Intussen heeft hij al menig kopje genuttigd, verdenkt ze hem er zelfs van dat hij soms speciaal daarvoor 's morgens op het bureau in Lichtenvoorde komt.

Ze pakt een stift van de tafel. Het is een bureau met een dik eikenhoutbruin gefineerd blad en vierkante rvs-poten, zoals ze die allemaal in hun kantoor hebben staan; oersterk en degelijk. Het is warm in de spreekkamer. Hier houden ze hun gezamenlijke besprekingen, achter gesloten deuren. Als ze er niet zijn gaat de deur op slot, want hier wordt alle informatie verzameld over lopende zaken. De oude kastanjeboom, midden in de achtertuin, heeft zijn takken met volle, dieprode bladeren over de hele grasmat gespreid. Een perfecte plek voor een koel terras in de schaduw.

Commissaris Markant onderbreekt zijn gesprek met Wagener en schiet Harm van der Haar aan, die net binnenkomt. Markant zal wel meteen willen weten wat Harm heeft gevonden. De twee kunnen elkaar niet luchten of zien. Markant treitert Van der Haar graag met diens kale hoofd, terwijl hij met zijn hand door zijn eigen, nog dikke bos grijzend haar strijkt. Het is een teer punt bij de forensisch onderzoeker en dat weet Markant. 'Een arrogante ex-korpsbal' noemt Van der Haar de commissaris op zijn beurt.

Op het doorzichtige, beschrijfbare bord, dat de helft van een wand in de spreekkamer in beslag neemt, bevestigt ze een foto van Lucienne Vos. Ze schrijft de namen erbij van mensen die met het slachtoffer te maken hebben.

Markant komt bij haar. 'Zo, inspecteur, toch een tragisch gevalletje overdosis? Volgens Van der Haar zijn er geen uiterlijke kenmerken die wijzen op moord.'

'Ik ga wel uit van moord en ik zal u zo meteen vertellen waarom.'

'Ik heb geen extra mensen voor je.'

'Hoeft ook niet, in ieder geval voorlopig niet. Ik zit alleen met Utrecht. Ze hebben een verdachte opgepakt.'

'Heb ik gehoord. Die zaak is dus zo goed als opgelost. Nummerdor redt zich met zijn team, neem ik aan. Het kost ons trouwens ook goud geld als jij telkens in Utrecht zit.'

'Zo goed als. Net wat u zegt.' Het komt er geïrriteerder uit dan haar bedoeling was. Markant doet haar soms aan haar vader denken als het gaat om zuinigheid. Zou het de oorlog zijn? Haar vader at elke dag het oude kapje van het brood van de dag ervoor op. Zonde om weg te gooien, vond hij. Ze opperde meermaals om één keer het kapje aan de herten te voeren, zodat hij in ieder geval elke dag een vérs kapje zou hebben... Hij heeft het nooit gedaan. Haar vader was een lieve man, kalm en rustig, een man van de oude stempel. Recht is recht en krom is krom. Meer moeite heeft ze met haar moeder, die het leven meer als last dan als lust ervaart en alle ellende van de wereld op haar schouders meent mee te moeten torsen. Ze loopt – voor zover ze nog kan lopen – er letterlijk krom van. Ze heeft diep respect voor haar ouders, die haar toen ze twee jaar was met al hun beschikbare liefde in het gezin hebben opgenomen, maar een hechte band met haar moeder blijft een droom. Een illusie. 'Het is de bloedband die ontbreekt,' zegt haar broer.

'Laten we dan maar hopen dat je deze zaak snel kunt afronden,' brengt Markant haar terug bij de les.

'De feiten op een rij,' begint ze. Ze heeft onmiddellijk de aandacht van haar collega's. 'Het eerste, trieste feit is dat Lucienne Vos dood is aangetroffen in galerie The Arthouse. Door eigenaar Maarten Peters, om negen uur tien vanochtend kwam de melding binnen. Er zijn geen sporen van geweld gevonden, dat wil zeggen, geen uiterlijke sporen. Van Amerongen heeft dat vanmorgen ook geconcludeerd. Ook het sporenonderzoek heeft geen directe aanwijzingen opgeleverd voor een gewelddadige dood. Van der Haar zal daar zo nader op ingaan.' Ze kijkt even naar Van der Haar, die bevestigend knikt. 'Er is geen afscheidsbriefje aangetroffen,' vervolgt ze. 'Ook niet bij haar ouders. Die ervan overtuigd zijn dat hun dochter geen zelfmoord zou plegen. En die er ook van overtuigd zijn dat hun dochter geen drugs gebruikte. Een paar maanden geleden heeft ze op school nog meegewerkt aan de verspreiding van een folder over de gevaren van drugs, vertelden ze. Harm?'

Van der Haar vertelt wat hij op de plaats delict heeft aangetroffen en vat het rapport van Van Amerongen samen, dat hij net voor hun bespreking heeft gekregen.

Eén brok betrouwbaarheid, gevat in een uitermate slimme man, typisch Harm van der Haar. Ze vertrouwt hem blindelings. Met de toegenomen mogelijkheden in forensisch onderzoek is Van der Haar steeds drukker geworden, maar als zijn volle agenda het toelaat is hij bij de eerste bespreking aanwezig. Dan weet hij waar de patholoog-anatoom bij de sectie eventueel extra aandacht aan moet besteden. Het liefst is Van der Haar ook bij de sectie van 'zijn' lijk om te assisteren. Magnifiek, noemt hij de secties, vooral als er iets bijzonders wordt gevonden. Daarna heeft hij niets meer te zoeken in het team. Zodra het sectierapport klaar is, vertrekt hij meestal weer snel naar Den Haag om zich bij het NFI in een of ander onderzoek te storten.

'Feit is tot slot,' besluit Van der Haar, 'dat er een kunstwerk, een ingelijste foto van 50 bij 60 centimeter, breedte maal hoogte, van de plaats delict is gestolen.'

Commissaris Markant gromt iets wat onverstaanbaar is omdat Simmelinck zijn koffiemok omstoot. De rechercheur krijgt er een kleur van. Het bruine vocht zoekt snel zijn weg over tafel en Cornelissen pakt zijn papieren van tafel.

'Ook dat wijst op een dader,' gaat Van der Haar onverstoorbaar verder. 'Ik ondersteun dus de voorlopige conclusie dat het hier niet om zelfmoord gaat.' De forensisch onderzoeker vraagt of iemand vragen heeft. Er komt geen reactie.

'Dank je wel.' Ze knikt hem toe. Van der Haar schrijft nog enkele technische feiten op het bord. De foto van Lucienne in het midden begint te lijken op een spin in een web. De draden die de namen en feiten verbinden leiden hopelijk tot de oplossing.

14

Markant tikt ongeduldig met zijn vingers op het dikke tafelblad. Ze vraagt zich af wat haar baas hier doet, als hij er eigenlijk geen tijd voor heeft. Ze vindt de werklust van de zestigjarige commissaris overigens bewonderenswaardig; dat staat los van hoe ze over hem denkt. Als zij haar werk tegen die tijd nog zo fanatiek doet, tekent ze ervoor. Ze moet er niet aan denken thuis achter de geraniums te zitten. Jaap zou het overigens wel prettig vinden als ze die plant een warmer hart zou toedragen. Soit. Liever te druk dan zoekende. Ze kent ze, die rusteloze zielen die een andere weg in willen slaan maar geen idee hebben welke de goede is. En als ze die eenmaal hebben gevonden toch niet durven en blijven hangen in hun ontevreden levens. Om niet te spreken over de burn-outgevallen, de uitgebluste types met dikke wallen onder hun ogen die hard wilden werken om straks te gaan genieten en waarbij het genieten te lang op zich laat wachten.

Ze doet haar werk geëngageerd.

En daar heeft ze een goede reden voor.

Een flinke slok koffie moet haar gedachten in een andere richting sturen. Dat lukt, mede omdat ze zich erin verslikt. Markant kijkt haar geïrriteerd aan. Simmelinck trekt met rode viltstift een pijl op het bord. In een felblauwe kleur staan enkele woorden met vraagtekens.

'Eh, Ton, jij wilde iets zeggen?' vraagt ze.

'Ja,' antwoordt Cornelissen, 'een puntje voor onze notuliste.' Hij grijnst breeduit naar zijn collega Simmelinck. 'Een half uur geleden kwam er een anoniem telefoontje binnen op het bureau in Doetinchem, aldus hoofdagent Jaspers. Of we wel wisten wat voor klootzak die Alex Hauser is. Een meisjesstem, licht Achterhoeks accent, meer kon Jaspers er niet van maken. Er werd gebeld met een mobieltje; we zullen het nummer laten traceren.' Hij leunt tevreden achterover. De bureaustoel kraakt onder zijn kilo's.

Ze knikt. 'Het gaat hier om moord,' zegt ze. 'Tot we het tegendeel als bewijs krijgen, is dat ons uitgangspunt.'

Simmelinck maakt een blauwe notitie op het bord. 'Verdachten?' leest ze.

Het web breidt zich uit.

'Wie zijn onze potentiële verdachten?' vraagt hij, aan niemand in het bijzonder. Hij vult zelf de eerste naam al in. 'Om te beginnen hebben we de galeriehouder, Maarten Peters,' zegt de rechercheur, 'over wie Ton het net al had. Het lijk is in zijn galerie gevonden. Peters is negenenveertig jaar. Nadat zijn vrouw is overleden is hij teruggekomen in zijn geboorteplaats Lichtenvoorde. Met een dikke drie ton – dat zijn euro's, ja – dankzij een voortreffelijke levensverzekering. De collega's in Amsterdam hebben daar overigens nog een onderzoekje naar ingesteld, maar van enige opzet is geen bewijs gevonden. En als we de stemmen in het dorp mogen geloven, doet hij het niet onaardig met de galerie. Hij heeft gevoel voor kunst en helpt zijn klanten vakkundig en beleefd.'

Zoals altijd vertelt hij de feiten met verve, alsof hij een spannend verhaal inleidt waarvan hij de afloop zelf allang weet.

'Natuurlijk hebben we de heer Peters verzocht de komende dagen in de buurt te blijven,' vult ze aan.

'Verder nog iets bijzonders?' Markant klinkt ongeduldig.

'Lucienne heeft vrijdagmiddag met haar mobiel iemand gebeld, volgens haar moeder, waarbij iets of iemand haar boos heeft gemaakt. Ton, Han, willen jullie haar mobiele telefoon checken?'

'Daar is Simon mee bezig, als het goed is,' zegt Cornelissen.

'Heeft de TR niets anders te doen?' vraagt Markant.

'Laten we blij zijn dat ze helpen,' antwoordt ze, voordat Cornelissen iets onvriendelijkers kan zeggen. Ze zag zijn gezicht betrekken. Je moet niet aan zijn vrienden van de technische recherche komen.

'Ik heb nog geen mails van hen gehad,' antwoordt Wagener.

'Degelijk onderzoek vergt tijd,' zegt Van der Haar. 'Als ik tijd heb ga ik er zelf wel even achteraan. Of Ton, moeten jullie nog die kant op?'

Cornelissen knikt.

'Als jullie dan doorrijden naar Arnhem,' zegt ze, terwijl ze Cornelissen de sleutel geeft van de kamer van Lucienne, 'dan kunnen jullie Luciennes kamer doorzoeken. En de laptop meenemen die daar staat. Willen jullie die checken, kijken of er informatie in staat waar we iets aan hebben; mailtjes, brieven, de gebruikelijke dingen?'

'Doen we,' zegt Cornelissen.

'Hopelijk weten we morgen meer,' zegt ze. 'Van der Haar is morgenochtend bij de sectie. We moeten met een paar man naar die school, de klasgenoten van het slachtoffer ondervragen. Hoe eerder hoe liever. Plus de leraren van wie ze les heeft gehad.'

Ze denkt daarbij stiekem aan mevrouw Dubbelcup, die het over een leraar had op wie ze gek was. Je weet nooit waar die tantes hun praatjes en weetjes vandaan halen en misschien is er iets van waar.

'Wil jij alvast namen van klasgenoten achterhalen, desnoods bij de familie Vos, als we bij Westerhuis zijn geweest?' Haar vraag is voor Wagener, en die knikt, ijverig in zijn notitieboekje schrijvend. 'Misschien houden ze een weblog bij, dat zou mooi zijn,' mompelt hij, kluivend op zijn Bic-pen. Het verbaasde haar in het begin, Wagener met een afgekloven pen, omdat hij verder zo netjes en secuur is. Simmelinck noteert 'school' op het bord en trekt een lijn naar het slachtoffer, een nieuwe draad in het web.

'Westerhuis?' zegt Markant ongeduldig, terwijl hij met één hand over zijn stoppelbaardje wrijft, 'wie is dat?'

Ze vertelt de commissaris wat Monique Vos haar heeft verteld. 'Wat zowel de moeder als Monique beaamden, is dat deze Westerhuis allesbehalve een lieverdje is, Monique is zelfs bang voor hem. Misschien zocht hij genoegdoening vanwege een afwijzing van Lucienne? Ik wil Westerhuis zo snel mogelijk spreken, want morgen zwerft hij misschien weer rond in Arnhem, althans dat zei zijn moeder. Toch, Ton?'

Cornelissen knikt.

'Ex-vriendje?' vraagt Simmelinck.

'Ja,' zegt ze.

De rechercheur schrijft de informatie op het bord. Weer een draad erbij.

'Woont in Arnhem, in de weekenden soms thuis bij zijn ouders,' zegt Cornelissen. 'Ik heb de moeder aan de telefoon gehad. Ze wonen in die boerderij met die half vergane bruine luiken achter aan de Zilverbekendijk. De favoriete activiteit van zoonlief, als ik moeder zo hoor, is sleutelen aan zijn motor, samen met zijn vrienden. Over zijn werk was de vrouw nogal vaag. Hij deed vorig jaar iets in verzekeringen, is het enige wat ze wist.'

'Geen strafblad,' vult Wagener aan.

'Wat me verbaast,' zegt ze. 'Want ik meen me zijn naam te herinneren. Dat zoeken we uit.'

'Hauser kwam wel uit de computer rollen.' Wagener houdt een vel papier omhoog. 'Mishandeling van een meisje, Janine Hubers, en een leraar, Eggelink, twee jaar geleden.'

'Lekker.' Cornelissen pakt het papier van Wagener aan. 'Nog sappige details?'

'Die twee moeten we in ieder geval spreken,' zegt ze. 'Die Eggelink zien we morgen vast wel. Ton, wil jij die Janine Hubers traceren?'

Cornelissen knikt.

'Verder nog iets, Ferry?'

Wagener schudt zijn hoofd. 'Peters heeft deelname aan een demonstratie op zijn naam staan waarbij hij iets te fanatiek was, maar die dateert van vijfentwintig jaar terug. Verder niemand in de computer. Dat vriendinnetje van Peters niet en ook de kinderen van Peters niet.' Hij schrijft de informatie in kernwoorden bij de namen op het bord.

'Goed. Ton en Han, zodra jullie tijd hebben, gaan jullie dan de vriendinnen van Lucienne checken,' zegt ze. 'Ik heb de gegevens van Vera Boschker, Noortje Vriesekoop en Marieke van Gelder genoteerd. Vraag wat ze weten, regel anders dat ze hier komen. Alex Hauser wil ik ook zo snel mogelijk spreken,' zegt ze. 'Willen jullie proberen of je hem te pakken kunt krijgen? Hij is de maker van enkele kunstwerken in de galerie,' verduidelijkt ze voor Markant. 'En willen jullie de boekhouding in beslag nemen bij Peters en kijken of er opvallende dingen in staan? Ik regel een machtiging tot doorzoeking. Kijk dan specifiek of je iets van Lucienne kunt vinden.'

'Verder de bekende procedures,' zegt ze. 'Een vragenformulier voor de buurt; Han? Ik denk dat je dezelfde kunt gebruiken als die we voor de zaak Berndsen hebben gebruikt.'

'Okidoki.'

'Ik wil alles weten van Lucienne Vos,' zegt ze. 'Hoe bracht ze haar dag door, wat waren haar toekomstdromen, met wie ging ze onder de douche... We trekken alle gebruikelijke registers open.'

Markant staat op. Zijn lange lijf torent hoog boven hen uit. 'Mag ik u allen wijzen op de noodzaak van snelheid in het onderzoek? Zoals het er nu uitziet, komt er nog dit jaar een nieuwe bezuinigingsronde.'

Haar teamleden mompelen wat door elkaar heen. Geen van allen tonen ze zich onder de indruk van Markants druk op hun schouders. Ze doen hun werk al jarenlang zorgvuldig en goed. Alleen Wagener knikt.

'Was dat alles, chef? Dan gaan wij op pad, kunnen we meteen bij de technische recherche langs voor het mobieltje en op vriendinnenjacht.'

'En als ze bij de TR nog niet zo ver zijn, bel je maar,' zegt Van der Haar.

'O ja, en als jullie weddenschappen afsluiten over deze zaak; laat het je objectieve mening niet beïnvloeden, goed?' Ze zegt het lachend, maar de serieuze ondertoon komt wel over bij haar collega's. Ze zijn vast al aan het speculeren geweest.

Wagener wordt rood. Ze had het goed ingeschat, hoewel dat niet zo moeilijk is aangezien het een van de favoriete spelletjes is van haar collega's.

'Geen probleem, chef,' zegt Simmelinck, terwijl hij aanstalten maakt om te vertrekken.

Cornelissen volgt zijn collega. 'We nemen het busje,' knikt zijn maat. 'Met dank aan collega Wagener voor het prakken van ons Golfje.' Cornelissen grijnst. Wagener kleurt beschaamd.

'Als tegenprestatie mag hij mij morgen zeker gezelschap houden bij Chirawari,' vult Van der Haar hem aan.

Als zij morgenochtend met Cornelissen en Simmelinck in Arnhem is, dan is het inderdaad handig dat Wagener ook bij de sectie aanwezig is. Zijn eerste moordzaak hier in Nederland, voor Wagener een uitgelezen kans te assisteren bij een sectie. Bovendien, ze kent Van der Haar, als die een oproep krijgt is hij zo verdwenen, en ze wil graag zo snel mogelijk uitsluitsel hebben. 'Dat lijkt me een goed idee,' knikt ze.

'Als het toch zelfmoord blijkt te zijn, of een ongeluk, dan graag zo spoedig mogelijk bericht, ja?' Zonder haar antwoord af te wachten beent de lange commissaris met ferme stappen het kantoor uit.

Ze praat nog even na met Van der Haar en meldt hem de

hartafwijking van Lucienne Vos. 'De ouders vertelden dat het niets was om zich zorgen over te maken.'

Van der Haar knikt. 'Als dat wel zo was, zal dat morgen bij de sectie blijken.'

15

Alex Hauser glijdt met zijn tong door zijn mond en voelt de on-effenheden. Hij heeft de binnenkant van zijn wangen schraal ge-kauwd. Af en toe voelt hij een raar streepje koud vocht in zijn mond, het smaakt niet naar bloed. Hij pakt de dikke bol kauw-gom uit zijn mond en plakt die op een kunststof clip die op het uiteinde van een van zijn tekentafels vastzit.

'Afblijven, Dirk.' Hij maait de dikke, zwarte kater van tafel. Een zweetdruppel valt op een stuk fotopapier, een stille vloek ontsnapt uit zijn keel. Zonder een moment van twijfel ver-scheurt hij het vel, waarop de druppel langzaam een steeds gro-tere vlek vertoont. Eikel. Let dan op. Die kun je ook overnieuw doen. Veertig euro, hup, naar de klote.

'Ja, ja, het zijn dure velletjes papier, dat weet ik wel, Dirk.' Hij laat zich in een kort maar heftig moment van moedeloos-heid op een krukje zakken en kijkt om zich heen in zijn fel ver-lichte atelier. Hij snuift de geur van zijn omgeving diep in zich op. Hij draait rondjes om zijn as, zijn hoofd omhoog, en kijkt naar de helderblauwe lucht met kleine witte wolkenslierten, die hij door het glazen dak ziet. Blauw, wit, lichtblauw. Als hij har-der ronddraait wordt het één kleur. Blauw, blauw, de kleur van ontspanning... Maar te veel blauw maakt depressief! Hij stopt de kruk abrupt. Even duizelt het nog voor zijn ogen, dan wordt de lucht weer normaal. Hij kijkt door het glazen dak van de voormalige opslagplaats, achter een textielfabriek die al lang gesloten is. Hij huurt de ruimte voor een lullig bedragje van Maarten.

Hier, in dit aftandse hok kan hij zijn gang gaan. Niemand die hem hoort, niemand die hem stoort. Hier ontstaan al zijn fantastische ideeën. Hier leeft creativiteit. Half beschilderde doeken en verfpotten staan her en der om hem heen op de grijze, betonnen vloer. Een diaprojector, gekoppeld aan een beamer en een gloednieuwe laptop ernaast op een antiek houten bureau, met eromheen meegesleepte eigenaardigheden van god weet waarvandaan. Zijn werkruimte. Woonruimte tegelijk. In de hoek staat een groot bankstel, dat geweldig dienstdoet als bed, compleet met kleine tv aan het voeteneind. Het meest opvallend in de ruimte zijn de drie tekentafels die hij aan elkaar heeft gezet, zodat hij een groot werkvlak heeft, waarop hij zijn foto's kan uitstallen en bewerken. Hier is hij het liefst. Hij heeft wel een kamer vlak bij school, met een kleine werkruimte erbij, maar als hij echt werkt slaapt hij liever hier, waar alles naar kunst ruikt. Met dank aan Maarten Peters. Natuurlijk. Die gelooft in hem.

Hij kan het. Hij voelt de energie terugkomen in zijn lijf. Springt op, rekt zich uit, met een harde schreeuw van enthousiasme. *Yes.* Hij is kunst. Nu is het niet meer voor de lol.

'Nu gaat het er echt om! Deze expositie wordt mijn grote doorbraak, let maar op, Lulu.' Zijn twee katten lopen lenig overal langs, geruisloos, zonder iets aan te raken, zoals alleen katten dat kunnen. Hij imiteert Lulu, de arrogante, ijdele dame en kruipt haar achterna, stoot acuut een bus terpentine om.

'Hè, Lulu, wat doe ik nu. Onhandig van me.' Hij strekt zijn arm uit naar de poes, maar die haast zich soepel uit zijn aaiveld. 'Dan niet.' Het mooiste vindt hij de metershoge uitvergrotingen, waar ook nu zijn blik op blijft rusten. Zijn fotowerk. Het gaat nu echt gebeuren. Een complete expositie, alleen voor hem. *Doodgewoon leven* heet zijn installatie; film, gecombineerd met foto's en schilderijen. Overweldigend, noemde Maarten het gisteren. Peters vindt zijn visie – hoe zei hij het? – verbazingwekkend briljant. Briljant. Hij is briljant, jazeker.

'Lulu, wat vind je daarvan! Alleen voor mij.' Hij kon er vannacht niet van slapen. Hij ligt er al nachten van wakker, om eerlijk te zijn. Als hij dicht langs de spiegelwand loopt ziet hij zijn onverzorgde hoofd. Zijn blonde spriethaar ligt plat op zijn hoofd, alle haren naar links, zoals hij heeft geslapen. En hij ziet bleek, zoals gewoonlijk. Hij zou graag zonnig bruin willen zijn, maar dat behoort niet tot de giften van moeder natuur. Maar *fuck, who cares*. Hij wordt beroemd.

Woensdag is het zover. Eer van zijn werk. Na al zijn geploeter en de denigrerende opmerkingen van de mensheid, en van één mens in het bijzonder, volgt nu erkenning. Het zal tijd worden. Al dat gestoorde computerwerk om zijn boterham te verdienen, om verdomme impotent van te worden. Pukkels op gezichten wegwerken, landschappen verneuken. Luchten moeten blauwer, de zon moet geler. Het blijft lelijk, hoe lang je de *fader*, stempel of vinger ook uit het gereedschapskistje van Photoshop haalt. Het blijft nep. Laatst heeft hij voor de gein zo'n computerhoofd verknoeid, door er een kogelgat in te fotoshoppen. Klant natuurlijk over de rooie, maar hij vond het om te gillen. Weg met die zooi. Hij wil alleen echt. Werk, echt werk, recht uit de ziel. Hij zal al die rasechte Hausertjes eens laten zien dat ze trots op hem kunnen zijn. Ze wilden zijn studie aan de academie niet betalen. Zijn vader – wat nou vader, het is zijn echte vader niet eens – wilde alleen betalen als hij een degelijke studie ging doen. Rechten, zoals hij zelf had gedaan. Of medicijnen.

'Flikker toch op. Ik zorg zelf wel voor mijn kostje.' Het is hem bijna gelukt, maar nu beginnen de schulden op te lopen. Hij heeft veel materialen nodig. En wat te snuiven, de *power of creation* heeft soms een beetje hulp van buitenaf nodig, komt niet altijd vanzelf aanwaaien. Zijn ouwelui moesten eens weten. Als die hem, als een echte zoon, eens wat toe zouden schuiven. Maar zijn vader is een vrek. Verdient geld als water als vooraanstaand specialist, maar cultuur sponsoren, ho maar. Gelukkig heeft hij Maarten. Maarten had zijn vader moeten zijn. Alhoewel, ook die wil nu zo langzamerhand graag iets terugzien van zijn investering. De laatste weken heeft hij geen vrolijk stemmende bijschrijvingen op zijn saldoafrekeningen gezien van galerie The Arthouse. Maar wat zou het, nog even en hij hoeft voor niemand meer op zijn knieën.

Alleen nog deze laatste foto's afmaken. Schiet daar maar eens wat mee op, eikel. Hij gaat terug naar zijn tekentafel en bekijkt kritisch de foto's die erop liggen. Hij pakt er een van tafel, scheurt die kapot en gooit het papier in de houten kachel, dat prompt nieuw vuur doet oplaaien. Hij stelt zijn laptop in, laat zijn film draaien. De diaprojector spuugt de stilstaande beelden erdoorheen. Alsof de doden weer levend worden. Magnifiek, het effect. Hij kijkt tevreden naar wat er is overgebleven. Alleen de top mag door naar de laatste ronde. We willen geen doorsnee werk, we zullen de Hausertjes verrassen.

Hij verkoopt straks voor tonnen creativiteit. De rijke gasten betalen grif voor nieuw talent. Hij gaat helemaal 'hot' worden. Reken maar van *yes*. Een spuit tijd en een snuf geluk heeft hij nodig, grijnst hij, terwijl zijn voeten hem nu langzaam richting badkamer voeren. Nou, badkamer is een groot woord. Hij is wel luxer gewend. En vroeger, heel veel vroeger, toen was het een stuk erger. Vroeger. Fuck, daar wil hij niets meer van weten.

'In het onderste laatje, daar ligt nog voor twee keer, Lulu, dat weten we toch. Morgenvroeg halen we een nieuwe voorraad.' De grote stationsklok aan de hoge muur achter in het pand slaat vier keer, nee, vijf keer.

Ze zal zo hier zijn. Hij moet opschieten. Zich aankleden, scheren. Zich van zijn goede kant laten zien.

'Dan geeft ze zich het mooist, dan krijg ik haar zoals ik haar

hebben wil, of niet, Dirk? Laat dat maar aan ons over, nietwaar?'
Zijn hart pompt zijn bloed sneller rond.

'En ze noemen het nog werk ook, vind je dat niet om je dood
te lachen?' Hij lacht hard, zijn stem weergalmt in de holle ruimte. Hij moet eens wat gordijnen ophangen. Gordijnen. Hij kan
wel een paar oude foto's voor de ramen plakken, misschien dat
de mensen dan stil blijven staan bij zijn werk. *Who fucking cares.*
Ze komen straks sowieso wel. Ze komen naar zijn exposities. Hij
zal netjes opzitten en pootjes geven, dan zullen ze onder het
genot van een hapje en een snuifje zijn werken bewonderen.
Tegen elkaar kunnen smoezen: heb je de kunstenaar al gesproken? Wat een vernieuwende ideeën heeft die man, nog nooit gezien. O ja, ze zullen hem de hemel in prijzen, prijzen zal hij
winnen, winnen wil hij haar voor zich...

'Rustig, Lexie boy, relax, neem nog een klein snufje dan, maar
dan echt een kleintje.' Dirk komt bij hem, hij geeft het beest een
duw, slaat zichzelf en schreeuwt een luide kreet de ruimte in.

'Relax. Werken moet ik. Geniaal moet ik zijn. Dan koop ik
straks elke dag blikjes zalm voor je. Geen foutje meer maken,
vanaf nu, Lexie boy, kom op.'

Hij pakt zijn digitale Nikon van tafel. Checkt het aantal foto's
op het beeldschermpje. Nog zeventig kunnen erop. Hij zal het
apparaat leeghalen voor ze komt. Dan wordt hij straks niet gestoord door het vollopen van de geheugenkaart. Hij maakt
graag grote series. De digitale camera is daarbij een uitkomst.
Maar als het er echt om gaat, pakt hij zijn ouderwetse spiegelreflexcamera. In de kleine doka, waarvoor hij de kleine keuken
heeft opgeofferd naast het atelier, tovert hij de mooiste afdrukken tevoorschijn. Zodra de beelden voor hem opdoemen in de
ontwikkelbak, komt zijn grootste kick. Als hij ziet dat het gelukt is. Dat het zo wordt als hij in gedachten had.

'Geen fake, maar echt. Ja, *fuck*, echt.'

16

Ooit helderwit geschilderde kozijnen bladderen af. Cornelissen had het goed gezien, ziet Nelleke, de bruine luiken zijn inderdaad half vergaan. Aan kleine stukjes verf te zien waren ze ooit helderrood. Afval, oude emmers en aangevreten planken rond de stallen geven een troosteloos beeld van een boerderij in verval. Met haar assistent baant ze zich een weg door wildgroeiende hoge struiken en boomtakken. De voordeur van de boerderij is moeilijk bereikbaar door een hek waarvan de scharnieren verroest zijn.

'Op de boerderij kom je binnen via de deel.'

'De deel?'

'Dat stuk waar bij ons de slaapkamers van de meiden en de doka van Jaap zijn, zeg maar. Een voordeur was vroeger slechts voor hoog bezoek. De dominee, de dokter.'

Haar assistent plukt een paar blaadjes uit zijn haar. Hij maakt een afwezige indruk.

Een leeuwenkop met een ring door zijn neus dient als bel. Wagener laat de ring driemaal hard op de snuit terechtkomen. Niets. Geen geluid, geen beweging. Ze draait zich om. 'Toch maar via de deel.'

Om de boerderij hangt een geur van vers gemaaid gras. Koeien grazen in een wei verderop, een enkele kijkt haar aan alsof ze aanvoelt dat zij hier niet in het plaatje thuishoort. Boer Westerhuis heeft een gemengd bedrijf; achter de koeienstal ziet ze een vrij nieuwe, grote kippenschuur.

'Anouk gaat naar de open dag van de rockacademie.'

Wagener knikt. 'Ze heeft talent.'

Ze schrikt van het geluid van een hond die aanslaat als ze het achtererf op lopen. Een zware blaf. Tegelijk met de hond klinken schrapende voetstappen. Een stem, die de hond manend toespreekt. Het beest is stil. Samen komen ze ineens de hoek om. De boer, in overall, sjokkend op zijn klompen, en de herdershond.

'Wat moet dat?' klinkt een harde stem in onvervalst Achterhoeks dialect. De boer komt pal naast haar staan, zo dichtbij dat ze een stap terug doet en haar assistent hem argwanend aankijkt. De boer komt opnieuw dichterbij. 'Het apparaat is in reparatie,' zegt hij ter verduidelijking. 'Als u bij mijn oor praat, dan hoor ik u misschien.'

Ze legt uit dat ze van de politie zijn en een paar vragen hebben voor Daan Westerhuis. 'Is hij aanwezig?'

'Wie is er aanwezig?'

'Of Daan hier is. Uw zoon? Het gaat om Lucienne Vos. Ze is vanmorgen dood aangetroffen in galerie The Arthouse in het dorp.'

'Dood. Zei u dat?'

Ze knikt.

De man is daar even stil van. Hij klopt de hond goedmoedig op zijn flank. 'Wat heeft onze Daan daarmee te maken?'

'Hij kende het meisje, volgens Luciennes zusje hadden ze iets met elkaar.'

'Heeft hij iets met haar zusje?'

'Nee. Met Lucienne zelf. Is hij er?'

De boer knikt en wijst ongeïnteresseerd naar de schuur achter op het erf. 'Zal daar wel uithangen.'

'Ze hebben negen kids, die familie Westerhuis,' zegt Wagener, terwijl ze zich richting schuur begeven. 'Ik zat bij twee van hen in de klas. Eentje was blijven zitten.'

'Kende je Daan? Hij is jonger dan jij bent...'

'Ik zat bij zijn zus Wilma in de klas. Ik bracht haar wel eens thuis na school, we moesten dezelfde kant op, en eh... we gingen ooit eens "brommers kijken in het fietsenhok".'

Het is een ultieme poging tot dialect, maar Wagener heeft de Achterhoekse taal nooit onder de knie gekregen, dat blijkt wel.

'Wát?'

'Ken je die niet?' vraagt hij verbaasd. Ze schudt ontkennend haar hoofd.

'Een superbejaarde Achterhoekse uitdrukking voor zoenen,' zegt haar assistent.

'O dank je, dus dan zou ik die wel moeten kennen, wil je zeggen,' antwoordt ze quasi verongelijkt.

Brommers kijken in het fietsenhok. Dat deed zij met Gijs. Lang geleden. Amper vijftien was ze. Een herinnering uit een vorig leven, waarvan alleen flarden in haar hoofd opdoemen. Helemaal idolaat was ze van de knappe Gijs. Gijs, die twee klassen hoger zat. Haar vriendinnen giechelden toen hij haar aansprak op het schoolplein. Zij wist geen zinnig woord uit te brengen en kreeg een kop zo rood als een kreeft. Maar hij wilde met haar uit. Met haar! De dagen, weken, maanden erna waren een lange gelukzalige roes. De verkering hield zelfs maanden stand, toen bleek dat ze echt wel iets zinnigs te zeggen had. Ze glimlacht in zichzelf. Ze was veel te jong om zich al te binden, maar ze kwam Gijs opnieuw tegen tijdens haar studie en het was meteen opnieuw raak. Ze trouwde op haar tweeëntwintigste en nog geen jaar later werd Suzan geboren...

'Af en toe liep Daan met ons mee uit school,' zegt Wagener. Een grote etterbak. Met sterke vriendjes. Daagden uit voor een knokpartijtje, jatten drop en snoep uit de winkel van meneer Grevers.' Wageners opent de zware deur.

'Daan Westerhuis?' roept ze op de gok. Er is beweging achter in de schuur.

'Yo.'

Een gespierde jonge man met brede schouders, een *typical bodybuilder*, komt, schijnbaar ongeïnteresseerd, langzaam op hen af lopen. Hij heeft een donker, aantrekkelijk gezicht met bruine ogen en ze kan zich voorstellen dat hij in de kroeg de meiden wel mee krijgt. Hij draagt een blauwe overall, voor een groot deel zwart gevlekt door olie, lijkt het.

'Wat moet dat hier?'

'Politie.' Ze laat haar badge zien. Daarvan lijkt hij niet onder de indruk. Ze moet omhoog kijken om zijn ogen te zien.

'Mijn naam is inspecteur De Winter, en dit is mijn assistent Wagener. Als u er geen bezwaar tegen heeft neem ik dit gesprek op,' zegt ze, terwijl ze hem het taperecordertje toont.

Westerhuis haalt zijn schouders op. 'Dat interesseert me geen fuck. Wagener? Ferry Wagener?'

Haar assistent knikt, nogal onzeker. Westerhuis glimlacht, zijn ogen prikken geniepig in die van Wagener.

'Kent u Lucienne Vos?' vraagt ze.

'Ja.' Hij vraagt niet waarom ze dat willen weten. 'Wel eens mee uit geweest. Lekker wijf.' Hij pakt een zakje zware shag en rolt een sigaret.

'Wanneer heeft u haar voor het laatst gezien?' Wagener heeft zijn notitieboekje gepakt en maakt een aantekening.

'Dat weet ik niet precies, een zaterdag, paar weken geleden of zo. Waarom?'

'Lucienne Vos is dood.'

Mocht hij er al iets van weten, dan verbergt hij dat goed.

'Da's kut voor haar.'

'Een iets fijngevoeliger houding zou u passen, meneer Westerhuis.' Ze kan het niet laten. Westerhuis glimlacht, kleedt haar uit met zijn ogen, zo voelt het althans. 'U werkt in Arnhem?'

'Ik zat tot begin dit jaar in de verzekeringen en nu heb ik een sabbatical, met uw permissie?' Hij glimlacht laatdunkend en mept op hardhandige manier een kat aan de kant.

'Kunt u goed met vrouwen overweg of deelt u dan ook wel

eens een tikje uit?' Ze aait de kat, die om haar benen loopt, en ergert zich aan Westerhuis. Ze denkt aan de pup die overmorgen komt en verheugt zich op het getut met de kleine haarbal.

'Daar heeft u geen flikker mee te maken.' Daan Westerhuis schopt tegen een motoronderdeel aan, wat een gigantisch kabaal veroorzaakt in de schuur. De kat rent krijsend weg.

'Waar was u de afgelopen avond en nacht?' vraagt Wagener.

'Moet ik jou dat aan je neus hangen?' Hij neemt een hijs van zijn sigaret en blaast Wagener in zijn gezicht.

'U kunt ook mee naar het bureau, als dat makkelijker praat,' zegt ze, afgemeten.

Ze vindt Westerhuis ineens iets te zenuwachtig om geloofwaardig te zijn. Helaas krijgen ze verder geen aanwijzingen waar ze hem op kunnen pakken. De jongeman zegt dat hij vannacht bij een vriendin was, en dat hij Lucienne al kent vanaf de kleuterschool. Westerhuis ergert zich als haar assistent nogal denigrerend tegen hem doet, en het doet haar goed te merken dat deze ruwe bolster blijkbaar ook nog een pit heeft, al zou ze die niet direct als blank willen bestempelen.

'Hij heeft iets op zijn kerfstok,' zegt ze, als ze het erf af lopen. 'Maar of hij met de moord te maken heeft?'

'Moet ik die vriendin van hem bellen?'

'Laat maar, voorlopig. Als Westerhuis ergens van weet, heeft hij zijn alibi allang geregeld.'

'Als die er niks mee te maken heeft, dan eet ik mijn badge op,' zegt Wagener. Hij trapt een emmer troep omver.

In de verte blaft een hond.

17

Twee soorten olijven. De pappadews met fetakaas. Gevulde champignons. Wat nu? Eerst de courgettes grillen. Hij zal haar zo eens bellen of ze weet hoe laat het wordt. Hij heeft er begrip voor. Zeker. Ze is een van de besten in haar vak en ze zegt het niet met zoveel woorden, maar hij weet dat ze hogerop wil. Van inspecteur naar hoofdinspecteur, commissaris en misschien ooit hoofdcommissaris. Als ze haar gang kan gaan, krijgt ze het voor elkaar ook, daar is hij van overtuigd. Hij glimlacht. Ze zou het verdomme verdienen. Hij vindt zichzelf echter, tot zijn eigen ergernis, te vaak de remmende factor. Maar goed dat ze zich amper door hem laat beïnvloeden. 'Ik moet dit doen, Jaap.' Hij hoort het haar zo zeggen. Hij heeft ook respect voor haar door-zettingsvermogen. Voor haar kracht. Hij is trots op haar en hij vindt het klasse hoe ze haar grote verdriet honderdtachtig gra-den heeft omgedraaid en nu allerlei zaken oplost waarin kinde-ren slachtoffer zijn.

Hij snijdt een courgette in drie stukken. En dan snel, handig, in plakken, allemaal bijna even dik. De randjes gooit hij in een apart bakje, die zijn straks voor de geiten. Hij heeft er ooit over gedacht om kok te worden, tot hij zich realiseerde dat een foto-graaf prettigere werktijden heeft en daardoor zelf vaker uit eten kan gaan dan een kok. Wacht even, hij heeft toch ook nog zo'n Italiaanse droge worst van wildzwijn liggen? Hij kijkt in een van de voorraadkasten. Ja. De laatste. Een paar plakjes snijdt hij alvast af, hij kan het niet laten, deze worst is gewoon te lekker.

De dingen die hij haar soms hoort vertellen doen zijn maag omkeren en dan nog is hij ervan overtuigd dat ze het ergste voor zich houdt. Wat een vak. Hij zou het niet kunnen. Respect heeft hij dus alleszins voor haar.

Maar jezus. Nu staat hij hier op wat een mooie zondag had kunnen zijn voor de zoveelste keer in zijn dooie eentje eten klaar te maken. Hij doet het graag, koken, maar niet altijd in zijn uppie. Dit keer is ze hopelijk in ieder geval op tijd om samen met hun vrienden te eten. Vaker is dat niet het geval. Gezellig is anders. En juist daar had hij zich zo op verheugd toen hij zijn succesvolle fotostudio – toplocatie, internationaal opererende klanten, veertien man personeel – verkocht. Voor een belachelijk hoog bedrag. Zo hoog, dat hij die brede grijns dagenlang niet van zijn gezicht kon krijgen.

Zijn zakenpartner was kort daarvoor plotseling overleden na een hartstilstand. Hij zag het gebeuren en realiseerde zich tijdens het reanimeren onmiddellijk dat het ook hem had kunnen treffen. En hij realiseerde zich ook dat als hij door zou gaan met zijn oude leventje hij binnen een jaar wel eens net zo zou kunnen eindigen. Hij nam zijn leven kritisch onder de loep en besloot dat het tijd werd om het helemaal anders te gaan doen. Hij nam zich voor volop te gaan genieten. Hoewel hij Nelleke toen nog niet kende, zag hij zijn ideale toekomst wel voor zich. Terug naar de Achterhoek. Eindelijk de foto's gaan maken die hij zelf mooi vindt, die hij al langer in zijn hoofd heeft; de prachtige details van de natuur die hij vroeger zo goed kende. En zo nodig af en toe een freelance opdracht. Een oude boerderij kopen en die verbouwen, lekker groot, met voldoende ruimte voor aparte slaapkamers en een badkamer voor de meiden en een doka. Een weiland eromheen waarin hij schapen en geiten zou houden en misschien, ja misschien wel een nieuwe liefde die daarin zou kunnen passen. En natuurlijk een riant terras met een flinke eettafel, zodat ze in de zomer elke dag buiten kunnen eten. Het bourgondische leven. Dat zou het worden.

Hij doet de courgette in de grillpan. Beetje zout en peper, olijfolie. Dat is het lekkerst. De tapas staat klaar in bakjes. Hij snijdt de rest van de worst in plakken en zet de kleine tomaatjes met bolletjes mozarella en basilicum klaar. Nelleke's favoriete snack. En natuurlijk de broodjes en bruschetta. Straks de scampi's op de grill, buiten. Een beetje *live cooking* is altijd leuk.

En verder niet zeiken, Jaap. Je wist wat Nelleke deed en wat haar drijfveren waren toen je haar leerde kennen, houdt hij zichzelf voor. Dat mag dan wel waar zijn, maar toen realiseerde hij zich niet hoe gevaarlijk haar werk kon zijn. Hij vond het eerst wel stoer, zijn nieuwe vriendin als inspecteur, of nou ja, destijds nog brigadier, bij de politie. Ze coördineerde de rechercheteams in Arnhem. Dat klonk allesbehalve gevaarlijk.

Ze gaf een lezing die dag. Voor een of andere bijeenkomst van een rechercheteam, *who cares*. Hij hoefde alleen maar foto's te maken; op verzoek van een fotograaf, een kennis van hem, die ziek was geworden. Het eerste wat hij zag van Nelleke waren haar borsten, in een strak oranje shirt met een klein decolleté. Hij zag ze door de lens van zijn camera. Niet groot, wel mooi strak. Inzoomend bleven ze prachtig om te zien. Net als haar gezicht, haar schouders en, nou ja, eigenlijk alles aan haar wilde hij voor eeuwig vastleggen. Het kostte hem moeite om die dag iets anders te fotograferen en de opdrachtgever kreeg uiteindelijk de keuze uit Nelleke van voren, Nelleke van opzij, Nelleke lachend, Nelleke serieus, Nelleke...

De laatste plakjes courgette zijn klaar. Even voorproeven; het grote voorrecht van de kok. Hij doet ze in een bakje en bedekt dat met aluminiumfolie om ze warm te houden. Wat hem betreft mogen Pim en Simone komen, hij heeft trek gekregen.

Is hij nu niet trots meer op haar? vraagt hij zich af. Jawel. Zeker. Maar hij is veranderd. Angst overheerst soms de trots.

Het komt door die achtervolging. Dagenlang heeft hij naast haar bed gezeten, bang dat ze dood zou gaan. Door een of andere crimineel die dol in de kop werd. Sindsdien is hij bij vlagen doodsbenauwd als ze in een onderzoek is verwikkeld, vooral als ze niks loslaat en last krijgt van haar zogenaamde allergie. Zoals hij vanmiddag ook weer constateerde. De symptomen geven hem een angstig voorgevoel. Maar ja. Het is haar keuze om dit werk te doen, hij weet het.

Een auto rijdt het grindpad op. Dat zullen Pim en Simone zijn.

Pim heeft een fles whisky meegenomen, Johnny Walker Black Label. 'Om af te zakken,' voegt hij er, overbodig, aan toe. Ze beëindigen hun etentjes altijd met een of twee flinke bellen cognac of whisky. Zelfs Nel en Simone doen er vaak aan mee, omdat ze geen van allen zin hebben om de avond af te sluiten.

'Beginnen met een witte? Ik heb een paar lekkere Vernaccia's uit San Gimignano koud liggen,' zegt hij.

'Lijkt me heerlijk,' knikt Pim.

'Lekker,' zegt Simone. 'Nel nog aan het werk?'

'Ik was net van plan om te bellen hoe laat ze komt,' antwoordt hij. 'Ga lekker buiten zitten, jongens. Hebben jullie een beetje honger?'

18

Het loopt tegen zessen, wijst de grote stationsklok boven de balie aan. Het is stil, ze hoort de wijzers van de klok hun seconden wegtikken. Ze begint de dag te voelen in haar hoofd. Inspecteur Nelleke de Winter verlangt naar een glas koele witte wijn en de ontspanning van thuis.

Haar assistent heeft de hele rit naar het bureau geen woord gezegd. Hij heeft zijn vingers tergend langzaam een voor een geknakt. Ze telde mee en kwam tot de negen. Zijn pink weigerde dienst vandaag en hij begon opnieuw. Nu is hij rustiger.

'Koffie?' Wagener houdt de deur van het kantoor voor haar open.

'Doe maar een glas water.' Terwijl hij in de piepkleine keuken achter in het kantoor rommelt, laat ze zich op de dichtstbijzijnde stoel zakken, naast Ferry's bureau, houdt haar hoofd ondersteboven en woelt door haar krullen. Ze pakt een paracetamol uit haar tas. Twee. En meteen de pilletjes tegen de allergie. Li, vriendin en traditioneel Chinees geneeskundige, schudt lachend haar hoofd als ze met het allergieverhaal aankomt. Li zegt dat het onverwerkte emoties zijn die eruit willen, en stress. De drukte van het werk, ja, dat is wel logisch. En die emotie...

Ze schrikt op als Wagener een glas water op haar bureau zet.

'Ik wil met die Janine Hubers praten,' zegt ze, terug bij de les. 'Cornelissen zou achter haar aan gaan, wil je hem vragen of hij al iets weet?' Ze haalt het bandje uit haar recorder. 'Als je tijd hebt, hier is het gesprek met de ouders en Westerhuis. En ik wil weten of Hauser getraceerd is.'

'Doe ik.' Wagener maakt notities.

Ze installeert een leeg bandje in de recorder. 'Kun je ook onze vriend Westerhuis opnieuw aanvragen in het herkenningssysteem? Er kan iets fout zijn gegaan.'

Wagener knikt. Hij heeft nog steeds de diepe frons en die zit er sinds het moment dat ze naar Daan Westerhuis gingen.

'Heeft hij je goed te pakken gehad?' vraagt ze. Een schot voor de boeg.

Hij knikt, een kwade grimas op zijn gezicht. 'Ze waren met zijn drieën.' Hij wrijft over zijn buik, alsof hij nog voelt dat ze hem daar hebben geschopt. 'Ik fietste daarna een jaar lang drie kilometer om naar school.' Hij buigt zijn hoofd, misschien nog uit schaamte of kwaadheid over die tijd. 'Het ergste was dat ze Lidia, mijn vriendinnetje toen, ook heel lang hebben getreiterd. Als ik naar mijn ouders ging of iets tegen de meester zei, hield het even op, maar daarna werd het dubbel zo erg.'

'Is dat de enige reden dat je zo zit te zenuwen?'

Er is meer, ziet ze aan zijn gezicht, maar hij zwijgt.

De deurbel van het bureau klinkt. Ze kijken elkaar verrast aan. Bezoek, nu nog? Wagener loopt naar de voordeur en komt terug met galeriehouder Maarten Peters in zijn kielzog.

'Het spijt me dat ik u hier stoor. Er moet mij iets van het hart en ik besloot nogal spontaan om te kijken of u hier zou zijn. Het gaat om de foto die uit mijn galerie is verdwenen.' Hij kijkt beschaamd. 'Dat had ik zelf gedaan. Ik had hem in de keuken gelegd, om hem later beter te verstoppen. Maar toen ik dat wilde doen, was het kunstwerk echt weg.'

Ze biedt hem een stoel aan naast het bureau van Cornelissen, dat volgepakt ligt met papieren. Bureauwerk behoort niet tot Cornelissens favoriete bezigheden.

'Ga zitten. Koffie? We hebben helaas geen melk in huis voor cappuccino.'

'Graag.' Hij geeft haar een hand, waarbij hij zijn linkerhand over die van haar legt en langer dan gebruikelijk vasthoudt. Dan gaat hij zitten en kijkt haar doordringend aan. Iets in zijn ogen maakt haar onzeker. Ze gaat zitten, opgelucht als Wagener terugkomt met een kop koffie. Leve de snelle espressomachines. Ze schuift een paar mappen opzij om ruimte te maken.

'U bent een moedig mens. Het gevoel wil er alleen af en toe uit.' Hij wijst op zijn eigen ogen, kijkt naar de hare.

Ze weet niet wat ze moet zeggen. Kan deze man in haar ziel kijken, of zegt hij dat tegen iedereen met rode ogen? Ze knikt, glimlachend. Ze weet niet precies waarom, maar ze vindt zijn opmerking geruststellend.

'Af en toe gas terugnemen en relativeren, zou ik adviseren.'

'Hartelijk dank voor het gratis consult,' antwoordt ze. 'Precies mijn idee.' Ze kijkt niet naar Wagener, maar voelt zijn ogen in haar rug, zeker wetend dat hij met gespitste oren luistert.

'U zei dat de foto uit uw keuken is gestolen? En u had hem eerst zelf opzettelijk uit de galerie laten verdwijnen?'

Peters knikt. 'Een spontane doch idiote ingeving, vrees ik. Ik dacht: dit is een uitgelezen kans om de expositie van Hauser gratis te promoten in de krant.' De galeriehouder lacht, maar niet van harte. 'Helaas. Ze zijn alleen geïnteresseerd in een lijk. Niet in kunst. Zo is de mensheid tegenwoordig. Andermans ellende trekt meer leespubliek dan een inspirerend artikel over een aanstormend kunsttalent.'

'Was het daarvoor nodig om een kunstwerk achterover te drukken? Het schilderij bij het lijk is ook van Hauser...'

Peters haalt zijn schouders op. 'Een impulsieve daad; misschien kwam het ook wel omdat het er in de galerie zo... zo normaal uitzag. Te normaal voor een moord, als u mij enigszins kunt volgen. Het spijt me.'

Zijn gevoel lijkt oprecht, zijn verhaal rammelt. Hij ziet dat ze hem niet gelooft en kleurt. Dat doet haar stiekem goed.

'En nu vertelt u me hoe het echt zit?'

'Hoe bedoelt u?'

'U kunt er ook een nachtje over slapen, hier,' zegt ze, ongeduldiger.

Hij zucht diep.

'De waarheid, meneer Peters.'

'De waarheid wilt u. Goed. Ik dacht dat de verdenking wellicht op Hauser zou vallen. Als er een stuk van hem gestolen zou zijn, zou dat onwaarschijnlijk zijn.'

'Waarom zouden wij Alex Hauser verdenken van de moord op Lucienne Vos?'

'U heeft hem dus nog niet gesproken. Hij oogt normaal, maar hij is een aparte snuiter. Een chaoot, die vreemde uitspraken kan doen. Maar zijn werk zal opzien baren, dat weet ik zeker. Bent u bekend met het werk van Karel Appel?'

Ze knikt, twijfelend. 'Zoals de gemiddelde Nederlander, vermoed ik.'

'U kent vast enkele van zijn slordig ogende schilderijen, of die schijnbaar simpel getekende vogel in grote kleurvlakken. Hij was medeoprichter van CoBrA, eind jaren veertig. Maakte de weg vrij voor de informele kunst, een speelse variant binnen de abstracte schilderkunst en tegenpool van de geometrische abstractie. Met zijn werkwijze en uitspraken veroorzaakte hij behoorlijk wat ophef in de kunstwereld.' Peters vertelt verder, over de hedendaagse kunst, welke kunstenaars hij wel of niet goed vindt en waarom. Nu hij eenmaal zijn favoriete onderwerp aangeboord heeft, blijkt hij een begenadigd verteller met liefde voor en kennis van zijn vak. Hij vertelt intrigerend over zijn passie, ook al dwaalt hij ver af van wat hij wilde vertellen. Het stoort haar niet. Hij is sceptisch over de hedendaagse verkoopmethodes van kunst. 'Herman Brood bij Blokker is net zo erg als Vivaldi bij het Kruidvat. Vreselijk. Kunst moet bijzonder zijn en blijven,' is zijn stellige mening, 'en is per definitie niet voor iedereen weggelegd. Dat heeft niets met geld te maken, dat heeft met intellect te maken.'

Daar is ze het mee eens. Hoewel ze zich niet zo verdiept in kunst, kan ze zich wel voorstellen dat mensen als Peters niets op hebben met dat soort populaire ontwikkelingen.

Ze hoort Wagener een veelzeggend, snuivend geluid maken, daarmee haar in ieder geval duidelijk makend dat hij Peters' mening overdreven vindt. Peters lijkt zich te realiseren hoe lang hij al aan het woord is, want hij kijkt ontdaan op zijn horloge.

'Ik houd u op, het spijt me.'

'Wat wilde u eigenlijk duidelijk maken?'

'Wat ik u wilde illustreren is de tijd van expressionisme, geleid door het gevoel. Ik voorzie eenzelfde grootse carrière voor Alex Hauser.'

'Zodat hij Nederland ontvlucht?' zegt ze glimlachend.

'Zoals Appel.' Hij knikt. 'Ik snap het. Evenzogoed zal zijn werk voortbestaan. Maar nee, ik bedoel... ook Hauser is een schilder die worstelt met zijn materialen om zijn ideeën te laten spreken, met fantastische resultaten. Wat ik u probeer duidelijk te maken... Hij is apart, maar hij is geen moordenaar.'

'En hoe zit het nu met die foto?'

'Die wilde ik dus achteroverdrukken. Ik had hem op het aanrecht gelegd, voornemens hem weg te stoppen voordat de politiemensen zouden komen, maar toen ik terugkwam was hij weg. Echt gestolen.' Hij grinnikt licht nerveus. 'En nu gelooft u mij vanzelfsprekend niet meer. Zou ik ook niet doen, als ik in uw bevallige schoenen zou staan. Maar zo ging het werkelijk. Ik schaam me diep, meer dan ik u zeggen kan. Ik help u niet echt bij het vinden van de moordenaar op deze manier. En ik mis natuurlijk mijn dierbare kunstwerk.' Ze voelt een lichte triomf, en is bijna zeker dat hij dat voelt. Ze zet de taperecorder uit. 'Nog een kop koffie?'

'Graag.'

'Wat rijdt u trouwens voor auto? Ik heb er geen zien staan bij uw galerie.'

'Merdeces SLK. Cadeautje voor mezelf toen ik mijn baan in Amsterdam heb opgezegd. Daarvoor had ik een oude BMW.'

19

Even later is ze terug met twee dampende koppen koffie.

'Ik vroeg me af of uw bureau ook hier staat?' vraagt Peters. 'U lijkt hier niet helemaal op uw plek.'

'Dit is het kantoor van mijn collega's. Dat van mij is hiertegenover.'

Peters neemt de koffie van haar aan. Als vanzelfsprekend lopen ze samen de gang op.

'Waarom denkt u eigenlijk dat het hier om een moord gaat?' vraagt ze, terwijl ze hem haar kantoor wijst.

'Dat is toch ook uw mening, dat kan niet anders.' Hij lijkt verbaasd dat ze hem die vraag stelt. 'Haar pose, haar lichaamshouding. Daar is iemand bij geweest. Ze lag er precies zo bij als de vrouw op het doek dat erboven hangt, dat heeft u zeker ook opgemerkt. Als iemand de intentie heeft om zich van het leven te beroven, dan let je daar niet op. Dat wil er althans bij mij niet in. Voor wat het waard is.' Hij kijkt rond. Ze volgt zijn blik en probeert de ruimte onbevooroordeeld te zien. Een ongezellig, kaal kantoor. Meer is het niet. Al is ze wel blij met het grote raam in haar kantoor, waardoor ze ruim zicht heeft op de tuin. Ze houdt van contact met buiten als ze binnen is.

'Een groot doek daar, en daar,' wijst Peters. 'Of een foto. Met veel groen. De kleur van het midden, de vruchtbare voedingsbodem. Vanuit groen is elke richting mogelijk. Een inspirerend landschap. Het zou de ruimte goed doen, een ziel geven.'

Hij kijkt wat dromerig rond en zingt tot haar verbazing enkele noten van 'Libiamo', uit *La Traviata*. Niet eens onverdienstelijk. Hij spreidt zijn armen wijd uit, een uitnodiging tot dansen. Even is ze met stomheid geslagen, het volgende moment zweeft ze walsend in zijn armen rond. Bureau en stoelen moeiteloos ontwijkend. Het voelt wonderbaarlijk natuurlijk en vertrouwd aan en op dat moment zou ze zomaar mee kunnen dansen naar waar hij ook naartoe zou gaan. Peters is niet alleen een talentvol zanger, hij is ook een begenadigd danser, in wiens armen ze zich zonder twijfel laat leiden. Daar kan Jaap nog iets van leren. En dan roept haar nuchtere verstand haar terug tot de werkelijkheid. Ze laat Peters ineens los. 'Een waardeloze ruimte om in te dansen,' zegt ze, om iets te zeggen.

'De akoestiek is niet om over naar huis te schrijven,' vindt Peters. 'Als u iets aan de muur hangt, bent u meteen dat holle geluid kwijt.'

Het is alsof hun dans er niet was. Toch voelde ze dat ook hij gegrepen werd door een gevoel van eenheid. Ze moet zich niet zo aanstellen. Hier staat verdorie een verdachte naast haar. 'Zo vaak zit ik hier niet,' zegt ze. 'Laat staan dat er opera's worden opgevoerd of dat er gedanst wordt.'

'U zou het voor uzelf kunnen doen, voor die keren dat u hier wel zit. Dan voelt u zich prettiger, en dat is de moeite waard. Altijd.'

Ze lopen terug naar het kantoor van haar collega's.

'Hetzelfde geldt voor deze dode ruimte,' zegt Peters.

'Ik weet het,' antwoordt ze. 'Helaas, we krijgen waarschijnlijk straks weer een bezuinigingsronde over ons heen. Aankleding van kantoren past niet meer in het budget.' Ze gaat op Cornelissens stoel zitten, waarbij het oude, versleten ding krakend protesteert.

Peters gaat op haar uitnodiging op de stoel naast het bureau zitten.

'En dan zouden we, het spijt me voor u, waarschijnlijk zitmeubilair hoger op de verlanglijst zetten dan wanddecoratie. Laat staan dat we ons een kunstwerk kunnen veroorloven,' zegt ze.

'In onze branche is het al niet veel anders. Het gaat niet meer alleen om vernieuwend werk maken. Je moet er tegenwoordig bijna een marketingopleiding bij doen om iets te verdienen als kunstenaar.'

'Tja. Dat geloof ik graag. Maar ja, elk bedrijf moet moeite doen om zijn producten te verkopen, dus waarom de kunstsector niet? Ware kunst komt uiteindelijk toch wel bovendrijven. Wilt u nog een kop?' Ze wijst op zijn lege mok. 'U bent een grootverbruiker, merk ik.'

Hij wil nog inhaken op haar opmerking, ziet ze, maar ze staat op om het onderwerp af te kappen. Ze heeft andere vragen voor hem waar ze liever antwoord op krijgt, al praat hij nog zo charmant over zijn passie.

Hij knikt gretig. 'Graag.'

Ze loopt langs Wagener. Die kijkt haar aan met een blik van: 'sodemieter die vent er toch uit'. Ook al dacht ze net nog hetzelfde, ze doet alsof ze niks in de gaten heeft.

Als ze terugkomt met een kop verse koffie, gaat haar mobiel. Ze zet de koffie bij hem neer en loopt het kantoor uit, de gang op.

'Ja?'

'Ha lieverd, is alles goed met je?'

Op de achtergrond hoort ze stemmen, vast die van Pim en Simone, en geluiden van borden en bestek. 'Een half uurtje.'

'Dan wachten we op je. Tot straks. Doe voorzichtig.'

'Tot zo.'

'Zal ik maar gaan?' vraagt Peters, als ze weer gaat zitten. Hij ziet vast dat ze afgeleid is door andere zaken.

'Nog een vraag,' antwoordt ze. 'Waarom heeft u gekozen voor een galerie in Lichtenvoorde? U was tekenleraar heb ik mij laten vertellen, in Amsterdam?'

'Dat klopt,' antwoordt Peters.

Ze moet plotseling aan de beroepskeuze van Anouk denken. Dat Jaap zijn dochter daarin belemmert begrijpt ze niet, en ze vraagt zich af of het iets is wat zij niet kan begrijpen omdat het haar kind niet is.

'Waarom die verandering?' Ze leunt tegen de deur, haar mobiel in haar hand. Peters kijkt haar verbaasd, nee, eerder verrast aan. Hij kijkt op zijn horloge. Zij doet het ongewild ook. Half zeven.

'De tijd vliegt.'

'U heeft gelijk. De korte cv-versie dan maar?'

Ze knikt.

'Vanaf het moment dat ik me mijn dromen kon herinneren, zag ik mezelf als kunstschilder,' zegt Peters. 'Ik droomde mezelf als middelpunt in een expositie, beroemd en bejubeld. Mijn familie droeg me op handen, vertelde trots aan journalisten hoe goed ik altijd al kon tekenen. Onze kleine Maarten had het altijd al in zich, vertelden ze op tv.' Hij laat zich half op een bureau zakken, hangt onhandig tegen een computer aan. 'Helaas. De dromen verdwenen.'

'Wat kwam ervoor in de plaats?'

'Het echte leven. De noodzaak van brood op de plank voor een gezin. Maar nu kan ik proberen om mijn droom voor anderen uit te laten komen. Plaatsvervangend beroemd, zoiets?' Hij kijkt haar aan. Vragend. Om wat, om haar instemming? 'Ik wilde helemaal opnieuw beginnen. Ik kom hier vandaan, er is nog geen galerie, vandaar. Daarbij kwam de vraag van onze Duitse buren uit Bocholt om een gezamenlijk kunstproject op te zetten. Een grensoverschrijdend project. En een interessant, maar langer verhaal dan u nu wilt horen. In ieder geval heb ik geen spijt dat ik deze galerie ben gestart. Alex Hauser is een groot talent,' zegt hij. Zijn ogen stralen. 'Het is een wonder dat ik hem heb ontdekt. Zulke werken had ik willen maken. Maar nu zal ik er trots op zijn als hij de erkenning krijgt die hij verdient.'

'U kunt uw schildersdromen alsnog oppakken,' antwoordt ze. 'U heeft een aanzienlijk bedrag uitgekeerd gekregen na de dood van uw vrouw, die u nu vast alle vrijheid geeft?'

Wagener heeft zijn printer een opdracht gegeven, ze hoort het monotone geluid van de papierdoorvoer. Haar assistent leunt intussen achterover, Peters' betoog aanhorend. Met de nodige scepsis, te zien aan zijn blik.

Peters schudt zijn hoofd. 'Het is voor mij te laat. Mijn talent was nooit zo groot als dat van Hauser, moet ik eerlijkheidshalve toegeven. Daarom heb ik ook gekozen voor deze galerie. Ik zou wel willen, ik zou er heel wat voor over hebben, maar ik moet durven toegeven en accepteren dat mijn kans voorbij is. Spijt dat ik vroeger niet heb gedurfd? Ja. Jaren geleden zo erg dat ik er depressief van werd. Nu? Nee, niet meer.' Hij zegt het twijfelend. 'Nou ja, dat is niet helemaal waar. Ik probeer het, stiekem. Ik schilder, ik fotografeer, ga soms met Alex mee op pad. Wat hij spontaan, nonchalant uit zijn vingers laat komen, is tien keer beter dan wat ik in maandenlang zwoegen in elkaar pruts.'

Ze hoort Wagener op de achtergrond en ziet dat hij een afgekloven Bic-pen in de prullenbak gooit. Het is mooi geweest voor vandaag, lijkt hij haar duidelijk te maken. Hij heeft gelijk.

'Meneer Peters, we zullen de feiten in de schriftelijke verklaring meenemen. Als u het niet erg vindt,' ze maakt een gebaar richting de gang, 'dan houden we het gezien voor vandaag.' Ze laat de galeriehouder uit en loopt terug naar het kantoor, waar Wagener haar wenkt.

'*Look*, ik heb al bijna alle informatie van de website gehaald over Luciennes klas.' De studenten zijn erg actief met hun internetsite, tot groot genoegen van haar assistent. Namen van klasgenoten, de meeste met foto erbij en gelardeerd met allerlei kunstwerken. De leraren staan er ook op. Ze is benieuwd welke mooie man haar buurvrouw bedoelde. 'En hier, kijk eens wie ik ook tegenkwam? Janine Hubers. Ze zitten in dezelfde klas.'

'Goed werk, Ferry. Dan zien we haar misschien morgen, op school. Kun je deze informatie ook aan Han geven? Of aan Ton? Die gaan morgenvroeg als eerste naar de school.'

'Doe ik. Ik print wel een extra setje, dan kun jij deze uitdraaien meenemen.'

'Mooi. Is de directeur trouwens ingeseind?'

Wagener knikt. 'Goed dat je het vraagt. Hij vroeg of we een bevel tot doorzoeking hebben, anders komen we er niet in.'

'O? Wat gastvrij. Nu, dan regel ik dat meteen.'

In haar kantoor pakt ze het betreffende formulier en vult het in. Als hulpofficier van justitie is ze daartoe gemachtigd; wat vooral handig is als snelle actie vereist is. Ze loopt terug en geeft het papier aan haar assistent. 'Als je die dan ook wilt meenemen voor je collega's?'

'*Of course.*'

'En, heb je Hauser getraceerd?'

'Helaas. Ik heb zijn mobiele nummer van zijn ouders gekregen, maar ik krijg geen contact.'

'Wat is het nummer?'

Wagener zoekt in zijn notities en geeft het haar.

'Verder nog iets?'

'Alleen Daan Westerhuis. Die blijft blanco in de computer.'

'Het zij zo. Wat vond je trouwens van Peters?'

'Verdacht. Enorm verdacht. Vind jij niet?'

'Hij lijkt me geen moordenaar.'

'Maar of jij helemaal objectief bent?' Wagener glimlacht. Haar assistent staat op om zijn tas in te pakken. 'En morgenvroeg?' Zijn vraag komt er erg aarzelend uit.

'Ik wil je laten assisteren bij de patholoog-anatoom. Ik wilde eigenlijk Ton vragen, maar die wil ik graag mee hebben naar Arnhem, mocht daar iets aan technisch onderzoek te doen zijn.'

Wagener trekt bleek weg. Hij stottert. 'Moet ik dan echt helpen?'

'Dat is wel de essentie van assisteren, ja. Maar misschien is het niet nodig, Van der Haar is er immers ook bij.' Ineens begrijpt ze het. Zijn zenuwen, vooral na de opmerking van Van der Haar tijdens de teambespreking. 'Ferry, je gaat me toch niet vertellen dat je er nog niet één hebt meegemaakt in die jaren in Engeland?' Ze kan het niet geloven, maar Wagener schudt inderdaad zijn hoofd.

'Het waren maar twee jaren hoor,' zegt hij. Zijn stem klinkt verontschuldigend.

Nou ja, als hij er zo tegen opziet. 'Wil je dat ik Ton dan vraag? Dan kun jij mee naar Arnhem.'

Haar assistent schudt zijn hoofd. 'Nope. Eén keer moet de eerste zijn.' Hij zucht diep. 'En anders gaat Ton me nog meer stangen.'

'Weet die ervan?'

'Hij vroeg zoiets, vanmiddag, en toen werd ik natuurlijk knalrood. Ze hebben zich vast rot gelachen. Intussen weet het hele bureau het waarschijnlijk. Het moet maar zo gauw mogelijk voorbij zijn.'

'Zeker weten?'

Wagener knikt. 'Ik ga.'

Ze voelt zijn twijfel bijna fysiek. 'Goed. Bel me dan als het klaar is of zodra je iets bijzonders hoort.'

'Ik hoop allereerst dat ik overeind blijf.'

'Het hoort bij het vak, Ferry. Maar het komt vast wel goed. Succes.'

20

Ze sluit de auto af en hoort het gelach van Jaap en Pim. De zachtere stem van Simone ertussendoor. Ze zoent haar vrienden gedag en pakt een glas droge witte wijn van Jaap aan. 'En, hoe was het met ons prutsje?' De vraag brandt op haar lippen.

'Dik in orde. Ga zitten en neem een paar olijven.' Jaap zet een schaaltje voor haar neus. Ze gehoorzaamt met genoegen.

Zes weken geleden zijn ze voor het eerst gaan kijken bij het nest Tibetaanse Terriërs van de fokker in Kollumerzwaag. Ze waren meteen verliefd. Op een klein lijfje in een te ruim beige met wit en donkerbruin gevlekt vel. Een handjevol hond, meer was het niet. En toch, dat beweeglijke hoopje afhankelijkheid heeft ter plekke haar hart gestolen.

Het komt door Josien. 'Ik ben tien,' pruilde ze een paar maanden geleden met haar hoge meisjesstem, 'we wonen búíten, we hebben overal beesten lopen, en nu ben ik oud genoeg om voor een hond te zorgen.' Ook 's morgens vroeg om zeven uur, beloofde ze. 'Ik zweer het plechtig, met mijn eigen bloed als het moet,' stond ze serieus met haar hand op haar hart. De hand aan de verkeerde kant, maar ach, een pietlut die daar op let.

'Ze heeft net *Winnetou, het grote opperhoofd* gelezen,' fluisterde Jaap in haar oor.

Ze zijn inmiddels twee keer gaan kijken naar de pup, toen Josien bij haar moeder was. Voor het laatst twee weken geleden. Daya groeit als kool en is speels, ondeugend en eigenwijs. Ze hebben een slag om de arm gehouden tegenover Josien, maar Jaaps jongste, zo klein als ze is, voelt feilloos aan dat 'het' gaat gebeuren.

'We mogen haar halen,' zegt Jaap. 'De dierenarts heeft de hondjes onderzocht, ze is supergezond bevonden en ze is gechipt, zegt de fokker. Josien is binnen aan het spelen, ze vroeg of je nog komt. Ik heb haar niks verteld, je laat het hoor. Dat kind slaapt geen seconde meer.'

'Dan komen we dinsdag zéker kijken,' zegt haar vriendin. Simone ziet er goed uit, constateert ze. Fit, alert. Met haar donkere, lange haar en getinte huid lijkt ze in niets op haar. Ook in doen en laten verschillen ze enorm. Simone rationeel, wikkend en wegend; zij vooral afgaand op haar intuïtie.

'Hoe is het met je? Vervelend dat dit nu net gelijk met die nare zaak in Utrecht gebeurd.' Simone schudt meewarig haar hoofd. 'Wat vreselijk voor die ouders ook... en dat hier, in ons dorp... Weet je al iets?'

'Niet veel. We hebben een paar aanknopingspunten, maar nog geen echte aanwijzingen. Morgenochtend gaan we naar haar school in Arnhem.' Ze laat een slok van de frisse wijn door haar keel glijden. Een Toscaanse, van een wijnboer net buiten San Gimignano. Ze hebben begin mei een kofferbak vol doosjes Vernaccia meegenomen. Het is haar land, Italië. Haar streek, Toscane. In het voorjaar, tenminste. Als de brem en de cactussen bloeien en alles nog wijst op nieuw leven. Als het er echt heet wordt geniet ze liever in haar eigen tuin van de Italiaanse heerlijkheden.

'Je denkt dat het om moord gaat, zei Jaap?' zegt Pim.

'Ja, maar Markant is het niet met me eens,' zegt ze.

'Dat is nieuws,' zegt Jaap, met het nodige sarcasme.

De zorgen om de moord, om de betrokkenheid van Maarten Peters, om alles wat met haar werk te maken heeft, verdwijnen naar de achtergrond terwijl ze geniet van de wijn. Deze dag in een waziger perspectief zetten, dat is een prettig vooruitzicht. Ze is uitgerend voor vandaag, morgen wordt de wedstrijd vervolgd, wat haar betreft. Ze vertelt niet dat Peters naar het bureau kwam, ze houdt haar mond over Alex Hauser en Daan Westerhuis. De anderen vragen nooit verder als ze heeft verteld wat ze kwijt kan.

Haar vriendin is bezorgd of ze het volhoudt. Ze knikt.

'Morgen lopen? Gewoon, lunchtijd?' vraagt Simone. 'Of heb je geen tijd?'

'Hoop ik wel. Morgenochtend ben ik in Arnhem, ik bel je bijtijds of ik het red, goed?'

Simone knikt.

'Hoe gaat het bij jou, Siem?' vraagt ze, daarmee doelend op Simones praktijk, die de laatste tijd overloopt van nieuwe aanmeldingen. 'Nog steeds zo veel mensen met problemen?'

Simone werkt net een bruschetta weg. Zij pakt er ook een. Met sardientjes. Jaap moet zo ongeveer de hele middag in de keuken hebben gestaan. Hij geniet er zelf niet het minst van, ziet ze, terwijl hij intens tevreden een stukje worst weg kauwt. Hij heeft het met Pim over de vergunning voor de veranda. Ze pakken een broodje en lopen van tafel weg. Jaap knipoogt naar haar.

'Dat durf ik niet te zeggen,' zegt haar vriendin. 'Het aantal patiënten groeit, maar het heeft nu ook te maken met die praktijksluiting in Aalten. Ik zou er best iemand bij willen.'

'Is dat een hint?' Ze grinnikt.

Simone is serieus. 'Je zou je geroepen kunnen voelen je oude vak op te pakken.'

'Heeft Jaap je soms iets ingefluisterd?'

'Nelleke de Winter!' zegt Simone. 'Schaam je. Zoiets zouden wij nooit doen. Jaap is gewoon bezorgd, en vind je dat gek?'

Ze kijkt haar vriendin polsend aan. 'Dat is wel lief, Siem, maar...'

'Het is de waarheid!' Simone kijkt haar indringend aan. 'Ik

heb hem nooit zo in paniek gezien als toen jij in de kreukels lag.'

'Ik weet het.'

'Houden zo. Hier, deze mag je toch ook?' Simone heeft een bruschetta met tapenade voor haar gesmeerd.

Ze knikt, pakt het broodje van Simone aan. 'Het is het tweede aanbod al vandaag, ik voel me gevleid. Ruud viste of ik al nagedacht heb over Utrecht.'

'En?'

'Ik voel me hier gelukkig.'

'En als je dan hoofdinspecteur kunt worden?'

'Dat weet ik niet.' Daar heeft Simone een punt. Als ze promotie kan krijgen? Maar nee, ze wil hier niet weg. En toch, met haar laatste bevordering voelde ze zich zeer vereerd. Ze dacht dat ze minstens vijf, zes jaar te gaan had voordat ze een treetje hoger zou kunnen. En toen er geruchten gingen dat er in hun team een promotie ophanden zou zijn had iedereen, zij incluis, gedacht dat die voor Simmelinck zou zijn.

'Ik blijf voorlopig waar ik ben,' zegt ze.

'En mocht je ooit iets anders willen...'

'... Siem, dan ben je de eerste die ik bel,' antwoordt ze. 'Je voelt je hopelijk niet eenzaam, zo in je uppie, daar in je te grote kantoor.'

Simone schudt haar hoofd.

Ze denkt aan Peters en aan hun moment van eenheid in het dansen. Ze schaamt zich ervoor; met Jaap is ze gelukkig, wat moet ze dan met zulke gedachten?

Haar vriendin is verdrietig, ziet ze, en steekt zowaar – onhandig – een sigaret op. Simone rookt? Ach, natuurlijk. Stom. Helemaal vergeten door de drukte van vandaag. Het is elf juni. Acht jaar geleden alweer. Het is de reden dat ze nu bij elkaar zijn. Een jaarlijkse traditie, waarvan de aanleiding allesbehalve feestelijk is. Simones gedachten gaan gelijk met die van haar, lijkt het. Haar bovenlip trilt, tranen druppelen geluidloos langs haar wangen, blijven onder aan haar kin hangen.

'Ik kan het niet helpen. Als ik toen misschien niet door was blijven werken...'

'Shhht.' Ze neemt Simone in haar armen, drukt haar tegen zich aan.

'Suf, hè?' snottert Simone.

'Het is goed.' Het lijkt lang, acht jaar. Maar het is niets. Simone ziet haar droevige blik. 'En jij...'

Het verdriet verrast haar soms nog ineens, als een plotselinge stortbui op een zomerse dag. Ze kijken elkaar aan en lachen door hun tranen heen. Maar goed dat niemand hen ziet; ze zouden denken dat ze rijp zijn voor opname.

Ze pakt haar glas op. Simone doet hetzelfde.

'Waarop proosten we?' vraagt Simone.

'Op ons.' Ze drinken allebei in enkele teugen het glas leeg en ze schenkt opnieuw bij.

Haar vriendin snuit haar neus, neemt een flinke hijs en geeft de sigaret aan haar. Ze neemt een trekje. Simone neemt op haar beurt weer een flinke hijs. Ze hoest ervan. 'Als we zondigen, doen we het goed.'

'Lekkere olijven ook,' zegt ze, terwijl ze een drietal groene knoflookolijven aan een stokje prikt.

Emma komt als een wervelwind de hoek om zeilen. 'Is er een meisje vermoord in de galerie?'

'Ook goedenavond Emma. En Simone is er ook.'

'Ja, hoi. Coole jurk heb je aan, Siem. Hé, zeg nou, is het waar?'

'We weten niet of ze vermoord is, Emma, maar er is daar vanmorgen inderdaad een meisje dood gevonden.'

'Lucienne Vos?'

Ze knikt. 'Hoe weet je dat eigenlijk?

'Ik ben even het dorp in geweest met de fiets en toen kwam ik Belinda tegen. Iedereen weet het al hoor.'

'Kende je haar?'

Emma schudt haar hoofd. 'Anouk heeft haar wel eens gezien in de kroeg. Doe jij de zaak?'

Ze knikt.

'Heftig. Vertel?'

'Er valt niets te vertellen. Ook al zou ik iets weten. Helaas voor jou. Hier, neem een broodje.'

Emma pakt het plakje brood met tapenade van haar aan. 'Mmm, lekker.'

'In de keuken staat nog wel meer, je pakt maar. En waar is Anouk?'

'In de tv-kamer, boven. We hebben *King Kong* op dvd, helemaal te gek. Mogen we chips?'

'Samen één zak dan en niet elk eentje, oké? Eet dan ook een paar broodjes. Dat is veel beter voor jullie.'

Emma knikt wel gehoorzaam, maar ze vermoedt dat het alleen de chips worden.

'Kunnen we gaan kijken?' vraagt de tiener ongeduldig.

'Als je vannacht maar niet gillend wakker wordt,' zegt ze.

'Hè nee, het is toch allemaal onzin. Maar echt vet gemaakt. Doei!'

Ze glimlacht om haar enthousiasme.

Simone dept haar ogen voorzichtig droog met een papieren zakdoekje en steekt een nieuwe sigaret op. Ze trekt niet hard genoeg aan het filter en verslikt zich in de rook. 'Dat gesnotter, ik lijk wel gek.'

'Waar je mee omgaat...' Ze moeten allebei tegelijk lachen om haar opmerking. En om Simones onhandige roken.

'Weet je nog, de eerste? Bij jou, op het dak onder de kersenboom.'

Simone knikt, een blik van herkenning.

'Mijn moeder rook het meteen. Ongelooflijk,' zegt ze. Ze lachen opnieuw om de herinnering, hoe misselijk ze waren van de kersen en het roken.

'Je oogleden worden roder,' zegt Simone.

'Ik kan er niks aan doen, ik slik trouw de pilletjes.'

'Pilletjes, ja ja.'

'Siem, ik heb er alles aan gedaan, kom op, ik heb er zelfs mijn werk van gemaakt.'

'Ik heb het niet over Suzan, ik heb het over jouw eerste jaren.'

'O.' Ze is even stil. Dan zucht ze diep. 'Jezus, ik heb een psych op afroep, ik praat erover met Jaap, met jou, wat wil je nog meer?'

'Dat je met haar gaat praten. En niet alleen met Jaap. Of met mij. Heb je haar wel eens gezegd hoe kwaad je op haar was, of nog steeds, diep vanbinnen, bent? Je bent wat dat betreft knap introvert, Nel. Dat breekt je een keer op. Of misschien is het al zover. Heb je wel eens boven op een berg gestaan, om je verdriet keihard het dal in te schreeuwen? Probeer het eens, je zult versteld staan hoe goed zoiets kan doen. Of, vertel het zomaar eens aan iemand. Niet omdat ze ernaar vragen en je wel moet, maar gewoon, uit jezelf. Je vergeet jezelf, Nel. Je bent te lief. Je wilt het voor iedereen goed doen. Logisch, met je verleden, maar niet handig. En je moet echt met haar praten.'

'Nieuwe onderzoekjes?'

'Ik heb een tijdje terug een artikel gelezen van een hoogleraar die onderzoek deed naar het leven van geadopteerde kinderen. Hij concludeerde dat die kinderen later vaak in de problemen komen, zelfs als ze al snel in een liefdevol thuis worden opgenomen. Er was een voorbeeld van een vrouw die jarenlang met zichzelf en haar omgeving overhoop lag en uiteindelijk totaal overspannen in een kliniek werd opgenomen. Vroeger, zei ze in het interview, probeerde ze het altijd iedereen naar de zin te maken. Zodra ergens een onvertogen woord viel, offerde zij zich op. Ze suste elk begin van wat in een ruzie zou kunnen uitmonden of liep weg als ze onraad rook.'

'Daar heb ik juist helemaal geen last van,' zegt ze, grijnzend.

'Je vroeg ernaar,' zegt Simone, licht gepikeerd.

'Sorry. Ik heb het gelezen, trouwens. En ik zal het onthouden.' Ze herinnert zich dat ze moest huilen toen ze het artikel las. Tot opname is het bij haar net niet gekomen, maar veel flarden van herkenning maakten haar intens triest toen ze het las.

'Hoe is het eigenlijk nu met je moeder?' vraagt Simone.

'Ach, ze bedoelt het goed. Ik vergeet wel eens dat ze de hele dag weinig omhanden heeft en alleen maar mensen spreekt die ook wat mankeert. Ik word gewoon te snel kriebelig als ze dan weer over een of andere oom begint die last heeft van zijn grote teen. Vooral als ik net bij een sectie ben geweest van een vierjarig slachtoffertje.'

'Tja. Verschillende werelden. Maar ik had het eigenlijk nog steeds over Evelien.'

Dat is ze vergeten. Ze had Evelien terug moeten bellen. Nou ja, dat kan van de week nog wel een keer.

Ineens schieten ze allebei in de lach om Pim, die heel charmant aan komt lopen maar prompt struikelt. Hij kan zich nog net aan de tafel vastklampen, die gelukkig sterk genoeg is om zijn gewicht te dragen.

'Dat krijg je, als je jeugdig wilt overkomen,' zegt Jaap lachend tegen zijn vriend.

'Over jeugdig gesproken,' grijnst Pim, 'wanneer gaan jullie tortelduiven eindelijk trouwen? Als de veranda klaar is, heb je geen smoezen meer over verbouwingen die eerst klaar moeten.'

Ze schenkt hun glazen weer vol. Ze zijn overgestapt op rode wijn nu het iets koeler wordt buiten.

'Dat moet je aan mijn charmante vriendin vragen,' zegt Jaap. 'Ik ben al op mijn knieën gegaan, maar ze wil niet.'

'Ik wacht nog steeds tot jij weer in je eerste trouwpak past,' antwoordt ze gevat. 'Je wilt niet mee een nieuw pak kopen, dus dan houdt het op.'

Jaap geeft haar een zoen en slaat zijn arm om haar heen. 'Dan wordt het nooit wat, want ik houd gewoon te veel van al dat lekkers. Knoflookolijven bijvoorbeeld. Die jullie net allemaal weg hebben zitten werken. We kunnen jullie ook geen seconde alleen laten!' Jaap wijst op het lege schaaltje, dat net nog gevuld was.

'Nou, dat wordt weer lakens vasthouden vannacht!' Pim haalt zijn neus op.

'Neem er ook wat, dan heb je geen last van Simones luchtje,' zegt Jaap met een pestend toontje tegen Pim. 'Ik zal er wat bij halen.'

'Ja, lekker,' zegt Pim. 'Ik krijg morgen een stel op kantoor voor een vrijstaande woning in het plan Flierbeek. Ik hoef maar één keer mijn mond open te doen en ze maken dat ze wegkomen!'

'Dat doen ze sowieso wel als ze jouw prijzen horen,' voegt Jaap er grinnikend aan toe.

De grappen over criminelen en bouwfraudes vliegen vervolgens over en weer. Totdat Josien met een slaperig hoofd buiten komt.

'Ach meisje, hebben we je wakker gemaakt? Wat een herrieschoppers zijn het ook, hè, die dames hier...' zegt Jaap, terwijl hij haar op schoot neemt. De jongste schudt haar hoofd. Ze is net zo klein en iel als haar moeder. Ze heeft Heleen, Josiens moeder, slechts eenmaal gezien maar de gelijkenis met Josien trof haar onmiddellijk. Anouk en Emma hebben de bouw van hun vader; gelukkig niet zo dik – daar heeft Jaap ook tientallen jaren over gedaan – maar ze hebben wel zijn lengte en zijn open, vrolijke uitstraling. Hoewel die de laatste tijd bij de beide puberende meiden soms ver te zoeken is. Ze neemt Josien van Jaap over en gaat met haar mee naar binnen. De kleine meid heeft naar gedroomd. Josien vertelt het haar met een dun stemmetje. Ze legt het meisje in bed, stopt haar toe onder het dunne laken, legt de grijze, versleten knuffelmuis bij haar en gaat naast haar op het bed liggen.

'Denk maar aan leuke dingen. Denk maar aan je verjaardag dinsdag. Dan ga je daarvan dromen. Goed?' Josien knikt, bijna ongemerkt, ze slaapt al weer. Voorzichtig haalt ze haar arm onder het hoofd vandaan en drukt een kus met haar vinger op Josiens wipneusje.

'Welterusten, mop.'

Ze blijft een moment naast Josien liggen, in de lichtblauwe meisjeskamer met hondjesbehang. Waarom kan ze niet gewoon 'ja' zeggen tegen Jaap? Ze houdt toch van hem?

21

Het kraakt onder haar blote voeten. Ze kiest haar stappen zorgvuldig, desondanks is elk contact met de grond een marteling. Haar voeten bloeden en laten donkerrode afdrukken achter. Dat verdomde speelgoed ook. Ze kan er geen aandacht aan schenken. Sneller lopen, dat moet ze. Zo hard haar voeten, die niet meer verder willen, het toelaten. Ze geeft de moed bijna op. Ze is te langzaam, ze redt het niet. Steeds verder weg klinkt de iele, hoge kinderstem. Ze staat stil om te luisteren van welke kant het geluid komt. Verdomme, waar hoor ik je nu? Zeg dan wat! Holle ogen staren haar aan. Vragend. Waarom zie je me niet? Ze gilt van de pijn bij elke stap die ze zet. Ze maakt haar passen zo groot mogelijk. Waarom ziet ze zo slecht? Het is dat cadeaupapier. Dat beneemt haar het zicht. Als ze maar een klein stukje roze zou zien tussen al die harde kleuren. Doorlopen moet ze. Ze heeft toch iets gezien, daarnet. Waar is het nu gebleven? Zo weinig licht, hier. Roze, denkt ze. Een streepje roze, daar, in de verte, daar is het weer.

Ze voelt een hand in haar nek. Ze gilt, kijkt om.

'Hé, Pumuckl, word eens wakker.' De vage beelden veranderen in Griekse figuren op het dekbed, de streep roze wordt een strook zonlicht onder het rolgordijn.

In haar eigen veilige slaapkamer. Waar anders. Ze haalt diep adem. Haar hart bedaart. Jaap dept een koud washandje op haar voorhoofd. Ze voelt hoe klam haar rug aan haar shirtje plakt.

'Ik ga vast een ontbijtje maken.' Jaap kust haar zacht op haar hoofd en legt het washandje er weer op. Hij kietelt even met zijn vingers over haar voet, die onder het dekbed vandaan komt. Ze heeft de neiging zich te verstoppen voor de dag. Niet dat ze terug wil in die nachtmerrie, god, alsjeblieft niet. Ze wil alleen verdwijnen in de milde vergetelheid van de slaap. Zomaar kunnen blijven liggen. Geen verantwoordelijkheden hoeven nemen, geen keuzes hoeven maken, gewoon straks de geiten voeren en de stal uitmesten. Ze wrijft in haar ogen. Jaap zou het een wereldidee vinden.

Met het wakker worden verdwijnen de slaperige wensen. Een bonzende hoofdpijn weerhoudt haar vooralsnog van echt helder denken. In haar voorhoofd heeft zich een leger boksers verzameld dat op de maat van haar hartslag tegen de binnenkant van haar hersenpan staat te oefenen. Ze wil geen codeïne slikken. Ze wil attent blijven, al haar zintuigen in opperste concentratie houden voor het vervolg van de wedstrijd. Deze dag zullen er getuigen zijn, vrienden en bekenden van Lucienne die hun verhaal willen of moeten vertellen. En zij moet elk detail, juist het kleinste detail, opmerken.

Het is de wijn van gisteravond. Na twee, drie glazen voelde ze het warme en zweverige effect van de drank. Op zo'n moment smaakt het altijd naar meer. Naar onbezorgdheid. Het was fijn, met Simone. Naast samen janken kunnen ze ook ouderwets giechelen om verhalen van vroeger. Ze hebben zelfs verhalen over professor Catweazle – ze wisten beiden niet eens meer zijn echte naam – uit de kast gehaald, van wie ze les hebben gehad in diagnostiek. Hij leek precies op de slissende tv-tovenaar. Ze kregen de slappe lach toen ze terugdachten aan hun imitaties, van Catweazle en zijn kikker, Tikker. Vooral toen ze die op een vakantie in Ameland deden en Simone per ongeluk met haar fiets in een kuil schoot. Ze sliste maar door en had niet in de gaten dat

Simone niet meer naast haar reed. Toen ze er tien meter verder achter kwam en omkeek, zag ze Simone, blauw van het lachen, naast haar fiets liggen. Ze kwamen niet meer bij van de slappe lach en terug bij de gammele caravan, gehuurd van een oom voor een tientje in de week, moesten ze allebei een droge broek aantrekken.

Het lukt haar zowaar af en toe om echt te genieten. En te vergeten. Op zo'n moment, met Simone, voelt ze zich bijna weer zo vrij en onbezorgd als toen. Waarom heeft ze die droom dan toch weer? Haar geest laat het niet los. Volgens haar vriendin hoort het erbij. Iets wat een dergelijke impact heeft op je ziel, blijft voor altijd in jezelf aanwezig.

Ze hoeft niet te vergeten, ze wil normaal kunnen leven. Wat is normaal. Midden veertig. Over de helft, volgens de statistieken. Bullshit, als het je tijd is ga je. Soms met vierennegentig, soms al met drie. Ze kijkt in de spiegel.

Ze denkt aan Lucienne Vos. Met haar rimpelloze glimlach op het bleke gezicht. Kende ze haar moordenaar? Hadden ze iets met elkaar? Glimlachte ze daarom? Vergist ze zich en heeft ze toch een overdosis genomen? Nee, dat klopt niet met de manier waarop ze erbij lag. Bovendien, het leven lachte haar toe. Een mooie meid, aan vriendjes vast geen gebrek, uitzicht op een baan terwijl ze haar opleiding nog niet had afgerond.

Was er iemand jaloers? De gedachte aan Lucienne helpt haar om in actie te komen. De moordenaar vinden. Dat is belangrijk. Daar doet ze het voor.

Jaap haalt haar uit haar overpeinzingen en roept naar boven dat het ontbijt bijna klaar is. Gauw douchen.

De hoofdpijn wordt minder onder de douche. Koud en warm water wisselen elkaar af. Het bloed stroomt door haar lijf. Ze hijst zich in haar ochtendjas. Tussen de middag als het even lukt met Simone wel dat uurtje lopen meepikken, neemt ze zich voor. Heerlijk voor de ziel, die lichamelijke inspanning.

De krant ligt op de bar, met de voorpagina van de streek boven-op. Een vette koptekst JONGE VROUW VERMOORD IN GALERIE valt direct op; ze hebben er een foto van The Arthouse bij geplaatst, en een foto van Maarten Peters als inzet. Daar zal hij niet blij mee zijn in deze context. Ze loopt, verder lezend, de keuken in. Jaap kijkt haar bezorgd aan, maar ze doet alsof ze het niet merkt. 'Commis-saris Markant leidt het onderzoek,' zegt ze. 'Heb je het gelezen?'

Jaap knikt.

'Hij stond in ieder geval als gewoonlijk vooraan bij de jour-nalist om zijn belangrijke zegje te doen,' zegt ze.

Jaap drukt het knopje in voor koffie. 'Alsof die jandoedel daadwerkelijk iets bijdraagt aan de zaak, daar bij jullie.'

Ze gaat aan de keukentafel zitten; koppensnellend door de krant. 'Moet jij trouwens nog weg, vandaag?'

Hij schudt zijn hoofd. 'Ik ben vandaag hier. Een *shoot* voor een restaurant, we gaan hier het eten bereiden en fotograferen. En daarna opeten, natuurlijk,' lacht hij.

'Je favoriete bezigheden, koken en eten, zelfs in je werk! Voor welke zaak is het?'

'Die nieuwe op de markt, je weet wel, waar Etos in zat. We zijn alvast uitgenodigd voor de opening.'

'Hoe laat? Laat me raden. Half elf.'

'Elf uur. Vroeg genoeg voor een maandagochtend.'

Ze glimlacht en pakt dankbaar de koffie aan.

Een bezorgde blik van Jaap. 'Het wordt voor jou ook wel tijd voor een beetje pauze, denk je niet?'

Ze voelde het al aankomen.

De redding komt van Anouk, die luid geeuwend de keuken in loopt. Haar haren wild op het hoofd. Of dit haar coupe van van-daag is of dat er nog iets aan wordt gedaan, is de vraag. Even later volgen Josien en Emma en dan is de keuken gevuld met ontbijtgewoonten. Boterhammen smeren, de chocopastapot die leeg is, Emma en Josien die elkaar in de haren zitten en monden die haastig worden volgepropt.

Ze leest een artikel over een onderzoek naar het bidden voor mensen die een bypassoperatie moeten ondergaan. Als je de persoon vertelt dat je voor hem zal bidden, vergroot dat de kans op een slechtere afloop van de operatie, is gebleken, en als je het niet vertelt maakt het niets uit. Welke idioot doet in vredesnaam zo'n onderzoek? Ze wil het niet eens weten.

Als de drie meiden een kwartier later, voorzien van proviand voor de dag, zijn verdwenen, is de keuken ineens leeg en stil.

Helaas. De interruptie van de kinderen doet Jaap zijn bezorgdheid over haar werk niet vergeten. 'Is het niet te zwaar voor je?' Hij laat zich niet afschepen met een luchtig schouderophalen. 'De laatste keer dat je zo hebt liggen zweten, lag je twee weken later plat, weet je nog? Hoe lang duurde het toen? Drie weken?'

'Wie weet komt de overgang,' probeert ze luchtig.

'Ik maak nu geen geintje,' zegt hij.

Ze ziet aan zijn serieuze blik dat hij het inderdaad serieus meent. 'Ik beloof het.'

'Wat?'

'Die pauze. Na deze neem ik een week vrij.'

Na een snelle slok koffie en een vaag 'aankleden, weinig tijd' maakt ze dat ze de keuken uit komt, voordat Jaap opnieuw kan beginnen over dromen en drukte.

Het is acht uur. Ze heeft inderdaad weinig tijd; om negen uur heeft ze een afspraak met de directeur van de school. Simmelinck en Cornelissen zijn al onderweg, als het goed is, met de informatie en foto's van Wagener, en zullen alvast praten met studenten. Ze is benieuwd hoe haar assistent het doet, vanochtend, bij de sectie. Van der Haar zal hem er wel doorheen loodsen. Ze heeft hem gisteren onderweg gebeld en gezegd dat Ferry onervaren is. Dan weet Harm genoeg. Ze hoopt dat Ferry het redt, hij kan een goede worden als hij er ook zelf onvoorwaardelijk in gaat geloven. Het pleit voor hem dat hij dit alleen wil doen.

Ze pakt haar mosgroene rokje, bijpassend lingeriesetje, shirt en pumps uit de kast. Netjes genoeg voor een schooldirecteur, vooral als ze voor die ontmoeting haar iets lichter groen getinte colbertje erover aan doet. Ze voelt zich thuis in groen. Ze woelt met haar handen door haar haren. De krullen zijn inmiddels opgedroogd en met een bolletje gel erdoorheen is haar coupe in model. Ze kijkt in de passpiegel en knikt, tevreden. In de badkamer bekijkt ze zichzelf van dichterbij als ze haar oogschaduw op doet. De bovenkant van haar oogleden zijn rood, veel roder dan gisteren. Oogschaduw verdoezelt het afdoende, maar het is een teken dat Jaap gelijk heeft. Ze recht haar rug, maakt zich lang, haalt diep adem en laat, langzaam uitademend, haar bovenlichaam voorover zakken. Een rekoefening van het hardlopen om te ontspannen.

Vandaag zal ze het leven van Lucienne Vos induiken en proberen uit te vinden waarover ze is gestruikeld, of beter, wie haar heeft laten struikelen. Misschien was dat een van haar medestudenten, of een van haar leraren. Vanochtend om vijf uur, toen ze niet kon slapen, heeft ze de informatie gelezen die Wagener van de website heeft gehaald. Een dertigtal cv's van leerlingen en korte introducties van de leraren op de academie. Ze stopt de informatie in haar tas. Een dierbaar oudje, groot en sterk, ooit gekocht in Parijs, met groen, beige en bruin leer. Voorzichtig trekt ze een losse draad uit een naad.

Ze haalt haar e-mailberichten op. Haar astrologische kaart van de dag is 'Het rad van Fortuin'. Die kan ze wel gebruiken, alhoewel de uitleg erbij niet onverdeeld positief is. Ze moet de situatie accepteren, zich niet verzetten tegen de gebeurtenissen, want dat zal haar lijden alleen maar verlengen. Maar bij succesvolle verwerking van ervaringen kunnen diepe inzichten over de geheimen des levens het gevolg zijn.

'Amen,' zegt ze er in zichzelf achteraan. Ze klikt de kaart meteen naar de map 'verwijderen', zoals ze elke ochtend doet. Hoe positiever het bericht, hoe zorgvuldiger ze leest.

Een mailtje van Ruud? Van Annemieke, zijn secretaresse. Het lijkt erop dat ze goed zitten met hun verdachte in de Utrechtse moordzaak, al heeft hij nog niet bekend. Jammer dat ze er niet bij is geweest, ze had deze zaak ook graag met eigen ogen opgelost zien worden. Maar het belangrijkste is dat hij gepakt is. Ze stuurt een kort berichtje terug met felicitaties voor Ruud en een zoen voor Annemieke. Ze kan het niet laten en klikt bij haar astrologische programma, onder haar favorieten gerangschikt, nog een kaart aan voor deze dag. *De Zon. De zon staat voor pure energie, plezier in het leven, groei en ontwikkeling,* leest ze op haar scherm. *Een ideale dag voor elke positieve uitdaging of bezigheid. Wie onder voortdurende spanningen en problemen lijdt, zal de dag van vandaag in ieder geval door de relatieve afwezigheid van verdriet en zorgen waarderen. De kracht van de zon is altijd aanwezig, zelfs wanneer u haar op dat moment niet zou kunnen zien.* Simone vindt het klinkklare onzin, deze kaarten. Zij ook. Het is een onschuldige gewoonte; ze zoekt altijd een positief zinnetje eruit dat haar de rest van de dag ondersteunt. Zoals pure energie, vandaag. Die kan ze wel gebruiken.

Bij buurvrouw Cuppers wordt ze hartelijk ontvangen. Iedereen wordt er op elk tijdstip liefdevol ontvangen, zelfs Josien met modderlaarzen. Zij en haar man hebben geen kinderen en familie ziet ze er nooit.

'Loop even mee naar de keuken. Een kopje koffie, lieverd?'

'Andere keer, graag, ik moet door.'

De keuken is smetteloos schoon gepoetst. Te zien aan de emmer met sop is de buurvrouw bijtijds aan het werk.

'Ik wil graag dat u naar een foto kijkt.'

Mevrouw Cuppers kijkt nieuwsgierig naar de map.

'U moet dit wel voor u houden, in het belang van het onderzoek. We weten nog niets, zelfs niet of het moord is, maar we vragen iedereen die Lucienne Vos kende naar zo veel mogelijk details.' Ze kijkt er serieus genoeg bij om haar buurvrouw te imponeren. Die knikt, met de hand op haar hart. Op haar boezem, is dichter bij de realiteit. Ze glimlacht. Ze vertrouwt erop dat de vrouw woord houdt. Mevrouw Cuppers mag dan het wandelende roddelblad van Lichtenvoorde zijn, als ze iets belangrijks te doen heeft staat ze haar mannetje. Ze pakt er de foto uit waar ze zelf op heeft gegokt. Er staat geen naam op, maar uit de informatie van Wagener heeft ze geconcludeerd dat het de heer Marc Eggelink moet zijn, Luciennes mentor en leraar kunstgeschiedenis. Het is maar goed ook dat er geen naam bij de print staat, dat zou vast te veel van mevrouw Cuppers' integriteit vragen.

Ze heeft goed gegokt, de buurvrouw herkent de leraar.

'Die, ja, dat is toch een mooie man? Of heb ik te veel gezegd? Hij komt niet van hier, is het wel? In ieder geval, met hem heb ik haar gezien. Ik was in Arnhem, het is zo gezellig om daar te winkelen, en toen zag ik Lucienne, stevig gearmd met, ja met hem dus, zal ik maar zeggen.' Ze wijst op de foto. 'Ik kon zien dat hij niet blij was dat ik hen tegenkwam. Ik moest natuurlijk Lucienne even gedag zeggen, nou ja, ik ken haar al vanaf dat ze nog geen turf hoog was. Zij stelde hem voor als haar mentor, zei dat ze studieoverleg hadden, en hij ontspande iets. Hij zei iets vaags over een goede band en een natuurtalent voor de kunstwereld, maar zij keek hem aan alsof hij de Lieve Heer zelf was. Die stralende meisjesogen houden mij niet voor de gek. Die is vreselijk verliefd, dacht ik, wat ik je brom. En hij is zo getrouwd als maar kan.'

'Hoe weet u dat?'

'Dat lees ik zo in iemands ogen.' De buurvrouw lacht. 'Nee hoor, lieverd, zo knap ben ik niet, zal ik maar zeggen. Maar, wat vind je van een trouwring?'

22

Marc Eggelink is geruisloos opgestaan om zijn vrouw niet wakker te maken. Met het aanlokkelijke vooruitzicht alleen een kopje koffie te drinken. De pantoffels staan netjes aan de zijkant van het bed. Hij trekt ze aan, eerst rechts, dan links. Hun bedden staan een stukje uit elkaar. 'Ik merk het als je je omdraait,' zei ze, 'en zo kan er net een kastje tussen voor lectuur.' Eerst vond hij het de zoveelste stap achteruit in hun seksleven – hoezo, seksleven? – maar nu vindt hij het juist wel prettig, ze merkt het niet als hij opstaat. En ook niet dat hij soms heel bedachtzaam 's nachts voor zichzelf zorgt. Als hij voelt dat hij zich niet meer kan beheersen, sluipt hij muisstil naar de badkamer. Ze hoort hem nooit, mede dankzij haar pillen voor de migraine. Ze slaapt zo diep dat hij misschien zelfs met iemand anders seks zou kunnen hebben in zijn bed zonder dat ze het merkt. Zijn lippen voelen droog aan en hij likt er een paar keer langs.

'Niet zo veel suiker, Marc. Je neemt toch geen tweede beschuit? Heb je het streekkatern eindelijk uit?' klinkt haar stem in zijn hoofd. Pff... Ze hoeft niet eens wakker te zijn om hem op stang te jagen. Hij hoort haar stem altijd, hier in huis. Ook al is ze kilometers ver weg. Gelukkig heeft ze gisteravond een paar tabletjes genomen. Soms heeft hij dan mazzel en is ze nog onder zeil als hij de deur uit gaat.

Hij pakt *De Gelderlander* uit de brievenbus. Bah, wat is die gekreukt vandaag. Zou er een nieuwe bezorger zijn? Misschien moet hij even bellen. Hij neemt de krant nietsvermoedend mee naar de keukentafel, schenkt op zijn gemak een kopje koffie in en maakt zachtjes neuriënd, vooral zachtjes, een broodje kaas. Hij doet er stiekem een laagje echte boter op en twee dikke plakken kaas, in plaats van één. Aan elke kant van het broodje een plak, zoals het hoort. Ze is er niet om er iets van te zeggen. 'Echte boter, Marc, vind je dat niet te vet? En twee plakken, is dat nu nodig?' Ja, dat vind ik nodig, mompelt hij in zichzelf. Hij neemt een hap van zijn overheerlijke broodje en vouwt de krant open. Gewoontegetrouw begint hij met de column, rechts op de pagina, van Thomas Verbogt. Het gaat over diens aankoop van een brood bij een bakkertje in de Jordaan, erg amusant, maar dan wordt zijn blik als een magneet naar boven getrokken, naar een kleurenfoto waarin een wit laken overheerst.

En dan begint hij onbeheerst te giechelen. Een zenuwachtig lachen, hinniken bijna, dat niets met enige vorm van vrolijkheid te maken heeft. Hij hoort het zelf, al is het dan te laat om terug te draaien. Zoals zo veel, hè Marc? Ergens in zijn achterhoofd signaleert hij dat hij opnieuw geluid maakt, en houdt acuut zijn hand voor zijn mond. Hij kijkt spiedend rond en luistert, ineengedoken op zijn stoel. Dia heeft het niet gehoord, het blijft stil boven. De kinderen slapen ook door, maar dat is niet zo raar, die worden nog niet wakker van een nieuwjaarsvuurwerk pal naast hun bed. En dat zou nog niet zo erg zijn, zij kennen haar niet. Maar Dia zou meteen aan hem merken dat er iets is. Ze zou misschien zelfs zeggen dat hij zich verdacht gedraagt.

Hij leest het artikel, eerst heel vluchtig, dan aandachtiger. Daarna slaat hij de krant open zodat hij niet meer naar de voorpagina hoeft te kijken. Als je het niet ziet, is het er niet.

Net als zijn kleine geneugten die het daglicht niet kunnen verdragen volgens Dia. Nadien schaamt hij zich altijd als een kind dat een snoepje pikt en betrapt wordt.

Dia zou het onmiddellijk aan hem zien. Met haar scherpe geest legt ze zeker ter plekke de link. Feilloos. Student van de academie, vierdejaars vrije kunst. 'Een leerling van jou, Marc? Weet je hier iets van?' Hij hoort het haar vragen, met dat cynische toontje van haar. Hij heeft verder geen letter meer gelezen in de krant, overweegt zelfs die weg te gooien of straks mee te nemen. Maar dat is zinloos. Zijn vrouw hoort of ziet het nieuws vandaag toch ergens en dan is het juist verdacht dat hij de krant mee heeft genomen.

Zijn gedachten breien feiten snel aan elkaar, terwijl hij de kreukels in de hoek van de krant plat wrijft. Zijn vingers worden er zwart van, ziet hij tot zijn afgrijzen, en hij wast ze direct schoon. Automatisch kiest hij de koude kraan, met het warme water komen de geluiden door de leidingen, ook boven.

Ze zullen hem vragen of hij haar kende, misschien hebben ze zelfs dat mens met die grote boezem al wel gesproken. Lucienne vertelde hem over die roddeltante, nadat ze het mens in de stad tegenkwamen. Zou Lucienne thuis aan haar moeder, aan haar vader of aan haar zusje hebben verteld hoe verliefd ze was op hem?

Hoeveel moet hij loslaten om geloofwaardig te zijn en tegelijkertijd niet in de problemen te komen? Dat is de vraag waarop hij een antwoord moet hebben. En snel ook, want hij hoort gestommel boven. Ze is wakker. Als hij nu weggaat hoort ze dat en ook dan gedraagt hij zich verdacht, natuurlijk, want zij weet dat hij haar hoort. Zodra hij haar hoort, boven, zet hij altijd verse koffie en perst het sap voor haar van vier sinaasappelen. Ze weet dat hij pas om tien voor negen op school hoeft te zijn. Hij kan naar boven gaan en zeggen dat hij nog wat voor te bereiden heeft. Nee. Dat gelooft ze niet. Gisteravond heeft hij geen vinger uitgestoken naar enig schoolwerk. Ze komt de trap al af. Langzaam. Potverpieletjes.

'Goedemorgen, schat.' Hij perst. De afleiding is goed, hij moet moeite doen om zo veel mogelijk sap uit de vrucht te persen, dat verklaart zijn rode kleur, zal ze hopelijk denken.

'Zo,' is het enige wat ze zegt. Vanuit een ooghoek ziet hij haar laatdunkend kijken, terwijl ze zich behoedzaam op een stoel aan de keukentafel laat zakken. Beheersing is haar levensmotto.

'Heb je die combinatie deze ochtend zelf bedacht?'

'Niet goed?'

'Ik vraag je, welk redelijk denkend mens draagt er nu een blauwe broek met een geel overhemd?' Zoals zij het zegt, klinkt het inderdaad alsof dat het meest absurde en afschuwelijke idee is dat iemand de afgelopen tien jaar heeft gehad en waar minstens de doodstraf op zou moeten staan. Hij vond het juist wel fris. Vooral in combinatie met die okerkleurige trui. Zo geel is het overhemd toch niet? Eerder beige, met een gelige gloed.

'Om maar te zwijgen over die trui! En dat voor iemand die zich in de kunstsector beweegt en daar anderen iets over moet leren. Het is diep droevig.'

'Ik ga iets anders aandoen.' Nee, nee, dan moet hij de keuken uit. Hij moet de krant, hij moet het sap...

'Dat lijkt me de beste oplossing,' interrumpeert ze zijn gedachten. 'Geef mij intussen "de streek", wil je?'

God zij genadig, ik ben gezegend deze ochtend, maandags wil ze altijd eerst het streekkatern. Dat hij daar niet aan heeft gedacht. Hoewel, daar staat het misschien wel driedubbel zo groot in.

'Wat is dat? Een lijk. Toch niet hier, hoop ik? O, gelukkig, in Lichtenvoorde.' Ze spreekt de naam uit alsof het ver weg ergens onder in Afrika ligt. 'Dat is toch bijna Duitsland, niet?'

'Lichtenvoorde?' Hij doet alsof hij nog nooit heeft gehoord van het dorp. Zou ze hem geloven? Zou hij mazzel hebben? Misschien wordt de academie helemaal niet genoemd...'

'In de galerie, daar, gevonden. Mooie ruimte. Wat luguber, zeg. Het zal je gebeuren, kom je 's morgens je keurige winkeltje binnen, ligt er een dood lijk op je schone vloer.'

'Pleonasme.' Het is eruit voor hij het in de gaten heeft en kan zijn tong wel afbijten. Kijk dan ook niet zo vaak *Tien voor taal*. Erg bijdehand, sufferd, moet je vooral doen nu. Je kunt beter zorgen dat je je snel omkleedt en wegwezen met een goede smoes.

'Wat?' Ze kijkt pinnig over haar leesbril.

'Pleonasme. Een dood lijk. Witte sneeuw. Je weet wel.' Hij zegt het zo nonchalant mogelijk, om het onbelangrijk te maken.

'Wat mankeer jij?' Haar stem klinkt scherp, ze komt op dreef voor de nieuwe dag, maar ze kijkt tegelijk met grote desinteresse langs hem heen. Ze gaat er niet verder op in. Gelukkig.

'Ik zal Radio 1 voor je opzetten, dan ga ik me omkleden en snel naar school.'

'Dat lijkt me een verstandig idee.' Ze leest intussen op pagina drie van de streek, ziet hij. Daar staat hopelijk geen vervolg van het artikel.

'Wel, wel, kijk eens aan.' Haar ogen priemen zich in de zijne. 'Het is een studentje van jouw school. Ben je daarom zo nerveus?' Ze glimlacht er zelfs bij. 'Je kende haar, is het niet?'

Hij knikt, schudt zijn hoofd dan. 'Ja. Nee. Ik deed alleen een stukje extra begeleiding, ze was bezig met haar eindexamenopdracht.' Het komt er voor zijn gevoel knullig en allesbehalve geloofwaardig uit.

'Hoe goed kende je haar?' Haar stem klinkt dwingender, scherper. 'Ik vertrouwde erop dat je je gedraagt, Marcus.'

'Dat doe ik! Ik was net zo ontdaan als jij toen ik het las.'

'Ja, ja.' Ze staat op, verfrommelt tot zijn grote ergernis het stuk krant dat ze net uit heeft en gooit hem het papier toe. Ze kijkt hem walgend aan. 'Laten we het hopen. Anders heb je nu een echt probleem.'

23

'Onze academie heeft een onberispelijke reputatie, kan ik u vertellen, mevrouw, in tegenstelling tot veel andere, belastinggeld-
vretende overheidsinstellingen die continu reorganiseren en die
we alleen zien als we ze juist niet nodig hebben.' Bij die laatste
opmerking kijkt de gezette man haar aan alsof hij haar het liefst
onder de donkerpaarse vloerbedekking zou laten verdwijnen.
Directeur Hennink van de kunstacademie windt er geen doekjes
om, constateert Nelleke. Hij declameert eerder dan dat hij praat,
waarbij zijn kale hoofd steeds meer gaat glimmen. 'Als u hier te
veel ruchtbaarheid aan gaat geven, vrees ik voor onze goede
naam. Onze studente Lucienne Vos heeft per ongeluk een overdosis coke geslikt, volgens Piet, en het lijkt mij zeer onwense-
lijk als onze school daar de dupe van wordt.' Hennink zet haar
recorder uit. Ze pakt het apparaatje van het bureau en stopt het
nonchalant in haar tas. Ze staat op. Zijn speech is dus voorbij.
    'Piet? U kent onze commissaris?'
    Hennink buigt zich over zijn bureau. Neerbuigend, en zo be-
doelt hij het vast ook. 'Ik tref mijn goede vriend Markant elke
vrijdag op de achttien holes. Ik zal hem terstond berichten dat
ik uw wijze van onderzoek totaal onaanvaardbaar vind, daar
kunt u van op aan.'

'Als u daar behoefte aan heeft, ga uw gang. U heeft vast zijn mobiele nummer, of zal ik u dat geven?'

Hennink valt even stil. Dan begint hij zijn tirade opnieuw. Hij spuit in een niet te stoppen waterval van overdreven uitingen zijn ongenoegen over haar hoogst overbodige aanwezigheid, en die van haar collega's, die 'zonder enige vorm van respect of waardering voor zijn onroerend goed rondsnuffelen in zijn landelijk zeer hoog gewaardeerde en nog nimmer in ongerief geraakte school', zoals hij het, zo hautain als maar mogelijk is, duidelijk maakt.

Ze kan niet anders dan naar zijn rode, geaderde neus kijken, haar blik wordt er telkens naartoe getrokken, ook al concentreert ze zich op de kleine varkensoogjes van de man, die continu in haar gezicht priemen.

Het bevel tot doorzoeking is bijna verfrommeld tussen zijn druk bewegende, wriemelende vingers. 'Hoe lang heeft u nodig?' vraagt hij.

'Dat kunnen we op dit moment nog niet zeggen,' antwoordt ze. 'Er is een meisje van uw school onder verdachte omstandigheden overleden, meneer Hennink, het lijkt me dat het ook uw wens zou moeten zijn dat we de waarheid achterhalen. U kunt mij bijvoorbeeld vertellen waar ik de heer Marc Eggelink kan vinden. Als ik het goed heb dat dit de heer Eggelink is, tenminste.' Ze toont hem Wageners print, die ze vanmorgen ook mevrouw Cuppers heeft voorgelegd.

'Ja, dat is Eggelink. Wat wilt u van hem?'

'Voorlopig niets. Wij willen iedereen spreken die Lucienne Vos heeft gekend. Heeft u de lijst voor mij van Luciennes klasgenoten, haar leraren en haar cijfers? Als het goed is heeft mijn collega u dat gisteren gevraagd.'

Hennink schuift een paar velletjes papier haar richting op. Zijn blik is allesbehalve hulpvaardig.

Ze kijkt de informatie vlug door. 'Er staan geen huisadressen bij. Waar woont Eggelink?'

Hennink bladert door een beduimeld kaartensysteem en geeft haar een adres op in Duiven.

'En waar is de heer Eggelink nu?'

'Op pad. Hij is met enkele eerstejaars voor een project naar Burgers' Zoo.'

'Zo! Ik dacht dat alle leraren zo verschrikkelijk druk en overbezet zijn? Dat er dan tijd is voor een schoolreisje.' Een sarcastische toon klinkt door in haar stem. Hij vraagt er nu eenmaal verschrikkelijk om. 'En wat doet hij daar? Zweten in de hete woestijn, of dwaalt hij in het enge oerwoud tussen de tijgers?' De directeur steekt zijn kin iets hoger de lucht in en denkt zichtbaar na hoe hij haar op niet mis te verstane manier de deur uit kan werken. Blijkbaar kan hij niks bedenken, want hij blijft stil.

'Hoe laat is hij terug?' vraagt ze.

'Ik schat over een uurtje. Hij zou de jongelui aan het werk zetten en dan terugkomen.' Hij had het niet met meer tegenzin kunnen zeggen.

Simmelinck komt het kantoor binnen. Hij keurt de directeur geen blik waardig. 'Heeft u een momentje, inspecteur?'

Ze staat op. 'Als we u nodig hebben melden we ons,' zegt ze tegen de directeur.

Voordat Hennink nog iets kan zeggen, heeft ze de deur al achter zich dichtgetrokken en ze kijkt haar collega opgelucht aan.

'Traumatisch, wat een eersteklas lul,' is Simmelinck haar voor. 'Ik heb dat papiertje op zijn bureau gekwakt en ben snel gevlucht.'

Samen lopen ze door de gehorige gangen. Bij de wc's stinkt het. Op het mededelingenbord ziet ze dat mevrouw De Wilde vandaag absent is wegens ziekte. Mooie gebouwen, dat moet gezegd. Deels ontworpen door Gerrit Rietveld, vertelde Jaap haar gisteren, met veel glas, en vanuit sommige ruimtes is er een prachtig uitzicht op de Rijn en de uiterwaarden. Ze is hier nooit eerder geweest, maar het is een feestje om hier rond te lopen. Niet in de laatste plaats door de vele uitingen van kunst aan de muren en in de ruimtes. Wat hier tentoongesteld is, getuigt ontegenzeggelijk van veel talent. Uit een soort glazen brug ziet ze mensen naderbij komen, lage en hoge toonladders galmen door de gangen. Studenten van het conservatorium, waarschijnlijk, dat ook in deze gebouwen is gevestigd.

'Ik heb Alex Hauser niet kunnen vinden op school en geen van zijn studiegenoten weet of hij komt. Van Janine Hubers ook geen spoor. Die laatstejaars zijn trouwens een nogal vrijgevochten stelletje. Er zijn er nu maar drie van de zesendertig aanwezig. We hebben ook derdejaars aan de tand gevoeld. Iedereen kent Hauser, dat wel, ze doen nog wel eens gezamenlijke projecten, met alle studenten van de vrije kunst, maar niemand heeft echt iets zinnigs te melden. Ook de leraren niet die we hebben gesproken.'

'En Hausers mobiel?'

'Wordt niet beantwoord.'

'Vreemd.'

'Verder iets bijzonders?'

'Noortje...' zegt Simmelinck, terwijl hij door zijn notitieboekje bladert.'

'Noortje Vriesekoop. Haar klasgenoot en vriendin,' vult ze zelf in.

'Ja, precies. Die was er gelukkig wel. Ze was nogal van streek, deed erg druk en zo, dus we hebben haar in de kantine gezet met een blikje cola. Ik heb gezegd dat je eraan komt.'

'Een colaatje? Het lijkt me meer tijd voor kamillethee, als ik het zo hoor.'

'Wat gaan wij doen?'

'Wil jij met Ton gaan kijken of Alex Hauser thuis is? Zo niet, wil je uitzoeken wat je over hem te weten kunt komen, hier op school of in zijn buurt?'

Simmelinck knikt.

24

Noortje Vriesekoop is een gezette, rossige jongedame met lange, sluike haren die ze in een staart boven op het hoofd draagt. Haar gezicht is een zee van sproeten. Ze heeft weinig oog voor juiste kleding; tussen het korte, felgroene T-shirt en de jeans bubbelt een vetrol. Of ze wil ondanks haar postuur toch meedoen met de mode. Ze heeft rode ogen van het huilen en als ze een slok cola neemt verraadt een grote ronde zweetplek onder haar oksel haar onrust. Ze heeft geprobeerd om Noortje op haar gemak te stellen met wat vragen over school, maar ze blijft nerveus. Het meisje heeft een accent. Geen Achterhoeks, ze vermoedt Drents, het accent klinkt haar vaag bekend in de oren. Haar halfzus, Veronie, klonk ongeveer hetzelfde. Evelien komt er ook vandaan, uit Borger, maar die praat zonder enig accent.

'Lucienne is mijn vriendin. Was...' Het huilen staat Noortje opnieuw nader dan het lachen. Ze draait met haar vingers om haar paardenstaart. 'God, hoe moet dat nu? Ik kan daar niet in mijn uppie wonen... niet nu Luus...' Noortje kijkt haar met grote, onrustige ogen aan.

'Misschien kun je de komende dagen naar je ouders?'

De jonge vrouw, die met haar grote blauwgrijze ogen jonger

lijkt dan de twintig jaren die ze in werkelijkheid moet tellen, knikt.

'Waar ken je Lucienne van?'

'Van hier, in het tweede jaar. Sindsdien gaan we regelmatig samen uit.'

'In Arnhem?'

Noortje schudt haar hoofd. 'Lichtenvoorde. We gaan vaak met z'n vieren. Dan komen we bij Vera bij elkaar. Daar kunnen we 's nachts ook slapen als we willen. Haar ouders zijn altijd heel relaxed, die vinden alles best.' Ze neemt een paar grote slokken van haar cola.

'Vera. Je bedoelt Vera Boschker?'

'Ja. Ze woont in dat witte huis naast de cafetaria, u weet wel. Ze werkt bij die staalfabriek op het industrieterrein.'

'Vera, Lucienne, jij, en wie nog meer?'

'Marieke. Die komt ook uit Lichtenvoorde.'

'Jij niet, zo te horen.'

'Ik kom uit Weiteveen, maar mijn ouders wonen al een paar jaar in Velp.'

'Zijn jullie zaterdag samen uit geweest?'

Noortje schudt haar hoofd. 'Alleen vrijdagavond. Luus en ik zijn 's middags samen naar Lichtenvoorde gegaan. Luus is geloof ik bij haar moeder geweest. Zaterdag hebben we een beetje bij Vera rondgehangen en we zijn de stad in geweest. Naar Doetinchem. Maar 's avonds ging ze niet mee. Ze had iets anders, zei ze. Toen ben ik met Vera en Marieke uit geweest.'

'Waar naartoe?'

'Naar De Radstake. Ik ben van daaruit met iemand meegereden, terug naar Arnhem, volgens mij gingen Vera en Marieke daarna naar 't Doktertje in Lichtenvoorde.'

'Zegt de naam Alex Hauser je iets?'

'Een klasgenoot. Hoezo?'

'Kwamen jullie wel eens bij hem?'

Noortje denkt even na. Haar stem klinkt twijfelend. 'Wel

eens, ja, zoals we bij meer lui van school wel eens komen. Beetje ouwehoeren.'

'En drugs?'

Noortje kijkt verbaasd. 'Drugs?'

'Jullie gebruiken vast wel eens wat, toch?'

'Ach ja, wat maakt het ook uit. We noemen Alex niet voor niets onze Dopey,' reageert ze. Het is er blijkbaar uit voor ze het in de gaten heeft, want vervolgens twijfelt ze wat ze moet zeggen.

'Dopey?' dringt Nelleke aan.

'Snow Dopey, noemen we hem. *Snow*, wit, snapt u, omdat hij zo ontzettend blond is. Als we wel eens wat gaan drinken bij hem, u weet wel, een beetje indrinken voor we naar het café gaan, dan...' Ze hapert.

'Dan?'

'Nou ja. Dan roken we meestal een jointje of zo. Vandaar natuurlijk Dopey, dat had u wel geraden.' Ze lacht wat onverschillig, om zich een houding te geven.

'Kregen jullie die van hem?'

'We poseerden af en toe voor hem...'

Ze onderbreekt Noortje. 'Wie zijn we?'

'Nou ja, we, eigenlijk was Luus zijn favoriet. Eerder was dat Vera, maar de laatste maanden viel hij steeds vaker voor Luus. Mooie jukbeenderen, lange slanke meid. Dat is waar de mannen op geilen, hè?'

Dat laat ze maar even voor wat het is. 'Gebruiken jullie wel eens heftiger spul dan wiet? xtc, coke?'

Noortje schudt haar hoofd iets te snel en langdurig.

'Weet je het zeker?'

Het meisje knikt, twijfelend, kijkt haar niet aan. 'Alex geloof ik wel.'

'Zou Alex Hauser iets met de moord te maken kunnen hebben?'

'Hoe komt u daar nou bij?' Noortje zegt het met verbaasde blik.

'Er heeft iemand gebeld over hem. Dat was jij niet?'

Noortje schudt haar hoofd.

'Wat is hij voor type?'

'Een beetje *weird,* dat wel, dan ben ik wel eens bang van hem. Eerlijk gezegd moest ik aan hem denken toen Vera belde. Stom hè, dat ik dat vertel?'

'Alle dingen waarvan je denkt dat ze ons kunnen helpen, willen we graag horen, Noortje. Weet je waar Alex op dit moment kan zijn?'

'Als hij niet op zijn kamer is zit hij in zijn atelier in Lichtenvoorde.'

'Maar op geen van beide plekken neemt iemand de telefoon op,' zegt ze. 'Sinds gistermiddag al niet. En zijn mobiel lijkt continu uit te staan. Heb je enig idee waar we hem kunnen vinden? Bij zijn ouders is hij ook niet.'

Noortje veert op uit haar stoel. 'Niet bij zijn ouders! Ik denk eerder bij een vriendinnetje of zo. Maar vette kans dat hij straks naar De Zwaan gaat.'

'De Zwaan?'

'We gaan soms mee. Met een paar van de klas, om ook wat te halen. Wiet, bedoel ik. En een broodje kaas. Alex kocht er ook heftiger spul, hij deed soms wel eens zo maf in de klas dat Eggelink er een rolberoerte van kreeg.' Ze moet erom lachen, maar houdt dan geschrokken een hand voor haar mond. 'O shit…'

'We houden dit tussen ons tweeën, maak je niet bezorgd. Dank je wel, Noortje.' Dat doet ze zelf wel, dat bezorgd zijn. Anouk zal straks maar klasgenoten hebben die met het ontbijt gelijk drugs halen. Of nog erger, dat ze het zelf doet.

'Noortje, ik vraag het je nog een keer en ik wil een eerlijk antwoord van je. Gebruikte jij of Lucienne ook wel eens sterkere middelen dan wiet?'

Noortjes vingers draaien de paardenstaart in hoog tempo rond. Ze haalt haar schouders op. 'Ik niet,' is haar korte antwoord.

'En Lucienne?'

'Geen idee.' Noortje prutst aan haar colablikje en houdt haar lippen stijf op elkaar, alsof ze bang is dat ze uit zichzelf gaan praten.

Ze zucht en zet haar taperecorder uit. Noortje hoeft geen cola meer en vertelt haar niets meer waar ze iets aan heeft. Ze vraagt Luciennes vriendin om bereikbaar te blijven voor eventuele vragen en begeleidt het meisje naar een klas, die meer weg heeft van een schildersatelier. Er zijn twee studenten aan het werk. Ze wil niet naar haar ouders, zegt Noortje, ze blijft liever op school, bij haar klasgenoten.

Als ze het meisje heeft achtergelaten bij haar medestudenten belt ze haar collega's om af te spreken bij café De Zwaan. Ze is amper uitgebeld als een leraar zijn hoofd om de kantinedeur steekt en vraagt om haar advies. 'Onze vierdejaars willen morgenochtend een herdenkingsplechtigheid voor Lucienne in de aula houden en zijn bezig met een kunstinstallatie voor haar,' zegt hij. 'Geeft dat problemen voor het onderzoek? We hebben uw collega's daarnet al beloofd alles te melden wat met Lucienne te maken heeft.'

'Nee, prima, ik hoop juist dat er zo veel mogelijk studenten aanwezig zijn.'

'Tja, ze komen niet zo veel meer op school, ziet u, ze werken grotendeels op eigen houtje, met individuele begeleiding.'

'Misschien kan een van mijn collega's u helpen om hen op te trommelen? Dan kunnen we de rest van Luciennes klasgenoten ook interviewen.' De leraar is bereidwillig, zegt alle medewerking toe en hij zal er meteen werk van maken.

Op dat moment ziet ze Eggelink langs de kantine lopen en ze staat vlug op om hem aan te klampen. De leraar is keurig gekleed, in een donkerblauwe broek met een lichtgrijze bloes, zorgvuldig geknoopte stropdas en blauwe colbert. Een aantrekkelijke man, is haar eerste gedachte, maar misschien net iets te. Te glad, te mooi, te. Op een goedkope manier. Wat voor automerk zou hij hebben? Vast een Japanner. Op het eerste gezicht mooi van de buitenkant, maar bij nader inzien niet echt stijlvol. Nu denkt ze wel erg negatief. Niet doen.

'Meneer Eggelink? Zullen we in de kantine gaan zitten?'

vraagt ze, zodra ze zich heeft voorgesteld. De leraar staat stijf van de zenuwen en kijkt nerveus naar haar recordertje. Ze drukt voor de zoveelste keer op het rode knopje. Het bandje draait rustig rond met het vertrouwde, licht suizende geluid.

Na de gebruikelijke uitwisseling van informatie valt ze plotseling met de deur in huis door hem te vragen waarom hij een paar weken geleden met Lucienne in de stad is geweest.

Marc Eggelink likt nerveus langs zijn lippen. 'Sinds wanneer is het verboden om een kopje koffie te drinken met een leerling? We hadden een evaluatie, het was mooi weer, dus…'

'Arm in arm?'

'Hoe komt u daarbij?'

'U bent gezien.'

Hij heeft zich wellicht voorbereid op deze vraag. 'Ach, ja, mevrouw Cuppers. Lucienne vertelde me dat zij de roddelklep van het dorp is. Moeten we een opmerking van een dergelijk persoon serieus nemen?' Hij lacht, onzeker, likt opnieuw langs zijn lippen. 'Het stelde in ieder geval niets voor, deze mevrouw wílde misschien graag iets zien, nietwaar?'

Daar kan hij gelijk in hebben, ze gaat er niet verder op in. 'Hoe goed kende u Lucienne?'

'Niet. Nee, niet goed, echt niet. Als leerling, ja, een rustige, ingetogen jongedame met soms een diepe frons in haar klassiek mooie hoofd, maar nee, verder kende ik haar eigenlijk helemaal niet. Niet,' zegt hij nog eens een keer duidelijk, terwijl zijn blik op haar recordertje gericht is.

'Was ze verliefd op u?'

'Verliefd?' Hij lacht zenuwachtig, bijna giechelend, plukt aan een denkbeeldig pluisje op zijn colbert en trekt zijn stropdas recht, hoewel die perfect zit. Hij likt langs zijn lippen, een irritante tic, en ontwijkt oogcontact.

'Meneer Eggelink, wordt dit uw officiële verklaring? Zou u dit ook voor de rechtbank getuigen?'

De leraar hapert bij het horen van het woord rechtbank. 'Tja, eh… liever niet. Kunnen we dit niet onder ons houden? Ziet u, mijn vrouw, ze is nogal ziekelijk. Labiel, is ze. Dat zou haar geen goed doen, ben ik bang. Of ze verliefd was op mij durf ik u werkelijk niet te zeggen. Ik ben daar niet zo goed in, geloof ik. Vroeger ook al niet. Het verbaast me soms nog steeds dat er iemand met me wilde trouwen.'

Zijn onhandigheid lijkt niet gespeeld, maar er is iets met deze leraar. Hij haalt een hand door zijn haar, houdt zijn colbertjasje onnatuurlijk dichtgeslagen en slaat zijn armen over elkaar, alsof het hier vriest. Eggelink lijkt zich enorm bewust van zijn fysieke aanwezigheid, die hij wil verbergen. Een afwijking in die richting? Zou hij onzedelijk gedrag kunnen vertonen? Met die jonge meiden in de klas? Hij ziet er goed uit, al zou zij intuïtief niet voor hem vallen. Hij heeft iets ondefinieerbaars dat haar tegenstaat, neurotisch, of dwangmatigs.

'Hoe is het met uw huwelijk, meneer Eggelink, bent u gelukkig getrouwd?'

'Wat definieert u als gelukkig, inspecteur?'

'Wat we als Nederlanders zo doorsnee daarmee bedoelen. Heeft u het gezellig met uw vrouw, respecteert u elkaar, kunt u zich beiden ontplooien, bent u nog graag intiem, dat soort dingen.'

'Dat denk ik wel, ja.' Hij zegt het twijfelend genoeg om niet overtuigend te zijn. Hij prutst aan zijn nagels, alsof er iets schoon te maken valt. Dat is er niet, zijn handen zijn keurig gemanicuurd.

'Meneer Eggelink, dat was het. Voor het moment althans. U gaat de komende dagen niets bijzonders doen, wel? Plotseling met uw vrouw een romantisch weekend naar Rome of zo?' De leraar schudt zijn hoofd. Hij glimlacht triest.

'Als er iets is wat u voor ons verbergt, dan kunt u mij dat beter nu zeggen.'

Het blijft stil.

25

'En, Han, heb je tijd genoeg gehad om te doen wat je wilde doen?' Ze trekt haar colbertje uit en zet haar stoel op het terras zo neer, dat ze de ingang en omgeving van café De Zwaan kan overzien. Het loopt tegen tienen. Tijd voor een echt kopje koffie. Wie weet houdt Alex Hauser zich aan Noortjes schema en komt hij hun bezoek aan het café de moeite waard maken. Ze is opgelucht van de academie weg te zijn. De fraaie architectuur en veelbelovende kunstwerken konden de sombere stemming in het gebouw niet verhullen. De rechercheur tegenover haar lijkt zich niet op zijn gemak te voelen. Hij is zwijgend gaan zitten, zonder zijn normale, joviale manier van doen.

'Uitrusten, dat wilde je toch? Je vakantie, bedoel ik!'

Simmelinck lacht. Opgelucht? Had hij een andere gedachte bij haar vraag? Ze heeft een veronderstelling waar het door komt en hoopt dat ze er compleet naast zit.

'Is er iets?' vraagt ze.

Hij neemt een hap van een mueslireep. Zijn stoelgang functioneert al jarenlang prima met mueslirepen van de Aldi, beweert hij.

Hij schudt zijn hoofd. 'Nee en ja. Nee er is niets, ja ik ben uitgerust. In Spanje. Een terra cotta dorpje met nauwe straatjes, in

150

de *middle of nowhere*, echt dat je zegt authentiek, geen *Broodje van Kootje* in de verste omtrek te vinden, zoals in Marbella. Klasse.'

Hoe lang is het geleden dat zij met Gijs in Spanje was? Niet aan de overbevolkte Costa, waar je opeengepakt tussen de andere Nederlanders zwetend je plekje zon moet veroveren, maar in het zwijgzame, hete binnenland. Urenlang konden ze samen genieten van wandelingen en kleine dorpjes. Pedraza, schiet haar te binnen, natuurlijk. Vlak voor de kerk van Santa Maria ging Gijs voor haar op zijn knieën in het droge grind. Twee ooievaars, op hun veilige nest hoog boven op een van de kerktorens, keken toe. Hooghartig, vond Gijs. Afkeurend, vond zij. Ooievaars blijven hun hele leven trouw aan elkaar. Zouden ze hebben aangevoeld dat zij tweeën niet zo sterk zouden blijken? Gijs trok haar aandacht, leidde haar af van de ooievaars en ze moest lachen om de onhandige manoeuvres van zijn huwelijksaanzoek. Ze hield zich voorbeeldig in toen Gijs haar, met gepaste eerbied voor de religieuze omgeving, een ring met een miniatuur rood steentje aan de vinger schoof nadat ze ja had gezegd. De ring had hij eerder die dag stiekem op het marktje gekocht, bekende hij 's avonds in het kleine restaurant – dat meer weg had van een garage, compleet met tl-verlichting – waar ze hun trouw aan elkaar samen vierden. Het was de enige keer die vakantie dat ze 'uit eten' gingen. Het maakte haar niet uit. Ze waren verliefd en wensten dat ze daar voor altijd konden blijven, dat de tijd zou blijven stilstaan. 's Nachts onder de naakte sterrenhemel, dezelfde als hier. Desondanks duizendmaal mooier. Of lag dat aan haar?

'En jullie, wanneer gaan jullie?' Ze schrikt van Simmelincks vraag.

Ze haalt haar schouders op. 'We hebben eind juli pas onze zomervakantie. Het ligt aan de meiden, vermoed ik, of we weggaan. Ik hoef niet zo nodig. Een dik boek, een hangmat en je hoort mij niet meer.'

Ineens verbaast ze zichzelf over dat antwoord, na haar gedachten aan Spanje. Niet dat ze het niet meent. Maar waarom gaat ze nooit meer met een rugzakje en bergschoenen op de bonne-fooi weg? Zou ze dat nog willen? Ze twijfelt, nee overheerst. Misschien heb je er een idealistischer wereldbeeld voor nodig om onbezorgd op pad te kunnen gaan. Ze ziet Jaap al met een rugzak, zich een weg zwoegend door rul zand en kilometers lange stilte. En Gijs, zou die nog een rugzak hebben? Ze gelooft het niet. Kort na hun scheiding trouwde hij, kreeg drie kinderen en dat allemaal binnen zes jaar. Het gemak waarmee hij zijn nieuwe leven invulde, of misschien nog eerder waarmee hij zijn oude leven losliet, nam ze hem kwalijk.

Cornelissen komt het café uit, steekt een sigaret op. 'Ziet er rustig uit en er is geen achteruitgang. Er is überhaupt geen nooduitgang. Die tent voldoet voor geen meter aan de veiligheidsvoorschriften. In dit geval is dat wel weer handig.' De rechercheur laat zijn te dikke lijf in een terrasstoel zakken en blaast ontspannen een wolk rook uit. 'Eindelijk, peukenpauze.'

Ze wenkt de ober en bestelt koffie. 'En een uitsmijter met alles erop en eraan,' vult Ton aan. 'Ik kan wel drie ontbijtbuffetjes op, denk ik. Jullie niets?' Ze schudden beiden hun hoofd.

'Ik heb net een mueslireep op,' zegt Simmelinck. 'Jij hebt vanmorgen zeker alleen een sigaretje als ontbijt gehad?'

'Hauser geeft niet thuis,' zegt Cornelissen, Simmelincks hint negerend. 'In de buurt niks raars waargenomen, vond jij ook, toch, Han? Oude buurt, voornamelijk studenten, leek me. Er waren niet veel jongelui thuis, of ze deden niet open.' Hij pakt zijn notitieboekje uit zijn overhemd.

'Een goudkleurig slipje in een beuk en een knul van amper twintig die overduidelijk zo vroeg op de dag al zo stoned als een garnaal was. Dat waren zo ongeveer de meest interessante observaties.'

Cornelissen en Simmelinck kennende, weiden ze nu in geuren en kleuren uit over de gesprekken die ze hebben gevoerd. Ze laat de zon in haar gezicht schijnen en kijkt om zich heen. Een ouder stel loopt voorbij. Een jongen met een oude labrador, die niet blij lijkt met dit uitje. Een moeder met een dochter. Drie, vierentwintig, schat ze.

De leeftijd van Suzan, als ze nog zou leven, flitst door haar heen. Bij elke jonge vrouw van die leeftijd die ze tegenkomt kijkt ze naar gelijkenissen. Ze kan er niets aan doen, het gaat vanzelf. Wie zegt haar dat haar dochtertje destijds niet is ontvoerd en door een vreemde is opgevoed als eigen kind? Niemand geloofde daarin. Er was geen enkel aanknopingspunt voor. Maar zij wilde erin geloven. Ze wilde kiezen voor het leven, niet voor de dood. Alsof ze met een gedachte aan dood Suzans lot definitief zou bestempelen.

Maar soms is er geen keuze.

Zelfs Gijs schudde op het laatst meewarig zijn hoofd als ze er weer over begon. Gijs. Hij is veranderd. Ze liep hem tegen het lijf op een receptie in Utrecht. Ze had kunnen weten dat hij er ook zou zijn, maar toen hij plotseling naast haar stond, voelde ze zich overrompeld en wist ze niets zinnigs te zeggen. Net als toen ze hem voor het eerst zag. Iemand uit een vorig leven. Gijs was gekleed volgens de ongeschreven regels van het succes, in een driedelig donkerblauw Armani-pak. Zij kende hem in geruite broeken met felgekleurde T-shirts en twee maten te grote ribcolberts, alsof er nog een trui onder moest kunnen. 'Ik ben directeur geworden in een van de meest vooraanstaande klinieken,' vertelde hij trots. Het verbaasde haar niet. Hij zal de rugzak ook wel in de container hebben gedumpt. Wie kon vermoeden, toen ze, bruinverbrand en uitgelaten, elkaar trouw beloofden – tot de dood ons scheidt – dat die zin op een zo lugubere manier waarheid zou worden. Tot Suzans dood ons scheidt. Geen dader, geen lijkje, geen niks. Twee turven hoog, die kun je gemakkelijk ergens ongemerkt dumpen zodat geen mens er ooit iets van terugvindt. Geen gezamenlijk verdriet, geen samen sterk in tegenspoed. Gijs heeft er ook vreselijk onder geleden, natuurlijk. Dat heeft hij haar daar pas gezegd, op die saaie receptie met bekakte zestigers. Voor het eerst stonden ze, met een bitterbal op een stokje in de hand, onhandig stotterend, maar sámen, te praten over de zwartste hoofdstukken uit hun gezamenlijke verhaal. Ze ziet haar kleine meisje nog zo bij de speeltoestellen staan. De immense ballenbak, een glijbaan. Een glunderend gezichtje, een grote roze strik in haar blonde krullen. 'Mag ik van de glijbaan?' Ja, natuurlijk mocht ze van de glijbaan. Zij kreeg net een kop koffie voorgezet.

Het volgende moment was ze weg. Uit haar leven gegleden.

'Geen van drieën wisten ze iets bijzonders over hun buurman te melden,' zegt Cornelissen. Zijn stem dringt langzaam tot haar door. 'Alleen dat ze hem niet of vaag kennen. Hij schijnt niet vaak op zijn kamer te zijn,' vult Simmelinck aan.

'Nel, als het goed is, meldt zich vanmiddag Vera Boschker op het bureau,' zegt Cornelissen. 'We hebben haar aan de telefoon gehad. Rara wie is Vera? Zij was het die bij de galerie wegrende.'

'En de andere vriendin, Marieke van Gelder?'

'Zitten we nog achteraan.'

Cornelissen stopt zijn notitieboekje weg en rekt zich ontspannen uit. 'Hè, jongens, wat een weertje, daar zou eigenlijk een lekker koud pilsje bij horen! Maar ja...'

'Dienders geven het goede voorbeeld. Elk uur van de dag, wel of niet in uniform,' vult Han automatisch aan met de bekende bromtoon van Markant. Ze lachen, ontspannen. Een jong stelletje gaat naar binnen. De jongen voldoet in de verste verte niet aan het signalement waar ze naar uitkijken.

'Zaten jullie in een hotel, Han?' vraagt ze.

'Nee, Marian had een huisje uitgezocht via internet.'

'Huisje? Een kast van een villa met bediening en eigen zwembad van tien bij tien! Dat doet allemaal maar, hè, collega?' Cornelissen slaat zijn partner goedmoedig op zijn rug en neemt een hap van zijn uitsmijter, die de ober net voor hem heeft neergezet. Ze drinken hun koffie langzaam op en profiteren van de warme zon, intussen hun omgeving observerend. Ton heeft altijd honger, net als Jaap. Ze ziet hem genieten door haar halfgesloten ogen. De vette kaas druipt van zijn kin. Eigenlijk zou haar collega op een dieet van droog brood moeten, hij groeit uit zijn spijkerbroek en zijn buik wordt echt veel te dik. Als ze hem vergelijkt met Jaap, lijkt Jaap toch een stuk minder omvangrijk, vermoedelijk omdat hij een stuk langer is.

Er gaan twee, drie mannen het café in. Geen van hen vertoont enige gelijkenis met de figuur naar wie ze op zoek zijn.

'Losgeslagen bende op die school,' zegt Cornelissen. 'Wat ik daar naar buiten zag komen… Dat er zo veel jongelui hun kostje moeten gaan verdienen in de kúnst, geen wonder dat er zo veel van een uitkering leven of aan de kassa zitten bij de supermarkt. Zeg, vrind, hoe staat het met uw culturele kennis. Vertelt u mij eens, gewaardeerde collega, bezoekt u wel eens een museum?' Cornelissen zet bij de vraag aan zijn collega de bekakte toon op van directeur Hennink, alsof hij geen enkele hoop heeft op enig cultureel besef.

'Zeker wel, hooggeëerde collega,' veegt Simmelinck op eenzelfde toon terug. Een jongeman loopt langs en gaat naar binnen. De cafébezoeker, een veel te dikke twintiger met vet, sluik haar, kijkt Simmelinck aan. 'We zijn onlangs naar het Groninger Museum geweest,' zegt de rechercheur, terwijl hij de jongeman nakijkt. Hij gaat over op zijn eigen stem. 'Ik moet je eerlijk zeggen, het museum zelf, met de aparte vormen en het prachtige mozaïek tegelwerk binnen, vond ik meer de moeite van het bekijken waard dan de inhoud. Veel servies en textiel. Kostbaar, vast, maar het is niet mijn ding.' Simmelinck kijkt haar aan. 'Jaap volgt de huidige kunstenaars zeker wel op de voet, in ieder geval de fotografen?'

Nel knikt. 'Wij allebei eigenlijk wel.'

'Waar komen jullie graag?'

'Ik dwaal graag rond in het Stedelijk. Een week of drie geleden zijn we nog geweest. Er was een overzichtstentoonstelling van Acconci.'

'Acconwie?' vraagt Han.

'Vito Acconci. Een Amerikaan van dik in de zestig. Hij beoefent veel kunstvormen. Poëzie, fotografie, film, noem maar op.

Hij deed in de jaren zestig al aan performancekunst. Hij confronteert je heel indringend met zijn werk. Ken je *Blindfolded Catching*? Een film waarin hij geblinddoekt probeert rubberballen te vangen, die snoeihard naar hem toe worden gegooid. Het lijkt alsof je er zelf bij bent. Als je daarna buiten komt, moet je helemaal wennen aan de normale wereld. Heel heftig. Ook confronterend met jezelf. Dat moet je eigenlijk gewoon meemaken, is niet uit te leggen. Jaap houdt daar niet zo van, trouwens. Die struint dan rond bij voorbeelden van Acconci's architectuurprojecten en fotografie. O, en wij zijn laatst een weekendje naar Berlijn geweest. Het museum van Berggruen; fantastisch. Die man heeft een privéverzameling Picasso's, Klee's en Matisses bij elkaar, dat wil je niet weten. Nog nooit zo veel mooie schilderijen bij elkaar zien hangen. En we hebben een fantastisch openluchtconcert meegemaakt van het Berliner Philharmoniker op de binnenplaats van een oude bierbrouwerij, echt geweldig. Dat vind ik ook kunst, hoor.'

'Doe mij maar een avondje Bert Visscher,' grijnst Cornelissen. 'Dat snap ik tenminste. En je lacht je een breuk.' Hij steekt een nieuwe Marlboro op.

'Nou ja, ik hoef ook niet alles te snappen om iets mooi te vinden. Als je...' Simmelinck houdt ineens zijn mond. En ze ziet tegelijk met hem waarom. Een jongeman komt hun kant op. Een magere jongen met sluik, blond haar, een smalle streep in het midden donker geverfd. Geen twijfel mogelijk. Alex Hauser.

26

Alex Hauser heeft een opvallend bleek gezicht met het lichtste haar dat ze ooit heeft gezien. Ze vindt zijn bijnaam 'Snow Dopey' bijna een understatement, althans het deel 'snow', dat stond voor witte, volgens Noortje Vriesekoop. Zelfs zonder rode ogen doet hij haar aan een albino denken.

Oog voor zijn omgeving heeft Hauser amper. Hij loopt wat schichtig, verlegen, langs hen heen en gaat het café in.

'Ik ga ook naar binnen.' De collega's knikken. Ze wil hem niet met drie man sterk overdonderen. Simmelinck en Cornelissen zullen haar in de gaten houden en alleen ingrijpen als er gevaar dreigt.

Ze pakt hun bonnetje van tafel, staat op en gaat het café in. Een jongeman loopt langs haar en verlaat het café. Hauser zit aan de bar, op een hoge kruk. Ze gaat op de kruk naast Hauser zitten met haar portemonnee in haar hand en neemt de jongen in zich op.

Hauser kijkt ongeïnteresseerd, een tikje arrogant, naar een paar dames die de zaak binnenkomen. In aanmerking nemend dat hij voor zichzelf zorgt en zich waarschijnlijk met heel andere dingen bezighoudt dan zich zorgen maken over de indruk die hij op anderen maakt, ziet hij er verzorgd uit. Zeer verzorgd, zelfs. De huid van zijn gezicht is jongensachtig glad. Of hij heeft zich net geschoren, of hij heeft weinig baardgroei; hoogblond als hij is zou dat goed mogelijk zijn. Goed verzorgde handen en nagels. Hauser draagt een Seiko-horloge. Om zijn rechterpols. Misschien is hij links, net als zij, zodat het horloge rechts dragen handiger is. Het lijkt haar een duur exemplaar. Een cadeautje van zijn ouders voor zijn twintigste verjaardag? Een ruimzittende spijkerbroek, met veel zakken, enkele gaten en oude look, volgens de laatste mode. Die zou ook van Wagener kunnen zijn. In de linkerzak van de jeans zit iets, een bobbel verraadt een inhoud die er niet was toen hij binnenkwam. Wiet, waarschijnlijk. Coke, wellicht. Een shirt met een drukke print van letters aan de voorkant. Het shirt is schoon en gestreken. Zijn haren zijn wild, alsof er na het opstaan niets aan is gedaan behalve een flinke hoeveelheid gel erdoorheen knoeien. Dat schijnt ook mode te zijn. Net als lange haren bij de jonge meiden. Alle klasgenootjes doen het, dus laat Josien haar haren ook groeien. Terwijl een kort koppie haar veel vlotter staat.

Vaag vangt ze de geur van een sensueel parfum op. Allesbehalve een goedkoop geurtje. Deze jongeman komt uit een gegoede familie, volgens de gegevens van Wagener, en dat is te zien. Je afkomst kun je niet verloochenen, ook al doe je zo je best. Net als je verleden.

'Betalen?'

Ze knikt.

'Twaalf euro zestig, samen.' De barman rekent met haar af, kijkt Alex Hauser even aan en verdwijnt achter het café door een deur met 'privé' erop.

'Alex Hauser?' Ze draait zich naar hem toe. De jongeman kijkt haar aan, zijn blik verraadt geen verbazing of nieuwsgierigheid.

'Inspecteur De Winter, recherche. Ik wil je een paar vragen stellen, heb je een moment?' Ze laat haar badge zien.

De ogen van de student worden groot. Hij kijkt van haar naar de uitgang. Ineens schiet hij van de barkruk af en wil zich uit de voeten maken. Ze is erop voorbereid, haakt haar voet snel achter zijn rechterbeen en Alex Hauser ligt languit in het looppad. De twee oudere dames, die net aan een tafeltje ernaast zijn geschoven, schrikken van de jongeman, die ineens aan hun voeten ligt. Ze is er snel bij en trekt Hauser aan zijn shirt omhoog. Hij kijkt haar geïrriteerd aan.

'Zullen we nu even praten?'

Ze ziet Cornelissen door de voordeur van het café. Hij zit er schijnbaar relaxed te genieten, maar heeft een strategische plek uitgezocht en houdt Alex Hauser in de gaten. Hauser veegt zijn ellebogen af en probeert zich een houding te geven. Stof dwarrelt om hem heen.

'Waarom die haast?' Op haar aanwijzing gaan ze aan een tafeltje vlak bij de bar zitten.

Alex haalt zijn schouders op en houdt zijn hand op zijn linkerbroekzak.

'Maak je niet bezorgd,' zegt ze. 'Ik ben hier niet voor je drugs.'

'Waar dan wel voor?'

'Daar kom ik zo op. Wat heb je gekocht? Pillen? Wiet?'

'Een paar pilletjes... beetje wiet...'

'Van die jongen die net wegging?'

Alex Hauser knikt. 'Ik weet niet hoe hij heet, we praten nooit met elkaar.'

'Ben je niet benieuwd hoe ik je heb weten te vinden?'

'U zult wel op school zijn geweest of zo. Er komen er hier wel meer een voorraadje halen 's maandags. Dat lijkt me niet zo ingewikkeld.' Zijn stem klinkt beschaafd, hij spreekt haar beleefd aan met 'u'.

'Lucienne Vos.' Hij reageert niet vreemd, kijkt haar belangstellend aan.

'Ja?'

'Een klasgenoot van je.'

'Ja.'

'Weet je dat ze dood is?'

Alex Hauser knikt.

'Hoe weet je dat?'

'Ah,' glimlacht Hauser minzaam. 'Heeft u wel eens van een telefoon gehoord? Sms?'

'Met wie heb je gesproken?'

'Maarten Peters, vanochtend.'

'Mobiel?' Hauser knikt. 'Waarom staat die steeds uit? Wij hebben diverse keren geprobeerd om je te bereiken.'

Alex Hauser haalt zijn mobiele telefoon uit zijn spijkerbroek. Een van de nieuwste types van Nokia. Zwart, met een zilverkleurig front. Hij drukt een toets in. 'Dat begrijp ik niet, hij staat gewoon aan. Bijna vierentwintig uur per dag.'

'Wat is het nummer?' Ze moet een verkeerd nummer hebben, als het waar is dat hij zijn toestel steeds aan heeft.

Hauser geeft het haar, en het komt inderdaad niet overeen met het nummer dat zij in haar boekje heeft genoteerd. Zijn ouders hebben dus niet het juiste telefoonnummer van hun eigen zoon of ze hebben expres een verkeerd nummer opgegeven. Ze kan geen kwade wil bij de jongeman bespeuren, hij kijkt haar nog steeds wat ongeïnteresseerd maar open aan sinds zijn angst voor de drugs voorbij is. Ze schrijft het juiste nummer in haar boekje.

'Ken je Noortje Vriesekoop?'

'Ja. Een vriendin van Luus, met nog twee meiden kwamen ze wel eens bij mij, ja. Ze doen ook vrije kunst, dus we werken wel eens samen.'

'Kun je goed met Noortje overweg?'

'Ach, wat heet goed. Ik ben altijd nogal recht voor zijn raap, en ze is te dik voor een mooi model, maar soms kan ik zo'n rooie rolmops juist goed gebruiken en dan wordt ze natuurlijk pissig.'

'En Lucienne?'

'Ze stond ook wel eens model voor me.'

'Voor schilderijen?'

'En foto's.'

'Je bent een talent, heb ik me laten vertellen.'

Hij glimlacht. 'Heeft u mijn werk gezien in de galerie?'

Net als ze wil antwoorden, komt Cornelissen op hen af. Ze stelt de rechercheur voor aan Hauser. 'Alex, dit is brigadier Cornelissen. Als je even wacht, Ton, ik ben bijna klaar. Wil jij straks met Alex op zijn kamer gaan kijken, daar heb je vast geen bewaar tegen, Alex? Of moeten we een bevel tot doorzoeking regelen?'

Alex Hauser haalt ongeïnteresseerd zijn schouders op. 'Best.'

'En je atelier in Lichtenvoorde?'

'Daar ga ik toch straks naartoe.'

'Dan nemen mijn collega's je wel mee naar Lichtenvoorde, lukt dat, Ton?'

'Tuurlijk,' antwoordt haar collega.

'Da's mooi, hoef ik de trein niet te nemen.'

'En Han?' vraagt haar collega.

'Die gaat eerst terug naar school om met een leraar de vierdejaars op te trommelen voor die herdenkingsdienst morgen, zodat we daar zo veel mogelijk studenten kunnen spreken. Hoeveel vierdejaars waren er, meer dan dertig, toch?'

Cornelissen knikt. 'Zesendertig. En ruim vijftig derdejaars, als we ons daarna nog vervelen. Han weet ze vast wel zo te motiveren dat ze allemaal komen opdraven.' Hij grinnikt, gaat half op hun tafel zitten om het gesprek tussen haar en Alex Hauser te volgen.

'Om op de vraag terug te komen,' vervolgt ze tegen Alex. 'Het schilderij van de vrouw, in de galerie, was dat Lucienne?'

Alex Hauser is verrast, verraadt zijn blik. 'Waarom denkt u dat?'

'Je zei net zelf dat ze model voor je stond.'

'Dat klopt; ja, voor dat schilderij heeft Lucienne geposeerd. Net als voor de vier andere doeken die er hangen.'

'Wie is je grote voorbeeld?'

'Andy Warhol.' Zijn antwoord komt vlot, zonder twijfel.

'Ah, die van de soepblikjes. Toch?' Cornelissen kijkt hen met een brede lach aan, zichtbaar in zijn nopjes dat hij deze naam kent. Hausers blik is echter allesbehalve tevreden. Hij kijkt de rechercheur aan alsof die zojuist heeft gevloekt.

Haar mobiel trilt; ze heeft het geluid uitgezet. Ze kijkt op de display. Ruud?

'En Raymond Depardon, bijvoorbeeld.' Alex Hauser kijkt Cornelissen triomfantelijk aan, hij is er vast van overtuigd dat die naam geen associaties oproept bij de rechercheur.

'Ja, Ruud?' meldt ze zich en luistert. Ze kan een vloek niet verbergen. Ze mompelt 'sorry' en met een kort 'goed' is het gesprek vlot afgelopen.

Cornelissen kijkt haar aan, maakt aanstalten om naar buiten te gaan. 'Ik wacht buiten. Als je me zoekt...' Hij maakt een gebaar richting terras.

'Goed. Ik ben zo klaar. Alex, waar was je zaterdagavond?'

'Ik ben het weekend in Lichtenvoorde geweest. Aan het werk.'

'Nog bij je ouders geweest?'

Hauser schudt zijn hoofd. 'Waarom zou ik?'

'Kinderen bezoeken hun ouders, niet?'

Hauser haalt ongeïnteresseerd zijn schouders op. 'Dat boeit me niet. En hen ook niet.'

Ze voelt zijn ongemakkelijke houding, al probeert hij niks te laten merken. De neergeslagen ogen zeggen haar genoeg.

'Zegt de naam Janine Hubers je iets?' Ze ziet Hauser twijfelen.

'Janine? Die zit ook bij mij in de klas. Hoezo?'

'En verder?'

'Als u het toch al weet, waarom vraagt u het mij dan?'

'Ik wil graag jouw versie horen.'

'Ze beschuldigde mij ervan dat ik haar lastig bleef vallen nadat het uit was, maar ze was gewoon chagrijnig dat ik haar dumpte. Daar komt het op neer. Eén keer kon ik me niet helemaal beheersen, ze hing zo gigantisch irritant aan me, toen schoot mijn hand uit. Daar heb ik wel spijt van gehad. Niet om haar, maar het kostte me honderddertig uur schoffelen in duffe gemeentetuinen met een paar randdebielen.'

Ze moet een glimlach onderdrukken. Een bijzonder type. Intelligent. Maar er is iets met hem. In de relatie met zijn ouders? 'Ik heb je mobiele nummer nu,' zegt ze. 'Houd je telefoon aan, wil je, en blijf een beetje in de buurt. Het kan zijn dat we je later nog wat vragen willen stellen. Waar wonen je ouders?'

'Wat wilt u van hen?' Ineens veert hij op.

'Hoezo?' lokt ze hem uit.

'Nou ja, ze hebben hier toch niks mee te maken?'

'Daar is geen aanwijzing voor, nee, maar schrijf het toch maar even voor me op,' antwoordt ze, met opzet wat vaag.

Alex schrijft het adres met tegenzin voor haar op een viltje. Oude Aaltenseweg nummer twee. Dat is vast het statige jaren dertig huis dat ze zo mooi vindt. Als dat zo is, komt hij inderdaad uit een goed nest.

Wat zou hij erop tegen hebben als ze zijn ouders opzoekt? Hij wil net weggaan, als haar iets te binnen schiet. 'Alex, nog een moment, wat is er met die leraar van je, Eggelink? Heb je onenigheid met hem gehad?'

Alex Hauser krijgt een fanatieke blik in zijn ogen, die weinig te raden over laat. 'Heeft die eikel tegen u aan zitten lullen?'

Ze schudt haar hoofd. 'Er was iets met een aangifte van bedreiging?'

'Eggelink heeft vorig jaar een beoordeling van mij verpest. Mijn eerste installatie; die klootviool begreep er gewoon niks van. Simpele geschiedenismuts. Nooit iets van gesnapt dat zulk soort lui werk moeten beoordelen. Hij gaf er een 2,5 voor, voor de moeite, zogenaamd omdat hij het niks vond, maar intussen wilde hij alleen zijn autoriteit tegenover een meisje uit mijn klas tentoonstellen. Toen heb ik hem gedreigd dat ik zijn...' Alex zwijgt ineens, kijkt haar polsend aan. 'Gaat u dit doorvertellen?' Ze schudt haar hoofd. 'Eggelink rotzooide met iemand, en ik heb gedreigd dat ik zijn vrouw zou bellen. Toen ging hij helemaal door het lint. De directeur bemoeide zich er zelfs mee. Deed aangifte van bedreiging. En als ik mijn mond zou opentrekken, zou ik van school verwijderd worden met zijn persoonlijke belofte dat ik nooit ergens aan de bak zou komen. Die Hennink is al net zo'n hufter als Eggelink. En die moet mij niet te dichtbij komen, dan heeft hij een vet probleem,' zegt hij, bedaard, maar daarom juist des te dreigender. Hij wil weglopen, dan draait hij zich nog een keer om. 'Ik zal blij zijn als ik van die kutschool af ben,' zegt hij.

'En Lucienne? Rotzooide hij ook met haar?' roept ze hem na.

Alex Hauser lacht, maar niet van harte. 'Lucienne was knettergek van die gladjanus. Vraag me niet waarom, ik zal wel een afslag gemist hebben, maar daar begrijp ik helemaal niets van.'

27

Cornelissen maakt een pakje sigaretten open. Wonderbaarlijk dat hij niet hoest, zelfs 's morgens niet, ondanks de twee, drie pakjes die hij dagelijks de lucht in dampt.

'Waar is Han?' vraagt ze.

'Die heeft de boodschappenjongen aangehouden die net het café uitkwam toen jij naar binnen ging. Had een partijtje coke op zak, zal ik je vertellen, daar kunnen wij een paar weken vakantie van houden aan de Costa Brava.'

'Een oude bekende?'

Cornelissen knikt. 'Berrie Jansen. Een kleine vis en niet te redden. Maar wie weet, misschien helpt een tijdje zitten. Han levert hem af bij het districtsbureau hier, hij heeft al gebeld met de collega's, en daarna gaat hij door, terug naar dat schooltje. Als jij deze vrolijke Frans en mij nu bij zijn huisje dumpt, wachten we daar wel op Han. Dan kun jij terug naar Lichtenvoorde.'

'Geen probleem.'

Simmelinck en Cornelissen kennen het clubje, de jongens waar het allemaal om draait. Ze hebben zich jarenlang ingezet voor de bestrijding van de drugshandel in hun toenmalige district, Arnhem Veluwezoom. Cornelissen heeft bovendien nog eens bijna tien jaar ervaring opgedaan bij de recherche in Amsterdam. In de hoofdstad, waar hij is geboren en opgegroeid, heeft hij alles geleerd wat er te leren viel over drugs. Hij wilde van jongs af aan niets anders dan die pet op zijn hoofd en zijn stad 'schoon houden'. Idealen zijn mooi. Tot de zesentwintigjarige partner van Cornelissen, net getrouwd, een baby op komst, voor zijn ogen werd neergestoken door een junk. Zijn partner overleefde het 'incident', zoals het werd afgedaan in de media, maar zit zijn leven lang vast aan rolstoel en stoma. Alsof dat leven is. Cornelissen zelf was maandenlang compleet van de kaart en koos daarna voor overplaatsing naar het rustiger oosten van het land. Tijdelijk. Althans, dat was zijn bedoeling; het beviel hem al snel zo goed dat hij niet meer terug hoefde. Maar als je het vak ergens kunt leren, dan is het wel in Amsterdam, beweert hij altijd stellig, hoewel het op den duur frustrerend is, want het is dweilen met de kraan open.

Ze parkeert de auto voor de deur van Hausers appartement, op zijn aanwijzing, en de jongen stapt uit de auto. Ze houdt Cornelissen even tegen als die hem achterna wil. 'Ton, weet jij of Han moeilijkheden heeft?' vraagt ze.

Cornelissen kijkt haar zo verbaasd aan dat ze het antwoord eigenlijk niet meer nodig heeft. 'Wat voor moeilijkheden?'

'Geld?'

De rechercheur lijkt te twijfelen. 'Hij zit wel krap bij kas af en toe, ik zeg hem elke keer dat hij zijn vrouw eens moet vertellen hoe slecht wij worden betaald.' Cornelissen lacht breeduit. 'Geintje. Hoezo denk je dat?'

Ze wil geen onzekere verdenkingen uiten. 'Laat maar zitten, ik zie vast spoken.'

Toen ze midden jaren negentig de leiding had over het recherchebijstandsteam in Arnhem, kwam ze het duo Cornelissen-Simmelinck geregeld tegen. Ze kon direct goed overweg met de rechercheurs. De twee vormden een hecht koppel, met een onvoorwaardelijk vertrouwen in elkaar en een mensenkennis waar ze blind op kon varen. Ze werd bevorderd tot inspecteur en kreeg de opdracht een eigen regioteam op te zetten voor zware misdrijven, moord in het bijzonder, waarbij jongeren betrokken zijn. Ze vroeg hen voor haar team en ze voelden zich vereerd, zeiden ze. Vanaf het eerste moment voelden ze elkaar feilloos aan. Met Van der Haar als deskundige voor het forensisch onderzoek. Cornelissen hoef je over technisch onderzoek ook niks meer te leren, Simmelinck ziet elk detail, ook in het gedrag van mensen, en beiden zijn geslepen als het erom gaat informatie van getuigen of verdachten te verkrijgen. En sinds kort is Wagener dus toegevoegd aan het kwartet. Het team loopt als een trein, ze lossen veel zaken op; het laatste jaar hebben ze zelfs een negentig procent score. Ze maakt zich zorgen over Wagener. Als hij een andere weg kiest moet ze straks weer een nieuwe assistent zoeken. En Simmelinck. Ook over hem is ze bezorgd, ook al weet zijn partner blijkbaar van niets. Dan zou ze eigenlijk moeten geloven dat er niets aan de hand is.

Cornelissen stapt uit, steekt dan zijn hoofd de auto weer in. 'Wie had jij trouwens net in het café aan de telefoon? Ik hoorde warempel iets wat leek op een vloek, en je trok zo'n rare grimas. Of was het privé?'

'Nee, het was Ruud. De dader van enkele moorden in Zeist, acht jaar geleden, is een paar maanden geleden vrijgekomen. Hij schijnt zich gistermiddag nogal agressief te hebben gedragen ergens in Utrecht. Met wat dreigementen richting mijn persoon.'

'Jij hebt hem dus achter de tralies geholpen?'

Ze knikt.

'Wat had hij gedaan?'

'Een buurjongetje seksueel misbruikt en gewurgd. Later bleek dat hij nog twee meisjes te pakken heeft gehad. Een nare zaak. Ruud waarschuwde me om alert te zijn.'

'Wil je dat ik bij je blijf?'

'Welnee. Hij heeft het speciaal op kinderen voorzien. Dus ik ben geen aantrekkelijk doelwit,' zegt ze. 'Maar ik zal mijn ogen en oren goed open houden.'

Haar collega protesteert, wil voor de zekerheid met haar meegaan, maar ze blijft bij haar beslissing.

Zodra ze Cornelissen achter Hauser aan heeft gestuurd rijdt ze terug naar Lichtenvoorde. Kwart voor elf. Mooi op tijd. Ze belt Simone en spreekt af dat ze tussen de middag kunnen hardlopen, zoals gepland.

Terug op het bureau wacht iemand op haar. 'Een spook in verhoor twee,' meldt hoofdagent Gerritsen breeduit grijnzend aan de balie.

Ze is benieuwd wat ze zal aantreffen.

Er zit inderdaad een nogal eng typje op de tafel in een van de verhoorkamers. Haar benen bungelen en haar beringde vingers tikken op de grijze kunststof; haar hele lijf is continu in beweging. Zilveren ringetjes door de neus, lip en oren. Zwarte kleding, het lange haar zwart – geverfd, gokt ze – en het gezicht lijkbleek geschminkt. Gothic, schiet haar te binnen. Ze vraagt zich af waarom meisjes zich zo toetakelen en uitdossen. Maar wellicht dachten haar ouders dat ook toen zij volgens de mode in de jaren zeventig gekleed ging, met hoge blokhakken en wijde jurken met drukke prints. Ze glimlacht. Wagener komt binnen en zet een glas water voor het meisje neer.

'Zo, jongedame, met wie heb ik het genoegen?'

'Vera Boschker zou zich melden,' antwoordt Wagener in haar plaats. 'Je wist ervan, zei ze.' Hij blijft bij haar staan.

'Ga zitten,' zegt ze tegen het meisje, en wijst op een stoel.

Vera Boschker laat zich op een stoel tegenover haar zakken. Het meisje bekijkt Wagener met een blik alsof ze hem aan een vleeskeuring onderwerpt. Blijkbaar komt hij door de eerste ronde, want ze lacht naar hem. Weliswaar geen vrolijke lach, maar dat kan komen door haar vreselijke make-up.

'Ze heeft iets gezien,' zegt Wagener. Hij kijkt het meisje aan alsof hij daar zelf erg aan twijfelt.

Ze is benieuwd hoe het Wagener is vergaan deze ochtend, hij

heeft niet gebeld. Als het goed is stond hij in alle vroegte een lijk te observeren dat werd opengesneden, maar het is hem niet aan te zien. Hopelijk heeft hij de beproeving, die de sectie voor hem moet zijn geweest, goed doorstaan.

'Vera Boschker.' Ze zet haar taperecorder aan. 'Vertel eens, wat heb je gezien?'

Het meisje blaast een bel van haar kauwgom en laat die zo groot worden dat ze de bol nog net binnen kan halen zonder te ploffen. Wat ze vervolgens binnensmonds doet, zodat er een doffe plop uit haar mond komt.

'Ik liep gisteren op de markt. Die dikke Van de Elna was zo opgewonden, ik dacht, daar moet iets gebeurd zijn.' Vera's stem is zachter dan ze had verwacht. Ze heeft mooie ogen, ziet ze, nu ze haar van dichterbij kan bekijken. Jammer dat de make-up dat camoufleert. 'Toen zag ik iemand in de galerie liggen. Ik schrok en ben hard weggelopen.'

'Wist je dat het Lucienne was?'

'Dat hoorde ik later.'

'Ze was een vriendin van je?'

'Al sinds de lagere school.'

'En jullie zijn samen naar het voortgezet onderwijs gegaan?'

'Wat maakt dat nou uit?'

'Ik wil graag iets van jullie vriendschap weten.'

'Luus en Marieke gingen naar het Atheneum, ik ben naar de havo gegaan. Maar we bleven vriendinnen, we gingen naar dezelfde school.'

'En samen uit?'

'Ja. Vaak wel. De Kletskop, 't Doktertje, noem maar op.'

'Met wie ging je dan uit?'

'Met Luus, Noortje, die bij Luus op kamers zit, en Marieke. Die zit op de KAN, ook in Arnhem; economie doet ze.'

'Lucienne is zaterdagavond niet met jullie uit geweest, vertelde Noortje. Weet je waar ze naartoe is geweest?'

'Nee. Wij zijn om een uur of negen weggegaan, en toen was Luus nog hier. Ze had een afspraak, zei ze.'

'Met wie?'

'Geen idee. Ik dacht een nieuw vriendje of zo. We zijn wel vriendinnen, maar we hangen niet altijd aan elkaar, het komt wel eens vaker voor dat een van ons alleen ergens naartoe gaat, of met een vriendje uitgaat.'

'Waarom ben je hier? Wat heb je gezien?'

Het meisje twijfelt duidelijk. Er volgt opnieuw een kauwgombel en een plof binnensmonds. De gedachte dat bij elke plop waarschijnlijk weer een hersencel het begeeft, is onlogisch en doet totaal niet terzake, maar gedachten komen en gaan. Alhoewel haar yogaleraar daarom zou lachen. Je kunt gedachten sturen, zegt hij. Tijdens haar yogaoefeningen lukt het haar soms om gedachten uit haar hoofd te zetten, maar ze heeft vast meer tijd en oefening in meditatie nodig om er beter in te worden.

'We kwamen zaterdagnacht bij de galerie langs, toen we terugkwamen van De Radstake.'

'Hoe laat?'

'Dat zal zo tegen een uur of twee, half drie zijn geweest. We gingen naar 't Doktertje.'

'Twee uur, half drie. Goed.' Dat valt nog mee, voor meiden rond de twintig. Anouk presteert het met haar zestien lentes soms al om pas om twee uur thuis te komen. Hoewel, de meiden gingen nog weer naar een ander café, dus die hebben het vast nog later gemaakt. 'Wie zijn "we"?'

'Marieke en ik. Noortje was al eerder weg, die ging terug naar Arnhem.'

'Heb je Lucienne gezien?'

Vera schudt haar hoofd.

'Wat was er voor bijzonders?'

'We zagen Daan Westerhuis.'

'Bij de galerie?'

Het meisje knikt.

'Wat deed hij daar?'

Vera haalt haar schouders op, nu ploft een kauwgombel te

vroeg, voor haar neus. Ze kijkt scheel, haalt de flarden kauwgom naar binnen. Dan haalt ze de kauwgom uit haar mond en draait er een bal van in haar hand. 'We zijn snel doorgefietst. Ik kijk wel uit. Hij heeft mij vorig jaar een keer een mep verkocht in een café, toen ik niet met hem mee wilde gaan.'

'Heb je aangifte gedaan?'

Het meisje knikt. 'Zeker weten. Ik was als de dood voor die gozer, hij dreigde me te vermoorden, maar Lucienne is met me meegegaan, die was supercool. Anders had ik vast niet gedurfd.'

'Waar heb je aangifte gedaan?'

'Gewoon, hier. Bij een uniform.' Vera kauwt. 'Beetje duf type. Deze was het in ieder geval niet,' zegt ze, terwijl ze Wagener goedkeurend aankijkt.

Ze fronst even vanwege die opmerking. Vera ziet haar blik. 'Ja hoor eens, die agent deed alsof hij het allemaal maar aanstellerij vond. Ik werd helemaal opgefokt van die oude graftak.'

'Wanneer was dat?'

'September. Het weekend na de kermis.'

Ze maakt een aantekening op een kladblaadje. Het derde weekend van september, vorig jaar. Raar dat de computer die informatie niet heeft gegeven.

'Was het ernstig?'

'Tand door de lip en drie weken een wang die alle kleuren van de regenboog heeft gehad. Niet echt stoer hè?' Vera glimlacht een beetje zuur, neemt een slok water. 'Viel wel mee, dat vond dat uniform ook, maar het was meer wat Daan zei en die vetkwaaie blik van hem erbij. Daar word ik soms nog wakker van. Hij is *"focking weird"*, dat zeg ik u. En gisternacht had hij ook die blik in zijn hoofd, doodeng, echt wel. Ik dacht meteen: die heeft iets uitgespookt.'

Vera's ogen flitsen nerveus van Wagener naar haar.

Is ze bang dat ze haar ook dit keer niet geloven? Ze vraagt zich af of Vera zich bezorgder maakt over Daan Westerhuis dan over de dood van een vriendin. Of er zit iets anders achter.

171

'Waarom had Lucienne verkering met deze jongen, terwijl ze van jouw ervaring met hem wist?'

'Verkering?' Vera lacht; een hoog, zenuwachtig lachje. 'Kut zeg.' Ze slaat haar hand voor haar mond. 'Sorry. Nee, zeg, zo zou ik het niet willen noemen. Daan dácht dat hij verkering met haar had, dat schreeuwde hij overal rond, en in de kroeg bleef hij irritant om haar heen kwijlen en zo, maar Luus moest niks van hem hebben.'

'Gebruik je drugs?'

'Drugs? Ik?' Haar stem klinkt verbaasd genoeg, maar ze verraadt zichzelf door haar vuurrode kleur.

'Drugs, ja. Ik maak geen grapje, Vera.'

'En dan ik de cel in, zeker.'

'Als je eerlijk bent niet.'

'Nou ja, we proberen wel eens wat, beetje wiet, een pilletje, maar niets bijzonders.'

'Weet je dat zeker? Geen coke? Xtc?'

Vera schudt haar hoofd. 'Nee hoor, echt niet.'

'Poseer je wel eens voor Alex Hauser?'

'Nog heel af en toe. Niet meer zo vaak als eerst.'

'En krijg je daar dan iets voor?'

'Ach ja, wel eens wat jointjes, drank en zo, maar niets bijzonders.'

Ze wordt niet wijzer van het meisje. Of ze vertelt de waarheid, net als Noortje, of ze hebben afgesproken dat ze hun mond dichthouden. Haar intuïtie zegt het laatste.

Als Wagener Vera Boschker even later heeft uitgelaten komt hij opgewonden en boos haar kantoor binnen lopen. Terwijl zij nog denkt aan Vera, en de bijzondere beschuldiging die ze deed, slaat hij de deur ongewoon hard achter zich dicht. Zijn stem klinkt abnormaal opgefokt. 'Ik vraag me nu toch in godsnaam wel af wat er met die fucking computer aan de hand is. *Jesus christ*, als we daar al niet meer van opaan kunnen, dat zou ik...'

Ze onderbreekt hem. 'Misschien kun je beter gaan uitzoeken waar dat aan ligt?' oppert ze. Ze trekt haar rechter wenkbrauw op.

Wagener ziet het en houdt zijn mond.

'Vind je zo'n gothic type nou aantrekkelijk? Loop ik zo ver achter?' vraagt ze.

'Dan loop ik ook achter, nee, ik word daar niet opgewonden van,' antwoordt Wagener lachend. 'Jammer, volgens mij zit er best een leuke meid onder. Maar geen lieverdje. Ze beschuldigde Daan Westerhuis bijna van moord.'

Ze tikt met een pen op tafel, spoelt het bandje terug en geeft het aan Wagener. 'Als je straks tijd hebt?'

Wagener pakt het bandje van tafel en wil weggaan.

'Ferry, hoe was het in Doetinchem vanmorgen, bij de sectie? Was je vlot klaar?'

Wagener knikt. 'We, of liever Chirawari en Van der Haar, zijn gisteravond al begonnen met de bloedtests. Harm dacht dat je die uitslagen wel snel zou willen hebben. Vanmorgen stond ik om zes uur al weer te bibberen bij het lijk. Zonder ontbijt, op advies van de heren. Nooit gedacht dat Van der Haar zo'n ervaren rot is.'

'Zeg eens eerlijk, viel het je mee?'

'Toen Chirawari die borstkas met de nodige kracht open krikte had ik het niet meer. Ik ben naar buiten gerend om er binnen geen zooi van te maken. Volgens Harm heeft er nog nooit iemand de eerste keer het eten binnen kunnen houden. Zelfs jij niet,' zegt hij grinnikend.

'Met dank aan zijn ongeëvenaarde oprechtheid.'

'Daarna werd het interessant. Een absurde ervaring, bijna. Ik vergat het bloed gewoon. Idioot hè? *Anyway*, als je niet meer echt ziet dat het om een persoon gaat, zit een lichaam erg boeiend in elkaar. Nu snap ik ook waarom Harm daar zo gefascineerd door is. Hoewel ik het nooit echt leuk ga vinden, geloof ik.'

Ze knikt instemmend. 'En weet je al of er iets uit is gekomen?'

'Harm komt straks hier. Dan heeft hij ook de resultaten van de bloedtests.'

'Dat zou mooi zijn,' zegt ze.

'Ik heb nog informatie op de fax gekregen van het ziekenhuis in Amsterdam; mevrouw Peters is een natuurlijke dood gestorven. Darmkanker, te laat ontdekt. Binnen twee maanden was ze dood en ze is vrijwel die hele tijd in het ziekenhuis geweest. Geen enkele twijfel over Peters' onschuld, zoals de computer ook al aangaf.'

'Goed.'

Wagener draalt in haar kantoor.

'Is er iets?'

Ferry ploft neer op de stoel naast haar bureau.

'Twijfel?'

Hij knikt. 'Ik vraag me af of ik dit wel kan. Misschien kom ik over die bloederige toestanden wel heen, maar wat heb ik nu helemaal al bijgedragen aan echt recherchewerk? Een beetje meelopen kan iedereen.'

Het is even stil. Alleen een diepe zucht van Ferry Wagener klinkt in het kantoor.

'Je moet er zelf van overtuigd zijn dat je het wilt,' antwoordt ze, haar woorden zorgvuldig kiezend. 'Ik kan je wel zeggen wat je wel en niet goed doet, maar dat weet je zelf wel. Je twijfelt nog steeds over de rockacademie. Waarom ga je niet naar de open dag, om te kijken wat je ervan vindt? Laat je gevoel spreken. Zodat je over vijf jaar geen spijt hebt dat je het niet hebt gedaan, dat je een kans hebt laten liggen. Kijk in je hart, wat zou je het liefst willen doen? En als je dan alsnog voor dit vak kiest, doe je het in ieder geval met je héle hart.'

Ferry peinst, knikt, twijfelend.

'En Anouk vindt het vast helemaal vet cool, als jij er ook naartoe gaat.'

Gelukkig, een glimlach.

'Denk er gewoon over. Als je dan intussen wilt zorgen dat Westerhuis zich hier zo snel mogelijk meldt? Als hij in Arn-

hem uithangt, laat Ton of Han hem dan meenemen deze kant
op.'

'*Yes, madam.*' Hij springt op uit zijn stoel, loopt opgewekt
naar zijn eigen bureau.

28

Iets na twaalven is ze thuis, waar Simone haar al opwacht in hardloopkleding.

Jaap zoent haar in het voorbijgaan gedag, hij gaat met de klant mee om foto's op locatie te maken. 'Let niet op de rotzooi in de keuken,' zegt hij, 'we gaan vanmiddag gezellig verder knoeien. En als je honger hebt, ga gerust je gang. Alles wat er ligt hebben we gehad.'

'Mooie foto's gemaakt?'

'Alles staat er puik op,' lacht Jaap.

Het rode lampje van de telefoon knippert; ze ziet dat haar moeder heeft gebeld.

Ze kleedt zich snel om en even later rennen ze samen de vrije natuur in. Alsof er geen vuiltje aan de lucht is. Ze lopen ontspannen, samen in gelijke tred, alsof ze het expres doen of ingestudeerd hebben, maar ze lopen zo allebei hun standaard duurlooptempo. Wellicht komt het door het jarenlange samen lopen, maar ze kan het zich eigenlijk niet eens anders herinneren. Simone vertelt verontwaardigd over een patiënt die ze vanmorgen de deur uit heeft gezet. 'Gelukkig bleef het bij agressieve woorden. Maar ik merkte ineens hoe kwetsbaar ik ben, daar, op mijn kantoor. In de verste verte hoort geen hond me, als er echt iets zou gebeuren. Ik moet gillend de straat op, als er echt iets gebeurt.'

'Je zou een alarmsysteem kunnen installeren,' oppert ze. 'Hoewel, als het op een paar minuten aankomt... Misschien kun je beter een cursus zelfverdediging doen. Dat lijkt me een beter plan. Dan kan ik je nog wel wat tips geven.'

'Meen je dat serieus?'

Ze knikt. 'Er lopen genoeg gekken rond tegenwoordig. Je kunt maar beter voorbereid zijn.'

'Ja, ja,' zegt Simone, zo te zien zich nog steeds afvragend of ze geen geintje maakt.

Ze lopen een van hun routes in het buitengebied, de route via Lievelde en door natuurgebied De Schans.

Hoewel ze er jarenlang tussenuit is geweest, kent ze Lichtenvoorde nog als haar broekzak. Haar moeder woont er in een seniorenappartement, een soort aanleunwoning bij het bejaardentehuis, dus ze kwam er sowieso nog regelmatig. En buiten dat, erg veel veranderd is er niet. In het centrum wel, en er is een groot stuk nieuwbouw aan de rand van het dorp, maar in het buitengebied lijkt de tijd stil te staan. De bosjes waarin ze vroeger speelde met vriendinnetjes zijn dezelfde waar ze nu doorheen loopt tijdens haar trainingen.

'Jij zit vlak bij galerie The Arthouse met je praktijk, heb je de afgelopen tijd iets bijzonders gemerkt daar?' vraagt ze haar vriendin.

'Iets bijzonders? Zoals wat?'

'Jonge vrouwen die opvallend vaak kwamen? Iets verdachts met drugs, dat soort dingen.'

Een hardloper komt hen tegemoet. Ze zeggen elkaar goendag, zoals iedereen elkaar bijna altijd gedag zegt. Mensen die dat niet gewend zijn, kijken er wel eens raar tegenaan. Zij vindt het wel wat hebben. Een soort van uiting van respect. Dat het er nog toe doet, of zoiets.

Simone schudt haar hoofd. 'Ik zie regelmatig mensen in en

uit lopen, maar dat zijn meestal oudere mensen, in ieder geval dertigplussers, zoals je zou verwachten in een galerie, denk ik. Sorry, ik zou het niet weten.'

'Jammer.'

In Vragender gaan ze de bult af, richting Lichtenvoorde.

Ze lopen een tijdje zonder te praten. Ze denkt na over Lucienne Vos, haar dromen, haar wensen, over haar te vroeg beëindigde leven, tot Simone haar gedachten onderbreekt.

'Hoe gaat het Jaap eigenlijk met zijn artistieke aspiraties?' vraagt ze. 'Ik hoorde gisteren dat hij iets voor een restaurant gaat doen?'

'Daar is hij vandaag mee bezig. Hij doet niet zo veel opdrachten meer, alleen deze leek hem wel leuk. Bovendien kent hij de opdrachtgever, geloof ik. Maar vorige week heeft hij een mooie serie opnamen in de polder gemaakt, echt fantastisch. Heb je die gisteren niet gezien?'

'Niet aan toegekomen.'

'Hij heeft er een uitvergroot,' zegt ze. 'Handig hoor, hij stuurt een document via de e-mail weg en de volgende dag heeft hij een foto formaat boekenkast in huis.'

'En hoe was het nou met je moeder... met Evelien, bedoel ik. We kwamen er gisteren niet meer op terug door dat geouwehoer van die mannen.'

'Wat moet ik ervan zeggen? Het is triest voor haar.'

'Voor jou toch ook?'

'Ik kende Veronie amper.'

'Juist daarom. Je had nog zo veel met haar kunnen praten.'

Ze weet niet wat ze daarop moet antwoorden.

'Praten jullie over Veronie?' vraagt Simone.

'Ik kan Evelien niet helpen, als je dat bedoelt. Een driejarig kind verliezen als je vijfentwintig bent is heel wat anders dan een dochter van veertig aan kanker kwijtraken.'

'Jij bent ook een dochter van haar.'

'Dat had ze vijfenveertig jaar eerder moeten bedenken. Ze

heeft toen een keuze gemaakt,' zegt ze, harder dan haar bedoeling is. 'Ik heb een moeder.'

'Dat meen je niet. Je durft niet.'

'Als je het toch al weet, waarom vraagt je het dan?'

'Je zou het niet wegstoppen,' zegt Simone.

'Dat daarbinnen diep weggestopt een klein kind zit dat schreeuwt om liefde, om aandacht, dat zich verlaten voelt en altijd bang is om afgewezen te worden. Dat wil je toch graag horen? Ik ben zelfs onder de indruk als een verdachte een rondje met mij walst. Kun je nagaan hoe ik hunker naar aandacht en liefde. Terwijl ik, als het echt serieus wordt, het liefst keihard wil wegrennen. Ik durf niet te trouwen met de man van wie ik houd. Hechtingsangst. Ik luister heus wel naar de psycholoog.'

Ongemerkt versnelt ze haar tempo. Ze slikt een paar keer om haar tranen tegen te houden. Godverdomme, waarom laat ze het niet met rust? Vergeten, wegstoppen wil ze het. Als ze er niet aan denkt, bestaat het niet.

Daarmee houdt ze zichzelf voor de gek, dat weet ze zelf ook wel. Maar elke keer als ze het oprakelt, elke keer als ze Evelien ziet, wordt dat kleine kind in haar weer wakker.

'Nu schijnt ze ook nog hierheen te willen verhuizen.'

'Neem het haar eens kwalijk. Jij bent de enige die ze nog heeft. Waar wil ze gaan wonen?'

'Ze had het over een penthouse dat te koop staat, Jaap zei zoiets. Ik moet haar terugbellen.'

'Een mooie kans voor je om haar beter te leren kennen.'

'Ik weet nog niet wat ik ermee moet, eerlijk niet.'

Simone pakt haar arm vast om haar af te remmen.

'Mensen hebben niet altijd een vrije keuze. Soms worden ze gedwongen. Door angst, door liefde. Dat heeft jouw moeder ook meegemaakt. Zo lang je haar niet vergeeft en in je hart sluit, blijft het je achtervolgen.'

'Ik wil vooruit kijken, Siem. Kierkengard hè? Het leven moet vooruit geleefd worden, en achteruit begrepen.'

'Maar je kunt je verleden niet wegstoppen. En trouwens, je hebt haar zelf opgezocht toen je achttien was.'

'Ik wilde weten waar ik vandaan kwam. Was mijn goed recht.'

'Oké, maar je kunt een moeder haar gevoelens voor een dochter niet kwalijk nemen. En trouwens, Veronie is, was, ook jouw halfzus, het verdriet om haar verlies wil je toch ook delen?'

'Dat kan ik met Jaap. Of met jou, op een mooie zondagavond onder het genot van tapas en een lekker glas wijn. Meer durf ik nog niet, oké?'

'Dat is in ieder geval eerlijk.' Simone geeft haar een flinke mep op haar schouder. 'Wie het eerst bij de bocht is,' zegt ze, en loopt er dan hard vandoor.

'Hé, over eerlijk gesproken, mevrouw de psycholoog.' Ze lacht en zet de achtervolging in. De volgende twee minuten heeft ze geen adem over om te praten. Ze rent om Simone in te halen, wat haar maar net lukt.

'Het was wel weer ouderwets, hè?' Simone lacht, terwijl ze, nahijgend van de sprint, even een stukje wandelen. 'Doen we zondag een duurloop?'

Ze zijn met een grote boog om het industrieterrein van Lichtenvoorde heen gelopen en steken de Twenteroute over. Een paar honderd meter en dan zijn ze bijna weer bij haar huis.

'Van tien tot twaalf?'

Haar vriendin knikt. 'We hoeven pas in september een paar keer die dertig, tweeëndertig te doen, dus een kilometer of twintig, vijfentwintig zo af en toe is de komende tijd wel voldoende.'

In oktober gaan ze samen de marathon van Amsterdam doen, hebben ze zich voorgenomen. Het is niet hun eerste, twee jaar geleden hebben ze die van Rotterdam gelopen. De laatste meters die ze daar liep waren de mooiste die ze ooit heeft gelopen, al herinnert ze zich ook de pijn van de kilometers daarvoor. Evenzogoed, in vier uur en drie minuten kwamen ze samen de finish over en daar waren ze supertrots op. Ze weet dat de lange afstand niet gezond is voor haar lijf, maar ze wil er dolgraag nog één keer eentje meemaken.

Simone onderbreekt haar gedachten. 'Ik hoop dat we het net zo goed gaan doen als in Rotterdam.'

'Als we maar lekker lopen, dan vind ik elke tijd prima.'

Ze hebben hun rondje van tien kilometer vlot gelopen. Al pratend vliegen de laatste meters en minuten voorbij.

'Mocht je nog iets te binnen schieten, over die galerie, bel je me dan?'

Simone knikt en stapt in haar auto.

'En stop een bus pepperspray in je tas. Geeft een heel veilig gevoel,' zegt ze tegen haar vriendin, terwijl die haar auto start.

'Ik zal erover denken.' Simone zwaait en met een stoer claxon-geluid van haar nieuwe, knalrode Mini rijdt ze weg.

29

Na een snelle douche trekt ze het rokje van vanmorgen aan, met een ander T-shirt. Ze pakt voor de zekerheid ook het groene colbertje weer mee, al heeft ze het voor de temperatuur buiten niet nodig. Ze drukt voorkeurtoets vier in terwijl ze een klein beetje dagcrème op haar gezicht smeert. Haar moeder neemt voor haar doen vlot op.

'Mevrouw De Winter.'

'Dag mam. Ik zie dat je gebeld hebt. Is er iets?'

'O, nou ja, ik wilde je alleen zeggen dat ik morgen met de taxi naar het ziekenhuis ga.'

'Dat is mooi. Is Rien er morgenvroeg niet?'

'Die heeft nachtdienst dus dan slaapt hij daarna. Hoe komt die nou ooit aan een vrouw als hij de hele dag slaapt? Ik begrijp jullie niet. Ik heb vast iets fout gedaan vroeger. Het was niet makkelijk, zal ik je vertellen, in die tijd. Pa en ik wisten ook vaak niet hoe we met jullie...'

'Mam, doe niet zo gek. We hebben gewoon beiden een fulltime job. Dat is tegenwoordig heel normaal. Ook voor vrouwen.'

'Ja, ja, de moderne tijd. Het is allemaal wat.'

'Ik hoor iemand beneden. Ik zie je morgen, goed?'

'Ja, morgen. Als ik maar op tijd terug ben van het ziekenhuis.'

'Dat red je echt wel. Maak je nou niet bezorgd over iets dat niet nodig is. Goed? Ik moet rennen. Dag.'

Ze loopt de trap af en hoort gestommel in de keuken. Is Jaap al terug? Vast niet. Het zal een van de meiden zijn. Josien niet, die blijft vandaag over op school. Eén uur, dan zal Anouk wel terug zijn.

Het is inderdaad Anouk, die bezig is om een tosti te maken. Ze scheurt de korsten van de boterhammen af en doet royaal kaas en ham tussen het overgebleven brood.

Op het granieten aanrechtblad is geen vierkante centimeter meer vrij dankzij Jaaps kookkunsten, maar Anouk kan er ook wat van.

'Waar is Jaap?' vraagt Anouk.

'Met een klant mee.'

'Heeft hij er hier zo'n zootje van gemaakt?'

'Dat kun je wel zeggen, ja. Mag hij zelf opruimen. Gooi je wel even die korsten bij de geiten in de wei?'

Anouk mompelt iets onverstaanbaars.

'Zeg, ken jij Monique Vos, het jongere zusje van Lucienne?' vraagt ze.

'Ze zat niet bij me in de klas,' antwoordt Anouk. 'Maar ik heb haar wel eens gezien, gewoon, in het dorp. Nogal een gereformeerde muts, leek me. Hoezo?'

'Vroeg ik me af. Jullie zijn van dezelfde leeftijd.'

'Ze gaat nooit uit.'

'Het is een erg gelovig gezin,' antwoordt ze.

'Alsof je de wereld helpt als je niet in de kroeg komt,' zegt Anouk. Ze haalt haar schouders op. 'Wat een onzin. Kun je beter iets nuttigs gaan doen in de maatschappij, toch?'

'Er zijn mensen die er anders over denken.'

'Ja. Boeien.'

Het lijkt haar niet het meest geschikte moment om hierover met Anouk in discussie te gaan en eerlijk gezegd heeft ze daar ook weinig behoefte aan.

'Nog bedankt; van Rekken, je weet wel,' zegt Anouk, terwijl

ze de boterhammen in het tostiapparaat propt. 'Jaap doet er zo bezopen over, echt niet normaal.'

'Je vader is gewoon bezorgd. Hij is bang dat je zelf een tik krijgt als je met psychisch gestoorde mensen zou omgaan.'

'Ja, en? Dat is toch zijn probleem?' Anouk haalt haar schouders op. Verlegen is ze nooit geweest, volgens Jaap. En ze is recht voor z'n raap, net als haar vader. Vandaar dat ze zo vaak botsen.

'Maar hij laat je echt wel zelf kiezen. Anders krijgt hij met mij te doen.'

'Je bent soms best tof,' zegt Anouk.

'Uit jouw mond beschouw ik dat als een wereldcompliment.'

'Ja hoor. Ik ga huiswerk maken,' mompelt ze, bijna verlegen. De puber kleurt ervan.

Anouk heeft de scheiding van haar ouders en de ongelukkige tijd die daaraan voorafging het meest bewust meegemaakt. Het heeft lang geduurd voordat ze haar bij Jaap duldde, maar gelukkig ziet ze zo langzamerhand in dat hun relatie geen tijdelijke is en durft ze haar af en toe zelfs dochterdingen toe te vertrouwen.

Haar mobiel gaat. Ruud, alweer. Ze zwaait naar Anouk ter afscheid.

'Ja, Ruud?'

'Nel, ik maak me zorgen. De man van de Zeist-zaak, Lodewijk Rotteveel, is een paar uur geleden door collega's gesignaleerd in Arnhem.'

Wat moet ze daar nu mee? 'Ruud, hij was destijds een jongen die geilde op peuters. Daar heb ik toch niets van te vrezen?'

Ze pakt haar autosleutels. Het overleg begint over tien minuten.

'Je hebt hem niet meegemaakt, Nelleke. Wij wel. We hebben een praatje met hem gemaakt, gisteren, en hij lachte ons vierkant uit. We kunnen hem niets maken, maar hij heeft je naam genoemd en ik acht hem tot alles in staat. Ik wil het risico niet nemen. Zorg voor beveiliging, Nel.'

Hij weet hoezeer ze een hekel heeft aan die heisa. 'Kom op, Ruud, heb je geen vertrouwen in mijn capaciteiten?'

'Daar gaat het niet om, dat weet je donders goed. En je weet ook dat die Rotteveel vriendjes in Arnhem heeft die meerdere malen gepakt zijn voor wapenbezit. Het zou me niet verbazen als hij vuurgevaarlijk is.'

Ze zucht. 'Ik zal de collega's hier opdracht geven extra alert te zijn. Deal?'

Het is even stil, maar dan lijkt de hoofdcommissaris er genoegen mee te nemen.

'Akkoord. Heb je al nagedacht over mijn voorstel?' vraagt hij, als gewoonlijk kort maar krachtig, van de hak op de tak springend. 'Ik heb je verdorie hier nodig, niet daar in de rimboe.'

'Reken niet op mij, Ruud. Weet je wat ik het mooiste vind van die rimboe hier?'

Hoofdcommissaris Nummerdor bromt iets onverstaanbaars.

'Dat je 's nachts de sterren zo goed ziet. Dat miste ik in de stad. Ik voel me hier thuis, ik denk dat ik hier de komende tijd wil blijven. Er is genoeg te doen.' Ze stapt in haar auto en rijdt weg.

'Als je promotie kunt krijgen ook?'

'Tja...' Ze twijfelt. 'Dat is een ander verhaal. Maar dat zie ik dan wel weer.'

'En Markant?'

'Ik laat me door hem niet wegjagen. Misschien is hij zelf volgend jaar wel ergens anders, of gaat hij met de VUT of zo.'

Ze hoort Nummerdor grinniken. 'Ik mis onze lunches, waarbij jij de helft van mijn bord leeg eet. Zonder jou hier word ik nog dikker. Helpt dat argument?'

'Goed geprobeerd, maar nee.'

'Kom dit weekend anders met Jaap borrelen. Dan kunnen we het er nog eens over hebben.'

'Jaap wil er niets van weten, dat kan ik je nu al wel zeggen. Maar hij heeft al een fles van je favoriete whisky voor je klaarstaan. We wilden sowieso komen. Ook voor Ans.'

Het is even stil. 'Ja, hopelijk voelt ze zich tegen die tijd goed genoeg voor jullie bezoek.'

'Ik bel je nog.'

'Dat is goed, meiske. Doe voorzichtig.'

Ze besluit meteen Evelien te bellen. Gek is dat, ze moet altijd moed verzamelen om Evelien te bellen en haar hart versnelt als ze onder de D het nummer selecteert van haar moeder. Doornkamp, E. Haar biologische moeder, een raar bijvoeglijk naamwoord om de relatie uit te leggen. Bij biologisch denkt ze aan biologisch geteeld fruit en linksdraaiende – of was het nou juist rechtsdraaiende – yoghurt. En toch heeft het woord ook gelijk een afstandelijkheid die haar wel bevalt.

'Mevrouw Doornkamp.'

'Dag, met Nelleke. Je hebt gebeld, gisteren?'

'Ja, dat klopt.'

Het is even stil.

'Ik ben op weg naar een bespreking,' zegt ze. 'dus ik heb niet veel tijd, maar het schoot me net te binnen dat je had gebeld. Was er iets?'

'Ik wilde jullie vragen voor een etentje, hier, binnenkort een keer.' Eveliens stem klinkt onzeker. 'Nou ja, als het te ver is, wil ik jullie daar wel mee uit eten nemen, dat kan ook.'

Dan heeft ze ineens toch weer een brok in haar keel. Ze bedoelt het zo goed. Ze haalt diep adem. 'Kom jij maar hierheen, dan koken wij wel. Of liever gezegd, Jaap.' Ze weet hoe druk Evelien zich zal maken, alleen al om het menu te kiezen. Of ze laat een cateraar een compleet vijfgangenmenu bij haar thuis serveren, zoals ze vorig jaar eens presteerde. Ze meent dat ze Jaaps culinaire kwaliteiten moet overtreffen, wat zelfs voor een professionele kok geen sinecure is. 'Heb je plannen om definitief deze kant op te komen, trouwens? Jaap zei zoiets, over een penthouse?' Ze vraagt het aarzelend, probeert haar stem belangstellend, niet afkeurend te laten klinken.

'Nou, dat doe ik natuurlijk niet zomaar. Ik wilde het aan je voorleggen. Wat je ervan zou vinden, bedoel ik.'

186

'Daar kunnen we het dan ook over hebben. Ik bel je aan het eind van de week om iets af te spreken. Oké?'

'Ja. Ja, fijn. Dus jij belt?'

'Ik bel je.'

'Dat is fijn. Ja. Gaat het goed met je, Nelleke?'

'Prima. We spreken elkaar snel.'

Voor Evelien nog iets kan zeggen heeft ze het gesprek beëindigd.

30

Geen bijzonderheden. Wat ze hadden verwacht, hebben ze inderdaad aangetroffen. 'Veel schilder- en fotografiematerialen,' zegt Cornelissen, 'een hoop zooi waarvan we geen flauw idee hebben waar het voor dient en verder de typische bende van een kunstenmaker,' aldus de rechercheur. 'Schildersdoeken, verf, veel foto's en negatieven, kortom, chaos in het appartement en zijn atelier in Lichtenvoorde.'

'Daarna hebben we Daan Westerhuis wakker gemaakt. Die was nog bij zijn ouders en was een dijk van een roes aan het uitslapen, volgens zijn moeder, die er nogal ongemakkelijk bij keek. Ze leek zich te schamen voor zoonlief. Westerhuis zal zich straks om een uur of twee hier melden, heeft hij beloofd,' licht Simmelinck toe. De rechercheur heeft een blauw oog. Volgens eigen zeggen was een deur niet zo flexibel als hij dacht, hij deed het af met een geintje, maar het feit dat Cornelissen hem af en toe dodelijke blikken stuurt zegt haar genoeg.

'Ik ben benieuwd,' zegt ze. 'En de vragenlijsten in de buurt?'

Simmelinck schudt zijn hoofd. 'Niets. Niemand heeft iets gehoord of gezien.'

'Heb je iedereen gesproken?'

'Twee formulieren ontbreken nog, die bewoners waren niet thuis.'

'Ga daar dan zo snel mogelijk nog achteraan, wil je? En de laptop van Lucienne?'

'Heeft geen bijzonderheden opgeleverd volgens de TR,' meldt Wagener. 'Ik ben net tussen de middag zelf nog gaan kijken en kon niets vinden. Geen mails, ook geen oude. We vermoeden dat ze net alles heeft weggegooid. En ze wist hoe dat moest, want er is echt niets achtergebleven op de harde schijf.'

'Of de dader heeft dat gedaan,' zegt ze. 'Na haar dood.'

'Mooi spul, die computers,' zegt Cornelissen op zijn cynische toontje.

'Rest ons nog de computer op haar kamer,' zegt ze. 'Wil een van jullie die vanmiddag ophalen en zorgen dat hij doorgelicht wordt?'

Cornelissen knikt. 'Zorgen we voor.'

Het team zit met dampende koffie in de spreekkamer om hun acties voor de middag door te nemen, als Van der Haar binnenkomt.

Hij heeft interessanter nieuws te melden. 'Ik ben bij Chirawari langs geweest.'

'Het sectierapport?' vraagt ze.

Hij knikt. 'De conclusie? Ze is rond middernacht overleden aan een hartstilstand. Er is cocaïne in haar bloed aangetroffen. Geen sporen van een injectie, in ieder geval geen recente. Ze heeft geen overdosis gehad, maar in haar geval kan de aangetroffen hoeveelheid coke in haar lijf genoeg geweest zijn om een hartstilstand te veroorzaken. Het slachtoffer heeft namelijk inderdaad een afwijking aan haar hart gehad, zoals we al vermoedden. Volgens de cardioloog en onze bevindingen is het een zeldzame afwijking, die nog het meest lijkt op ASD.'

'*A small defect*,' mompelt Cornelissen.

'Oftewel Atriumseptumdefect,' zegt Van der Haar, onverstoorbaar.

'Defect was in ieder geval goed,' grijnst Cornelissen.

'Chirawari heeft het hele verhaal opgeschreven. Als je interesse hebt,' zegt Van der Haar, terwijl hij met het rapport zwaait, 'dan bied ik je een avondje zwaar leesvoer. Er is weefsel opgestuurd voor nader onderzoek. Maar, wat de uitkomst daarvan ook is, het is duidelijk dat haar hart ermee is gestopt.'

'Is die gelukkige uitdrukking op haar gezicht dan logisch?' vraagt ze.

'Ja. Ze heeft er niets van gemerkt, is als het ware rustig in slaap gevallen.'

'Een hartstilstand. Dat betekent wel dat de persoon die erbij was heeft verzuimd iets te doen,' zegt ze. 'Die had toch kunnen reanimeren?'

Van der Haar schudt zijn hoofd. 'Heb ik Chirawari ook gevraagd. Hij zei dat het zeer de vraag is of er iets bijzonders te zien is geweest. Hij heeft geen enkel bewijs voor geweld kunnen ontdekken. Het heeft er waarschijnlijk op geleken dat ze in slaap viel. Pas op een later moment is duidelijk geworden dat ze dood was; dat is mogelijk. Het zou een reëel scenario kunnen zijn dat, als er iemand bij is geweest, die persoon daarna in paniek raakte en is weggevlucht. Er zijn geen sporen van sperma, slijm of vingerafdrukken of andere aanwijzingen.' Hij slaat het rapport dicht en maakt aanstalten om te vertrekken.

'Stel dat de dader heeft geweten van haar hartafwijking, kan hij dan ook hebben geweten dat een dosis coke fataal zou zijn?'

'Daarvoor moet je wel die medische kennis hebben, maar ja, het zou kunnen. We hebben in de galerie echter nergens sporen van drugs gevonden.'

'De perfecte moord?' fluistert ze.

'Dat ligt aan jou,' zegt Cornelissen lakoniek. 'En aan ons, natuurlijk,' zegt hij er snel achteraan, als ze doet alsof ze hem een mep wil geven.

Van der Haar pakt een stapeltje doorzichtige plastic zakjes. 'Op het lichaam zijn wel enkele sporen gevonden. De belangrijkste, die misschien zorgt voor een aanknopingspunt, is een draadje zwarte wol, van een deken, of een trui? Niet van haar kleding. Op haar kamer hebben we niets gevonden wat erop lijkt.'

'Ik heb een zwart vest gezien bij Peters in de galerie,' zegt ze.

'Wij ook. Monsters van beide materialen heb ik in het lab,' antwoordt Van der Haar. 'Daarom ga ik nu snel verder. Ik hoop je vanmiddag nog te bellen over de uitslag. Verder zaten er veel afdrukken op die tweede sleutel van Peters, die bij de achterdeur lag, eentje konden we herleiden tot de vingerafdrukken van Peters, maar de rest is onbruikbaar, tenzij we de prints ernaast kunnen leggen van de dader, misschien, maar er zitten zo veel afdrukken op dat het hoogst waarschijnlijk geen bruikbaar bewijsmateriaal oplevert.'

Dat zwarte vest, dat was een mannenvest. Zou Peters dan toch...? Simmelinck is afwezig met zijn gedachten. Ze ziet dat hij poppetjes tekent in zijn notitieboekje.

Cornelissen zegt dat hij Janine Hubers vanmiddag zal gaan zoeken. De TR heeft net gebeld; ze hebben een adres in Arnhem en een telefoonnummer. En de TR heeft ook het nummer getraceerd van de anonieme beller, dus daar ga ik ook achteraan.'

'Hoe zit het met de mobiele telefoon van Lucienne?' vraagt ze aan Cornelissen.

De rechercheur schudt zijn hoofd. 'Geen bijzonderheden. Simon en ik hebben een paar gesprekken met vriendinnen achterhaald. Op vrijdagmiddag heeft ze met twee mobiele nummers gebeld, die hebben we nog niet; maar als het goed is krijgen we daar vanmiddag bericht van.'

De teamleden overleggen nog even met elkaar, actualiseren het bord, plannen de middag en wensen elkaar succes. Ze vraagt Cornelissen of die direct even de directeur van de academie wil bellen, dat er mensen van hun team bij de herdenking in de aula aanwezig zullen zijn. De meeste leerlingen zullen er dan zijn en ze wil iedereen die Lucienne ook maar enigszins kende, spreken. Ja, ook de leraren.

Als er verder niets meer te bespreken is, besluit ze de bijeenkomst. Cornelissen en Wagener gaan weg; alleen Simmelinck lijkt te twijfelen wat hij zal doen.

Hij heeft vast al aangevoeld dat ze hem wil spreken. 'Wil je nog even gaan zitten Han? Ik wil nog iets met je doornemen.'

Simmelinck knikt. Hij lijkt inderdaad geenszins verbaasd.

Ze zegt expres niets, wacht af wat hij zal zeggen.

De rechercheur zakt wat moedeloos ineen in zijn stoel en laat zijn hoofd zakken. 'Het leek zo makkelijk. Te makkelijk. Daar lag zomaar een kunstwerk in de keuken. Ik had het bijbehorende kaartje in de galerie zien hangen. Vijfentwintighonderd euro, Nel, voor een foto. Daarmee zou mijn schuld van de vakantie in één keer opgelost zijn. Ton heeft me al voor stom rund uitgemaakt; hij vroeg het me tussen de middag op de man af en ik kon niet liegen.'

'Ik had al zo'n vermoeden,' zegt ze. 'Dat ging gepaard met een klap, zo te zien.'

'Een rake rechtse. Het spijt me. Meer dan ik je kan zeggen. Ik zal mijn ontslagbrief zo snel mogelijk op je bureau leggen.'

Ze hoeft niks te zeggen. Hij snapt zelf wel dat hij de fout van zijn leven heeft gemaakt. Hij staat op. Alle bravoure verdwenen, zijn ogen dof. Hij lijkt ineens ouder dan de achtenveertig jaren die hij telt. Zijn zwarte haardos grijzer van kleur, de rimpels in zijn voorhoofd dieper.

'Ik rekende op de jaarlijkse bijdrage van mijn moeder. Ironisch genoeg geeft ze de volle tienduizend aan de kankerbestrijding.'

Ironisch is dat zeker, gezien het feit dat Hans vrouw Marian borstkanker heeft gehad.

'Mooi hè, die goede doelen?' zegt Simmelinck zuchtend. 'Je kunt ze zelfs opnemen in je nalatenschap, heb je die reclame wel eens gehoord? Moeten ze vooral mee doorgaan. Maar ja. Het is haar goed recht om haar geld te geven aan wie ze maar wil. Ik ben gewoon stom geweest om geld uit te geven dat ik nog niet heb.'

Wat moet ze doen? Er wordt altijd van alle kanten van haar verwacht dat ze beslissingen neemt, actie onderneemt, de juiste dingen zegt. Maar nu weet ze het niet meer. Moet ze haar gevoel volgen en Han in haar team houden? Of moet ze de regels volgen.

'Waar heb je het kunstwerk nu?'

'In mijn auto.'

'Wat een geweldig moment voor een individuele actie, Han.' Aan zijn gezicht ziet ze dat haar opmerking sarcastisch genoeg klinkt. 'Ik schors je voorlopig en ga diep nadenken wat ik hiermee doe. Praat er voorlopig verder met niemand over en al helemaal niet met Markant. Die schopt je met het grootste plezier acuut de deur uit. Vooral met de nodige bezuinigingen in het vooruitzicht past hem dat waarschijnlijk uitermate goed. Het lijkt me niet wenselijk je als collega te moeten missen, maar ik weet niet of ik eronderuit kom om je te laten gaan. Ik bel je later vandaag of uiterlijk morgenvroeg, en dan kun je me hopelijk vertellen hoe je je privéleven op orde wilt krijgen zonder dit soort malafide praktijken. Ik neem aan dat dit je eerste poging was om op een dergelijke manier je financiële problemen op te lossen?'

Han Simmelinck knikt.

Ze staat op en loopt naar haar eigen kantoor.

'Laat me dan nu maar alleen. O ja, en leg het kunstwerk in mijn auto. Heb je het een beetje christelijk verpakt?'

Hij knikt.

Ze pakt haar autosleutels van haar bureau, gooit ze hem toe en kijkt hem niet na. Ze hoort de deur achter hem dichtgaan.

Buiten in de tuin ziet ze de bladeren van de dikke beuk glimmen in de zon. Twee felgekleurde vogeltjes zijn druk bezig van en naar hun nest te vliegen. Haar vader zou de naam wel geweten hebben. Hij was bioloog. Liever gefascineerd door dieren dan geïrriteerd door mensen, zei haar moeder. Behalve lieve mensen, dan, voegde hij er zelf aan toe. Dan gaf hij haar moeder een zoen. En zij lachte.

'Kan ik eerder weg, vanmiddag?' Wagener haalt haar uit haar dagdroom. Ze heeft de deur niet eens gehoord. 'Mijn moeder heeft gebeld.'

'Ga dan maar meteen,' antwoordt ze, lichtelijk geïrriteerd. 'Ik red me de rest van de dag wel. Lukt het je wel om thuis de rapporten uit te werken? Markant wil ze per se vanavond in zijn e-mail.'

Wagener knikt. 'Ik neem mijn laptop mee.'

Simmelinck brengt haar de sleutels terug en mompelt gedag.

Wagener kijkt hem verbaasd na. Ze praat hem kort bij over hun collega, met het verzoek om geheimhouding daarover en de verdwijning van de foto op een andere manier alvast op te lossen in het rapport. 'Schrijf maar op dat we het kunstwerk later alsnog hebben gevonden in Hausers atelier, waar het lag om een beschadiging te repareren,' oppert ze. 'Of, als je nog iets beters weet? Laat in ieder geval Peters' bekentenis van gistermiddag hierover in het rapport weg.'

Wageners stem hapert. 'Dat is toch niet volgens de regels? Als dat uitkomt hangen jullie allebei!'

Ze twijfelt, omdat hij gelijk heeft. Maar dat duurt niet lang. Ze recht haar schouders. 'Ik maak mijn beslissingen in het belang van mensen, niet in het belang van iets wat ooit opgeschreven is. Als ik het maar voor mezelf kan verantwoorden.'

Hij knikt, twijfelend.

'Ga nu maar,' zegt ze ongeduldig. 'Ik zie je morgenvroeg.'

Wagener verlaat het kantoor teleurgesteld, ze ziet het aan zijn gezicht voor hij de deur achter zich sluit. Ze kan er niets aan doen, ze moest moeite doen om haar geïrriteerdheid niet al te zeer te laten merken en ze kijkt hem met gemengde gevoelens na. Ze begrijpt zijn wens om te gaan, hij is bang dat zijn moeder zichzelf iets aandoet. Maar aan de andere kant, dat probleem zal zich voordoen zo lang de vrouw leeft, en Ferry kan er niet op elk moment tussenuit glippen. Ze had geen zin erop in te gaan, maar het moet niet gekker worden. Simmelinck ook al weg.

Zo langzamerhand krijgt ze een onbestemd gevoel bij deze zaak. Alsof er straks iets onherstelbaars fout zou kunnen gaan.

Cornelissen steekt zijn hoofd om de deur en ziet dat ze alleen is. Hij komt haar kantoor binnen. 'Wat een klotezooi, met Han, ongelofelijk.'

'Zeg dat wel.'

'Wat ga je doen?' Hij valt neer op een stoel bij haar bureau.

'Het was duidelijk dat het hem vanaf het eerste moment niet lekker zat en ik wil hem liever niet kwijt. Wat vind jij?'

De rechercheur schudt zijn hoofd. 'Ik voel me bedonderd. Ik dacht dat ik hem kon vertrouwen. Op dit moment neig ik ernaar om die job bij de TR aan te pakken. Simon Jolink is een goede collega.'

'Jij hele dagen met je neus in die onderzoeken? Binnen een week ren je gillend de straat weer op.'

Haar collega gromt iets onverstaanbaars, wat erop lijkt dat hij dat ook wel weet. Het is even stil. 'Han is verdomme mijn partner, wij gaan al tien jaar lang samen op pad, hij heeft mijn leven gered, toen bij die klus in Doetinchem. Weet je nog?'

Ze hoort emotie in Cornelissens stem. Logisch.

'Met die tbs'er uit de PVI,' zegt ze.

Cornelissen knikt. Hij wrijft langs zijn hoofd. Aan de zijkant, bij zijn rechterslaap, is een klein stukje zichtbaar van het litteken.

Hij heeft mazzel gehad. Ja, natuurlijk herinnert ze zich dat nog. Ze was zelf tien minuten later ter plaatse, tegelijk met de ambulance. Ze herinnert zich het doodsbleke hoofd van de normaal zo stoere Cornelissen. Simmelinck zat naast hem en hield een handdoek tegen zijn hoofd. Het was een dikke handdoek, maar het bloed kwam erdoorheen. Als hij er niet zo naar bij had gekeken was ze in lachen uitgebarsten bij de aanblik van de twee, zo innig naast elkaar. Een gedetineerde van de PVI was die ochtend ontsnapt. Er werd onmiddellijk groot alarm geslagen en een beroep gedaan op elke politiebeambte die zich kon vrijmaken. De man zat vast voor verkrachting en moord. Meervoudige. Binnen een straal van dertig kilometer werd een groot-schalige zoekactie op touw gezet. Cornelissen en Simmelinck klopten aan bij een boerderij, op nog geen tweehonderd meter van de inrichting. Een vrouw van rond de vijftig was achter op de deel aan het werk. Ze had niets gezien, maar had wel haar dochter een uur geleden terug verwacht. Met hun pistool strak voor zich uit doorzochten ze geconcentreerd en voorzichtig het huis, daarna de schuren. 'Het stonk als een gierput in die stal,' zei Cornelissen. Die opmerking staat haar nog het beste bij. Hij zag alleen het meisje toen hij in een van de hokken keek. Niet ouder dan veertien kan ze geweest zijn, verklaarde Cornelissen later. Ze lag op een laag stront, waardoor hij vaag iets van stro had gezien, het onderlijf ontbloot en smerig, met een blik van totale paniek op haar behuilde gezicht. Hij was afgeleid, ver-moedde hij achteraf, door de blik in de ogen van het meisje, en hij lette een moment niet op. Het ging allemaal heel snel. Voor Cornelissen het in de gaten had, werd hij van achteren gegrepen en zette de man een oud, verroest slagersmes op zijn keel. Vrij-wel onmiddellijk klonk het schot. Simmelinck joeg de man, zonder een moment van twijfel, gericht een kogel door het hoofd; de enige plek waar hij op kon richten zonder gevaar dat hij zijn collega zou raken, verklaarde Simmelinck in het rap-port. Toen de man in elkaar zakte, sneed het mes langs Corne-lissens hoofd. Hij had geluk dat het mes rakelings langs zijn oor ging, maar vanaf zijn slaap gaapte een grote wond, bijna tot aan zijn nek.

'Als hij de man eerst had gewaarschuwd, zoals het officieel hoort,' zegt Cornelissen, 'had ik hier vandaag niet gezeten. Dan had hij me de strot doorgesneden. Die psychopaat had niets te verliezen.' Cornelissen wordt opnieuw bleek bij de herinnering.

'Dus wat doen we?' vraagt ze.

'Wat vind jij?'

'Even flink laten zweten en dan nooit meer over praten. Met niemand.'

De rechercheur knikt. Zwijgend zitten ze tegenover elkaar.

Dan schiet Cornelissen iets te binnen. Hij haalt wat verfrommelde papieren uit zijn overhemd. 'Daarvoor kwam ik hier. Bevindingen van onze techneuten in Doetinchem. Ze belden net. Wat informatie over telefoontjes van Peters en zo. En Lucienne Vos, die heeft vrijdagmiddag gebeld met Marc Eggelink.'

'Aha, dat is interessant. Die zien we morgenvroeg. Benieuwd waar dat telefoontje over ging.'

'Het tweede mobiele nummer dat ze gebeld heeft staat op naam van een bedrijf; in Groenlo. We zoeken nog naar de eigenaar, we krijgen nog steeds geen contact. En ik heb met Wagener de boekhouding doorlopen, niets bijzonders gevonden, ook geen bonnetjes van verkopen van die werkjes van Lucienne Vos, dat wilde je toch weten?'

Ze knikt.

Het is kwart over twee. Ze hoort een bekende stem in de gang. Daan Westerhuis. Het verbaast haar eigenlijk dat de jongeman is komen opdagen, en nog wel op tijd. 'Daar zul je een ander groot licht hebben,' verzucht ze in zichzelf. 'Waarom doe ik dit eigenlijk?'

31

Ze wil de deur van verhoor één net opendoen als ze stemmen hoort in de kamer. Luide mannenstemmen, die door elkaar heen praten. Schreeuwen zelfs. Intuïtief drukt ze haar rug tegen de muur, weg van de deur. De woorden veranderen in doffe klappen, alsof iemand met kracht dwars door een van de gehorige tussenwandjes wordt geduwd. Wagener is daarbinnen, realiseert ze zich ineens, samen met Westerhuis. Haar hart bonst hoog in haar keel. Ze hoort gekreun. In een automatisch, geoefend gebaar trekt ze haar Walther P5 uit de houder en opent tegelijkertijd met haar andere hand de deur.

Wagener staat voorovergebogen bij het lichaam van Daan Westerhuis, half liggend, half zittend, onbeweeglijk tegen de muur in elkaar gezakt. Een moment vreest ze voor het leven van Westerhuis, ziet ze hem levenloos op de grond liggen, met daardoorheen in een flits beelden waarin ze zichzelf parkeerbonnen ziet uitdelen. Ze knielt bij Westerhuis op de grond en legt twee vingers in zijn nek. Zijn hart klopt. Vervolgens checkt ze de zakken van zijn jas en broek op wapens. Behalve een pakje shag en een portemonnee heeft hij niets bij zich. Hij kreunt, houdt zijn handen op zijn maagstreek en komt iets overeind. Ze stopt haar wapen weg.

Wagener hijgt na, ook met een van pijn vertrokken gezicht.

'Ik dacht dat jij naar je ouders zou gaan,' zegt ze tegen haar assistent. Haar stem klinkt afgemeten. 'Wat denk je hier in godsnaam mee te bereiken?'

Westerhuis glimlacht met een van pijn vertrokken mond. Uit zijn onderlip sijpelt een druppel bloed. 'Die paar klappen had ik verdiend,' zegt hij, met een hatelijke blik naar zijn sterkere tegenstander. Hij staat op, zet een omgevallen stoel rechtop, gaat zitten en veegt de mouw van zijn spijkerjasje langs zijn mond. 'Wat wilt u van mij?'

Ze gaat tegenover hem zitten. 'Wagener, als jij eens een glas water en een doekje voor meneer Westerhuis regelt.'

Met een schuldige blik in zijn ogen verdwijnt haar assistent. Het geluid van zijn knakkende vingers verdwijnt met hem.

'Dit is niet onze normale manier van omgaan met getuigen of verdachten, ik hoop dat u mij gelooft,' excuseert ze zich tegenover Westerhuis. Die is niet onder de indruk.

'Ik laat hem nog wel eens zien wie echt de sterkste is, dat beloof ik.'

'Dat zou ik u niet adviseren. Ik zal Wagener zelf wel onder handen nemen. Wat ik van u wil, is de waarheid omtrent uw aanwezigheid bij de galerie in de nacht van afgelopen zaterdag op zondag. We hebben een getuige die u daar gesignaleerd heeft.'

Wagener brengt water en enkele papieren handdoekjes. Hij blijft onhandig bij het bureau hangen en ze bonjourt hem de deur uit. 'Je kunt aan de andere kant van de deur de wacht houden.'

Het lijkt haar niet wenselijk om die twee samen in één ruimte te hebben als het niet absoluut noodzakelijk is, maar om iemand in de buurt te hebben als ze met Westerhuis praat lijkt haar ook geen overbodige luxe. Haar assistent laat de deur op een kier, zodat hij kan meeluisteren. Ze knikt hem even toe terwijl Westerhuis zijn shag tevoorschijn haalt. Ze checkt de ietwat ouderwetse, maar degelijke opnameapparatuur, die, met video en al, standaard geïnstalleerd is in deze verhoorkamer, en zet de taperecorder aan. 'Ik luister.'

Westerhuis draait bedachtzaam een zware Javaanse Jongen. 'Ik heb 's nachts in Doetinchem een beetje trammelant zitten schoppen. Verbaast me dat u het nog niet weet, jullie zijn toch zo van de communicatie en zo? Ik was om een uurtje of drie, half vier hier op de markt, daar heb ik met twee maten van me een laatste blikje pils leeg gezopen, een jointje gerookt en daarna ben ik mijn nest in gevallen. Ik ben langs de galerie gekomen, ja, maar dat is alles. Langsgekomen. Mijn vriendin Anita kan getuigen, die is er de hele tijd bij geweest. Een meid met ballen, ze heeft zelfs meegevochten.'

'Waar ging die ruzie over?'

'Gebruikelijke shit. Er waren een paar kampers die moeilijk deden. Anderen pikken dat. Wij niet. Net zo min als ik die klap van die homo hier bij de deur pik.' Hij springt op uit zijn stoel, maar ze pakt hem bij zijn arm en kijkt hem dwingend aan.

'Ik kan u ook hier laten overnachten.'

'Waarvoor?'

'Belediging van een ambtenaar in functie, uitlokking van een strafbaar feit, in dit geval een vechtpartij, keuze genoeg, maakt u zich daar geen zorgen over.'

Ze ziet aan zijn gezicht dat hij haar ertoe in staat acht. Hij laat zich langzaam in zijn stoel zakken. Ze voelt zijn woede. Tegen Wagener? Tegen haar, zijn ouders, de hele wereld?

'Hoe zit het met vroegere akkefietjes? Daar heeft u ons niets over verteld.'

'U heeft er niet naar gevraagd. Stelde op zich ook niet veel voor, toch? Ik ben een paar keer op visite geweest op het bureau, in Doetinchem en in Arnhem, voor een grammetje coke, een gejatte fiets, een paar keer knokken, dat is alles.'

'En mishandeling?'

'Mishandeling?'

'Van Vera Boschker bijvoorbeeld?'

'Die meid daagde me uit, heel vreselijk, wat een spook. Ik heb haar een paar tikken gegeven, ja. Maar ze maakte het veel erger dan het was, de zaak is trouwens ook afgeblazen.'

'Dat zullen we checken. Hoe zit het met Lucienne Vos?'

'Ze lustte me niet. Ik was kwaad. Ja. Maar omleggen is iets anders. Ik zit niet te wachten op meer overnachtingen in die vijfsterrenkamers van jullie.'

Ze observeert Westerhuis. Als ze op haar gevoel vertrouwt vertelt hij de waarheid, ondanks zijn stoere taal, en ze laat hem gaan. Voorlopig. Met het dringende verzoek, nee geen verzoek, een eis, om zich de komende dagen beschikbaar te houden voor nader verhoor. 'En laat je mobiel aan staan.'

Wagener wacht voor de deur. De twee vechters kijken elkaar ijzig aan, geen van beide mannen slaat de ogen neer, maar ze wisselen geen woord en Westerhuis verlaat het bureau zonder verdere problemen. Ongewild slaakt ze een zucht van verlichting. Dit had ook anders af kunnen lopen. De jonge agent bij de balie zegt Westerhuis beleefd gedag. Eigenlijk had ze die moeten instrueren van tevoren; alleen met Wagener liep ze in feite te veel risico tijdens de aanwezigheid van Westerhuis.

Ze geeft Wagener een lesje dat hij al begrijpt voordat ze van wal steekt, maar ze wil het gezegd hebben. Dat dit niet kan, en dat een herhaling ervan onherroepelijk consequenties zal hebben.

Wagener toont berouw. '*I'm sorry*. Hij haalde echt het bloed onder mijn nagels vandaan, zo smerig, en zo ineens gingen we op de vuist en ging mijn elleboog als vanzelf in zijn maag.'

'De manier waarop je je frustraties afreageert, is absoluut onaanvaardbaar, ik hoop dat je dat inziet.'

'Ga je me schorsen?'

Ze denkt aan Simmelincks situatie, waarbij Wagener vroeg of ze de regels niet moest volgen. 'Als ik me aan de regels zou houden, ja, zeker.'

Hij begrijpt haar hint, te zien aan zijn schuldige blik.

'Alleen, daar heb ik niet genoeg mensen voor. Simmelinck is

ook al weg, als we zo doorgaan kan ik het team wel opdoeken. Waar ging dat nou eigenlijk over, dat met die Westerhuis?'

'Hij maakte een of andere opmerking dat Lidia zo lekker neukte, met die grijns van hem erbij, ik flipte... ik weet dat Lidia nu nog steeds vreselijk de schurft aan hem heeft, dus als dat echt waar is, zal ik hem alsnog te pakken nemen. Uiteraard volgens de regels, gewoon, aangifte doen, schriftelijk. Of is dit inmiddels verjaard?'

'Als je dat nu eens gaat uitzoeken, zodra je alle rapporten hebt uitgewerkt? Laat je uitbarsting van daarnet er dan ook maar uit, denk ik. Ik weet, het is niet volgens de regels, maar het lijkt me wel beter.'

Wagener protesteert niet.

'Ik zie alles graag vanavond in mijn mailbox, akkoord?' Ze zucht diep. 'We maken er wel een puinhoop van zo.'

Wagener tikt aan zijn zogenaamde hoed. *'Message understood,'* zegt hij, terwijl hij er passend rechtop in de houding bij gaat staan. Hij doet de deur open om te vertrekken, draait zich om. 'Bedankt chef, het zal niet weer gebeuren.'

'Dat lijkt mij ook,' knikt ze.

32

Ze draait rondjes op haar bureaustoel. Langzaam. Peters heeft gelijk. Ze zou iets aan de muren moeten hangen, deze ruimte is saai, doods. Ze neemt zich voor Jaap te vragen om een paar van zijn landschapsfoto's uit te vergroten. Dat ze daar niet eerder op is gekomen. Ze peinst. Over de ouders van Lucienne Vos. Ze wil de moeder alleen spreken. Die weet meer over Lucienne dan ze losliet, daar is ze van overtuigd. Ze ziet de foto's van Jaap in haar gedachten aan de muur hangen. Ze houdt van zijn detailopnamen in de natuur. Een stuk afval drijvend op het water, oude, grijze sneeuw die half gesmolten is. Zo gedetailleerd dat het onherkenbaar wordt. Dat geeft ruimte aan de fantasie, je kunt je eigen keuze maken over de interpretatie. Een vriend, tevens galeriehouder, heeft hem al een paar keer gevraagd of hij wil exposeren. Jaap was vereerd met de uitnodiging, maar hij vond zichzelf steeds niet goed genoeg. Met zijn meest recente werk is hij meer tevreden. 'Het begint erop te lijken,' zei hij, toch nog onzeker. 'Hopelijk ben ik niet de enige die dat vindt.' Zij vond het prachtig. 'Dat is dan alvast eentje,' zei hij, opgelucht. Jaap. Ze glimlacht. Hopelijk vergeet hij niet de fokker te bellen hoe laat hij morgen de pup kan ophalen. Nog een druktemaker erbij. Ze verheugt zich op de harige knuffel.

Er is veel te doen, en liefst zo snel mogelijk. Hoe langer ze wacht, hoe vager de herinneringen. Ze heeft Simmelinck nodig. Ze zal hem vanavond bellen. Nu nog niet, laat hem nog maar een tijdje zweten. Morgenvroeg naar school.

Ze belt het nummer van de familie Vos en krijgt de dochter aan de telefoon.

'Mijn ouders zijn weg, voor de kaarten of zo,' meldt Monique. Ze hoort dat het meisje haar neus snuit.

'Gaat het een beetje?' vraagt ze, terwijl ze tegelijkertijd denkt dat het een stomme vraag is. Maar het meisje lijkt er blij mee, ze begint te praten.

'Weet u,' zegt ze na enige twijfel, 'het is niet eerlijk. Nu willen ze mij van school halen omdat Luus dood is. Ik moet een secretaresseopleiding gaan doen. Dat slaat toch nergens op?'

Ze kan zich enigszins inleven in de gedachtegang van de ouders, maar deze maatregel is wel erg overhaast, het is helemaal niet zeker dat de school er iets mee te maken heeft.

'Monique, luister, misschien kun je je ouders vragen om hun beslissing in ieder geval uit te stellen tot we weten wat er precies gebeurd is. Denk je dat dat zou helpen?'

Het meisje snikt. Ze heeft haar niet horen huilen, maar blijkbaar is ze meer over haar toeren dan ze liet merken. 'Ik zal het proberen. Wilt u anders met ze praten?'

'Dat doe ik. Wanneer verwacht je je ouders thuis?'

'Een uur of vier.'

'Wil je dan aan je moeder vragen of ze mij mobiel wil bellen? Ze heeft mijn kaartje met het nummer erop.'

'Doe ik. Doei!'

Ze hangt op, nadat ze de klik aan de andere kant van de lijn heeft gehoord. Arm schaap, nu enig kind in een gezin dat hopelijk de scherven van het kapotte leven bijeen kan rapen en zichzelf kan herstellen.

Ze heeft zelf altijd een groot gezin gewenst. Als ze vroeger bij haar vriendin thuis op de boerderij kwam mocht ze mee-eten, en als ze dan met alle broers en zussen aan tafel zaten, genoot ze van de drukke gezelligheid. Als ze daarna thuiskwam overviel de stilte haar. Dan voelde ze zich soms plotseling eenzaam.

Zoals nu.

Cornelissen is, tevreden handenwrijvend, vertrokken om Alex Hausers handel en wandel bij familie en vrienden te checken. Van der Haar is direct na hun teambespreking vertrokken naar een volgende klus. Zijn taak hier zit er hoogst waarschijnlijk op, of ze moeten onverhoopt nog met nieuw bewijsmateriaal op de proppen komen dat onderzocht moet worden. Simmelinck en Wagener zijn druk met hun privébesognes. De enige aanwezige in het politiebureau – naast haar eigen persoon – is Joop Gillisen, een jonge agent van de geüniformeerde politie, die aan de balie zit. Ze ziet slechts een smalle, langwerpige streep van hem, door een kier van de deur naar de gang. Hij telefoneert, vaag te horen, met iemand die blijkbaar een lang verhaal te vertellen heeft. De agent kijkt erg verveeld en probeert continu om iets te zeggen, wat hem niet lukt.

Het gevoel van eenzaamheid heeft echter niet te maken met mensen om zich heen. Het kan haar zelfs ineens overkomen als ze in een drukke winkelstraat loopt. Of tijdens een gezellig etentje met vrienden. Het is een gevoel dat hard bij haar binnenkomt, een zeurende, zware bonk, die in haar maag of in haar borst gaat zitten, het ontspannen ademhalen belemmert en die haar de keel dichtsnoert, zodat ze niks meer zegt uit angst dat er geen woorden komen. Volgens Simone heeft het te maken met haar eerste levensjaren, die ze in een kindertehuis doorbracht, zonder moederliefde. Zonder überhaupt enige vorm van liefde.

Liefde. Het gemis ervan. Een van de meest voorkomende motieven voor moord.

Zou het passen in deze zaak?

Ze peinst. Over Eggelink en zijn relatie met Lucienne. Als er een relatie bestond, en hij wilde die beëindigen? Misschien dreigde Lucienne alles aan zijn vrouw te vertellen. Zou hij dan in staat zijn tot moord? Als ze Hausers verhaal mag geloven kan hij raar reageren. Ze zou die man thuis met zijn gezin willen meemaken. Wat voor vrouw heeft hij? En Alex Hauser, wat verbergt die? Ze had het gevoel, tijdens hun gesprek, dat er iets scheef zat in de relatie met zijn ouders. Misschien komt Ton ergens mee op de proppen. Een verknipte jeugd? Alsof dat een excuus is voor misdaad. Zou Eggelink over coke beschikken? Ach ja, waarom niet, die zal vast wel eens iets van een leerling in beslag nemen.

Zijdelings leest ze de papieren van de TR, die Cornelissen op haar bureau heeft gelegd en ze besluit eerst Maarten Peters met een nieuw bezoek te verrassen. Ze kan beter iets gaan doen in plaats van te zitten filosoferen. Bovendien heeft hij haar het een en ander uit te leggen. Net als ze wil opstaan klinkt haar mobiel. Een onbekend 06-nummer.

'Nelleke de Winter.' Ze hoort geruis aan de andere kant van de lijn, maar geen stem. 'Hallo?'

Niets.

'Als dit uw manier van vermaak is, dan heb ik medelijden met u,' zegt ze en wil ophangen. Voor ze de verbinding verbreekt hoort ze nog net enkele woorden. Ze klinken als 'ik weet waar...' maar ze kan de rest niet goed verstaan en heeft spijt dat ze niet iets meer geduld had. 'U woont?' Is dat wat ze miste? Ze wil het nummer terugbellen, maar dan klinkt opnieuw het geluid van telefoongerinkel. Ze moest het apparaat opnieuw instellen, omdat Anouk de geluiden gisteravond weer eens heeft gemoderniseerd, zoals ze het zelf noemt, en dat houdt in dat zij zich vervolgens wezenloos schrikt als ze gebeld wordt. Het geluid van ouderwets telefoongerinkel op haar mobiel vond ze vanmorgen wel grappig. Minder storend zelfs dan het salsamuziekje.

Het is een ander mobiel nummer, ziet ze op de display. 'Inspecteur De Winter.' Ze hoort geruis op de achtergrond. Geen stem. Ze wil ophangen, als ze ineens een vrouwenstem zacht, haperend hoort praten.

'U spreekt met Janine Hubers. Uw collega heeft mij uw

nummer gegeven en geëist dat ik u zou bellen. En wel nu onmiddellijk, zei hij erbij.'

Gelukkig. Een gewone stem. 'Fijn dat je je meldt, Janine. Ik wilde je inderdaad graag spreken, omdat je vorig jaar aangifte hebt gedaan van mishandeling door Alex Hauser, klopt dat?'

'Ja. Ik moest meteen aan hem denken toen ik hoorde dat Lucienne dood was,' zegt Janine. 'Daarom heb ik gisteren ook gebeld.'

Ze hoort twijfel in de stem van het meisje. Janine heeft gisteren gebeld? 'Jij was de anonieme beller,' concludeert ze.

'Min of meer. Ik durfde niet zelf te bellen, maar mijn vriendin vond dat ik iets moest doen en zij heeft gebeld, met haar eigen mobiel.'

'Ben je nog steeds bang voor hem?'

'Alex heeft mij een paar klappen verkocht, toen ik niet wilde poseren zoals hij dat wilde. Hij stond stijf van de coke. Sindsdien ontwijk ik hem zo veel mogelijk. We zitten in dezelfde klas, maar we hoeven gelukkig niet veel meer op school te zijn. Ik hoor echter nog steeds verhalen over drugsgebruik in zijn atelier. In ieder geval, ik vertrouw hem voor geen meter.' Janines stem klinkt iets zelfverzekerder maar nog steeds erg zacht. Ze moet moeite doen om haar te verstaan. 'Lucienne stond ook model voor hem, daarom moest ik aan hem denken, begrijpt u.'

'Wanneer heb je Lucienne voor het laatst gesproken?'

'Iets meer dan een week geleden, op vrijdagavond. We kwamen elkaar tegen bij 't Doktertje, u weet wel, en toen hebben we het er een tijdje over gehad. Gewoon, beetje zitten ouwehoeren onder het dansen.'

'Janine, kun je hier op het bureau komen om je verhaal te vertellen?'

'Dat is een beetje moeilijk, want ik lig in het ziekenhuis.'

'Waar?'

'In Nijmegen.'

'Is het ernstig?' Ze hoort gekraak, een stem op de achtergrond, die van Janine er onverstaanbaar tussendoor.

'Wacht even, ik...' De stem klinkt harder, helaas kan ze er geen zinnig woord van verstaan. Ze hoort alleen Janine 'laat me met rust' zeggen, of iets wat erop lijkt.

'Mevrouw?'

'Ja, ik wacht.'

Het duurt even, en dan klinkt de stem van de jonge vrouw opnieuw, ineens zenuwachtig. 'Ik moet ophangen, ik, eh... ik heb bezoek.'

'Nog een paar vragen dan, Janine,' zegt ze. 'Heb jij ook les van Eggelink?'

'Eggelink? Dat is een rare vogel, die spoort niet. Geeft iedereen die hem niet mag zomaar een onvoldoende of stuurt je van school af. Lucienne had vorige week een gesprek bij hem en kwam huilend zijn klas uit, echt waar. Een vreselijke lul, die moet nodig opzouten bij die school.'

Ze hoort gelach op de achtergrond. 'Had Lucienne iets met Eggelink?'

'Dat weet ik niet, echt niet. Ik moet ophangen, het spijt me.'

'Waarom ben je nog steeds bang voor Hauser? Bedreigt hij je?'

'Het spijt me, ik moet ophangen.'

'Wacht, wacht, nog één vraag, asjeblieft, Janine. Jij hebt mij toch niet net ook geprobeerd te bellen, met een ander mobieltje?'

'Nee.'

De verbinding wordt verbroken.

Ze belt Cornelissen en legt uit dat Janine Hubers de anonieme beller is geweest; althans, haar vriendin. Daar was haar collega inmiddels ook net achtergekomen, meldt hij.

Ze vertelt haar collega over haar gesprek met Janine Hubers en dat ze zich zorgen maakt over het meisje. 'Ton, wil jij naar Nijmegen gaan en kijken wat er aan de hand is?'

'Dat is goed. Ik heb net een paar vrienden van Hauser getroffen in zijn woning. Ze weten allemaal van de drugs, maar niemand die ook maar iets zinnigs te melden had. Ik ben bij zijn ouders langs geweest, maar daar was geen hond thuis.'

Ze vraagt zich af of Janine niet meer kwijt wilde. Na die kleine pauze in hun gesprek was ze ineens anders. Zenuwachtig, gehaast. Er was iemand bij haar, belette die haar om verder te praten over Alex Hauser?

Ze kijkt naar haar telefoon, haalt het nummer terug dat voor Janine op haar scherm stond. Aarzelend drukt ze op de terugbeltoets. De telefoon gaat over. Driemaal. Viermaal. Dan krijgt ze de voicemail, die alleen de verbinding met het nummer herhaalt, geen naam. Ze stuurt het nummer via de e-mail naar de Technische Recherche in Doetinchem met het verzoek om de bijbehorende gegevens. Na een korte aarzeling stuurt ze dezelfde mail ook naar het bureau in Utrecht, ter attentie van Annemieke, de secretaresse van Nummerdor. Die weet wel wat ze ermee moet.

33

Terwijl ze voor de tweede keer naar de sierlijke letters van The Arthouse kijkt, vraagt ze zich af of ze hier voor het pand van een moordenaar staat. Misschien heeft Wagener gelijk en is ze niet objectief genoeg als het om de galeriehouder gaat. Ze is gecharmeerd van de grijze, aimabele man die zo geanimeerd kan vertellen over de hedendaagse kunst en de makers ervan. En met wie ze zich een moment verbonden voelde. Dat lijkt inmiddels lang geleden.

Ze heeft het kunstwerk, in karton verpakt, in een stoffen tas van Panama Jacks onder haar arm. De galerie is open.

'Welkom, welkom,' nodigt Peters haar met een breed armgebaar. Naast hem staat een man in een zwartgrijs gestreept pak. Het zou chic moeten zijn, maar daarvoor is het te oud, ze schat een model uit de jaren tachtig; een tweeknoops sluiting met lange revers. Ze vindt dat de combinatie van het pak met de zwarte, dunne coltrui eronder de man een artistieke uitstraling geeft. Misschien komt het ook door zijn breedgerande zwarte, rechthoekige bril, die juist erg modern is. Een kunstenaar, wellicht, die gaat exposeren in The Arthouse. De mannen schudden elkaar de hand en nemen afscheid. In het Duits. Dan is de oldtimer met het Duitse kenteken op de parkeerplaats vast van hem. De man knikt haar vriendelijk toe en verlaat de galerie.

Peters geeft haar een hand, waarbij hij zijn andere hand in een warm gebaar over de hare heen legt en haar belangstellend aankijkt. Hij zegt er niets bij, maar het is een bijzondere ontvangst, alsof hij een vriend is. 'Een beeldend kunstenaar uit Bocholt,' verklaart hij zijn bezoek.

'Het grensoverschrijdende project?' vraagt ze.

'Klopt.' Ze lopen naar de tafel in de hoek van de galerie en hij nodigt haar uit om te gaan zitten. 'Een inspirerend gesprek. We gaan in de regio tussen Lichtenvoorde en Bocholt een twintigtal kunstenaars en galeries uitnodigen om hun werk uit te wisselen. Na de expositie van Hauser, die loopt tot midden juli, gaan we starten.'

'Ook in Duitsland dus?'

Peters knikt. 'In het kunsthuis. Bocholt heeft een prachtig kunsthuis, wist u dat?'

Ze schudt haar hoofd.

'Een villa in neorenaissance stijl, vlak bij het centrum, tegenover het stadsmuseum. Als u in Bocholt gaat winkelen moet u er echt eens gaan kijken. Ze hebben er regelmatig interessante exposities. De man die hier net was, Viktor Grossmann, exposeert er op dit moment en hij heeft een galerie in Rhede, vlak bij Bocholt. We gaan het project samen vormgeven. In het kunsthuis exposeren al regelmatig kunstenaars hier uit de regio, maar we willen graag een synergie-effect bereiken, zodat kunstenaars uit beide steden en omgeving ervan profiteren. En we willen 'de gewone man' de galerie in krijgen. Kunst moet overal gaan leven en iedereen moet het kunnen kopen, dat is ons ultieme doel. Zonder Het Kruidvat erbij te betrekken, uiteraard,' besluit hij lachend.

'Daar wordt toch in onze omgeving vrij veel aan gedaan. Kunstroutes voor fietsers in de zomer, beeldentuinen, dat soort dingen.'

'Dat is waar. Maar het groepje mensen dat daadwerkelijk iets in huis haalt, is helaas nog steeds klein.'

'De prijzen te hoog?'

'Veel werken zijn goed betaalbaar,' vindt Peters. 'Of mensen kunnen meedoen aan de kunstuitleen. Zeer betaalbaar en regelmatig iets nieuws in huis.'

'Ik ben benieuwd. Maar goed, meneer Peters. Ik heb nog wat vragen in verband met de moord.' Om de ernst van haar bezoek te onderstrepen, haalt ze haar recordertje voor de dag.

'Dat begrijp ik,' zegt hij. 'Ik weet dat het nog erg vroeg is volgens de mensheid om nu al aan wijn te denken, laat staan een glas te drinken, maar ik heb zowaar vanmiddag een kunstwerk verkocht, dus ik heb net de zegel van een overheerlijke Chianti Classico verbroken en de fles ontkurkt. Er gaat niets boven een smakelijke wijn in een fles met ouderwetse kurk. Misschien hang ik te veel aan sentimentele tradities. Doet u een glaasje mee? Mijn Duitse collega wilde niet omdat hij nog moet rijden.'

'Dat geldt voor mij ook. Dus nee, dank u.' Ze schudt haar hoofd met tegenzin, want ze zou de smaak van een goed glas rode wijn op dit moment best kunnen appreciëren. En vooral een Italiaanse Chianti. Maar ze moet haar geest helder houden, later vanavond haar favoriete Offley-port met Jaap is trouwens een aantrekkelijker beeld, hoe charmant ze de galeriehouder ook vindt.

'Weet u het zeker?'

Ze knikt, vastbesloten, en kijkt rond. 'U heeft toch niet toevallig dat doek verkocht dat boven het slachtoffer hing?'

'Nee. Een ouder werk, een prachtige foto van Violette Cornelissen, uit 1964. Een onbekende, weliswaar, maar onmiskenbaar van haar. Die kwam ik tot mijn stomme verbazing een paar weken geleden in een of ander nietszeggend tweedehandsdingen winkeltje tegen in Amsterdam. Op de kop getikt voor nog geen dertig euro; de eigenaar wist blijkbaar niet wat hij in huis had. Ik mag graag rondsnuffelen in zulke zaakjes, en heel, heel soms, vind je dan iets bijzonders.'

Peters heeft niet stilgezeten. De muren zijn zo goed als leeg, enkele doeken staan tegen de muur en niets wijst er meer op dat hier gisteren een lijk heeft gelegen. De rustige muziek in de galerie weergalmt licht in de lege ruimte, maar geeft er tegelijk een serene stilte aan, alsof ze in een heilige ruimte is.

'Alex Hauser komt morgen zijn expositie inrichten,' verduidelijkt Peters.

'Ik dacht even dat u ermee op zou houden. Meneer Peters…'

'Maarten, alstublieft.'

'Ik houd het graag op meneer Peters. Voor ik het vergeet, hier is het kunstwerk van Alex Hauser dat u miste. Mijn collega's van de Technische Recherche hebben het, samen met enkele andere verdachte voorwerpen, voor onderzoek op het lab gehad. Ze wisten niet dat het zo kostbaar was, anders hadden ze het wel even gemeld.'

Peters accepteert haar uitleg zonder vragen en pakt de tas van haar aan. 'Dat doet me deugd. Ik had al gedacht om u te bellen of u al nieuws had over het werk, maar ik dacht dat u genoeg aan uw hoofd zou hebben. Mijn dank.'

'Geen probleem.'

'Mag ik u uitnodigen voor een hapje eten? Misschien even bij De Brul? Er zijn nog net verse asperges.'

Ze glimlacht. 'Helaas. Ik heb nog veel werk te doen en buiten dat, ik geloof niet dat het verstandig is als ik al te vertrouwelijk met getuigen zou omgaan.'

'Gelukkig noemt u me geen verdachte,' zegt Peters.

'Daar zijn de meningen over verdeeld, mede daarom wil ik nog een aantal dingen weten.'

Hij knikt en schenkt voor zichzelf een glas wijn in. 'Koffie? Iets fris?'

'Een glas water zou fijn zijn.'

Hij haalt een pak Bar-le-Duc en schenkt een glas voor haar in. Hij geeft het haar en heft zijn eigen glas naar haar op. 'Op uw gezondheid dan maar?'

Ze glimlacht. 'Op het leven.' Dan kijkt ze hem serieus aan. 'Meneer Peters, in uw boekhouding zijn geen bewijzen aangetroffen van de verkoop van Luciennes werk.'

De galeriehouder wil net antwoorden, als haar mobiele telefoon rinkelt. 'Sorry,' mompelt ze. Het is Wagener.

'Stoor ik?' vraagt hij.

'Zeg het maar.'

'Ik heb het gevonden. Over Daan Westerhuis, bedoel ik. Een fout in de administratie,' zegt hij. 'Ik heb Rob van de afdeling ICT gebeld. Daan Westerhuis heeft een paar dagen in de *middle of nowhere* gezweefd. Virtueel dan. Hij moest nog overgeschreven worden van Lichtenvoorde naar Arnhem; ze hadden hem wel uit kunnen schrijven, maar door gebrek aan een of andere code had niemand autorisatie om hem in Arnhem in te schrijven. Hij heeft nogal een lijst, trouwens, *impressive*. Drugsbezit, diefstal, een paar vechtpartijen. Maar die aangifte van Vera Boschker is inderdaad geseponeerd, zoals Westerhuis zei. Het bleek dat ze er zelf nogal wat bij verzonnen had, dus wat er nu van waar was en wat niet werd nogal vaag.'

'Mooi. Zet alles maar in het rapport. En Markant wil de informatie op de e-mail, zoals gewoonlijk, dat weet je, hè?'

'Ja. Ga ik doen. Ciao.'

'Ciao? Zit je bij de Italiaan of zo?'

'Nee, maar ik heb net wel een pizza laten bezorgen. Wat wil je, ik heb niet gegeten sinds vanmorgen, dus ik sterf van de honger.'

Ze verbreekt glimlachend de verbinding.

'U heeft geen bewijzen kunnen vinden dat ik werk van Lucienne heb verkocht,' herhaalt Peters.

Ze knikt, wacht op zijn uitleg.

'Lucienne vroeg zo weinig geld,' zegt hij, 'dat ik het zonde vond voor haar om daar ook nog eens btw af te moeten halen. Ik heb die paar tientjes weggelaten uit de boekhouding.' Hij neemt een laatste, grote slok uit het hoge wijnglas, die hij met zichtbaar genot doorslikt. 'Bijzonder goed, ik kan niet anders zeggen. Toch een klein slokje? Ik heb u ook nog iets te melden.'

'En ik wil graag meer van u weten over Alex Hauser. Maar nee, geen wijn, dank u. Voor mij is het nog steeds werktijd.'

Peters loopt weg en komt met een envelop terug. 'Ik eerst dan? Wat denkt u hiervan? Lag op mijn deurmat, vanmorgen. Waarom ze dit bij mij hebben afgeleverd mag joost weten. Uw naam staat erop, dus ik heb de envelop niet opengemaakt.'

'Niet via de post; er zit geen postzegel op de envelop,' constateert ze. Op de envelop leest ze: *aan inspecteur de winter*. De woorden lijkt uitgeknipt uit een krant en de dader heeft blijkbaar geen 'winter' met hoofdletter kunnen vinden. Of vond het niet belangrijk. 'Heeft u een mes, of een schaar?'

Ze scheurt de envelop voorzichtig met een mesje open, om de plakstrook niet aan te hoeven raken, en haalt er een brief uit.

Een tekst in onpersoonlijke, vette letters. Lettertype Arial of familie ervan, in italic. *BEMOEI U ZICH NIET MET ZAKEN DIE U NIET AANGAAT, ANDERS WEET IK U TE VINDEN*, staat erop.

'Geen Neerlandicus,' mompelt ze. Ze vist een plastic zakje uit haar tas en doet de brief met envelop daarin.

Waarom denkt ze nu aan Rotteveel?

Zou het een waarschuwing zijn van hem? Om haar te laten weten dat hij in Lichtenvoorde is en weet waar ze mee bezig is?

'Bent u de enige die de envelop heeft aangeraakt sinds hij in uw bezit is?'

Peters knikt. 'Tja. Zegt u het maar. Maakt u zich zorgen? Of is het een grap van een of andere idioot?'

Haar mobiel rinkelt. Ze kijkt op de display. Utrecht?

'Inspecteur De Winter.'

'Met Annemieke. Nelleke, dat nummer dat je gemaild hebt? Dat is van hem. Lodewijk Rotteveel. Hij zoekt je, moest ik je zeggen van Ruud. Enkele collega's in Arnhem hebben hem aangehouden en dat schijnt hij bij wijze van grap te hebben gezegd. Alleen, volgens Ruud maakt Rotteveel geen grapjes.'

'Nee, dat klopt.'

'Dat hij je nu belt zegt wel genoeg dan, hè? Heeft hij je bedreigd?' vraagt Annemieke.

'Weet ik niet, hij zei niet veel. Zit hij vast?'

'Helaas. Ze hebben hem weer moeten laten gaan, er is geen reden om hem in verzekering te stellen. Maar Ruud was echt bezorgd, Nel. Je moet bewaking regelen voor jezelf. Ik ga je een foto faxen, dan weet je hoe hij er nu uitziet.'

'Ik zorg dat een van de collega's van nu af aan continu bij me is. Zeg hem dat maar. En ik zal oppassen.'

'Ik zal het doorgeven.'

'Goed.'

'Vergeet je niet zijn foto zo snel mogelijk te bekijken? Je kunt die ook vinden via de gebruikelijke digitale weg. Duidelijker dan via de fax.'

'Doe ik.'

Blijkbaar kijkt ze bezorgder dan haar bedoeling is, want Peters vraagt haar of alles in orde is.

'Alles onder controle. Ik moet alleen even bellen.' Ze besluit Simmelinck op te roepen. Ze weet hoe serieus een dergelijk dreigement kan zijn, dus ze kan het niet afdoen met een geintje. Niet meer, niet als hij misschien al in de buurt is.

De rechercheur belooft dat hij zo snel mogelijk bij de galerie zal zijn en dat hij eerst op kantoor zal kijken of er een fax voor haar is. Ze stopt het plastic zakje met Peters' brief en envelop in haar tas. 'We gaan het uitzoeken. Voorlopig maak ik me er niet druk over. Als we al dit soort dingen serieus moeten nemen kunnen we wel inpakken.' Ze neemt een paar slokken water. Ontspant. De boodschap van Annemieke spookt door haar hoofd. 'Meneer Peters, wat weet u van Alex Hauser?'

'Wat wilt u van hem weten?'

'Bijvoorbeeld hoe u hem heeft leren kennen.'

'Tijdens een open dag van de academie, waar ik als gastspreker was uitgenodigd, zag ik een installatie van hem; een animatiefilm in combinatie met foto's, zeer indrukwekkend, niet zozeer om het uiterlijk vertoon, maar om de vernieuwende visie die eruit sprak. U weet ongetwijfeld dat kunst die naam alleen verdient als het gemaakt is vanuit een vernieuwende bezieling, die wij op het eerste gezicht misschien niet eens begrijpen, maar waar je direct een gevoel bij hebt dat het iets te betekenen kan hebben in ons huidige denken of doen. Natuurlijk, je kunt een schilderij zomaar mooi vinden of voor een prachtig vormgegeven stoel vallen. Maar, ook al zijn tienduizend mensen het eens over de schoonheid van een werk, dan betekent dat nog niet automatisch dat het kunst is.'

'Ging uw lezing op de academie daarover?'

Peters vult zijn glas opnieuw en ruikt aan de wijn. 'Ja. En hoe en waarom in de loop van de tijd de visie op kunst is veranderd.' Hij zit op zijn praatstoel en doorloopt hoogtepunten van de kunst in de middeleeuwen, de Renaissance, met natuurlijk Da Vinci en Michelangelo en in ons eigen land Bruegel, en de Barok, met onder anderen Rubens, Rembrandt en Vermeer. De negentiende eeuw, met het impressionisme en Monet en het postimpressionisme met Van Gogh. Peters kan er boeiend over vertellen. Veel ervan is haar bekend. Vaag van vroeger, op school, maar meer dankzij Jaap, die haar de laatste jaren om de haverklap meesleept naar exposities en musea. Met de kinderen, die een cultureel uitstapje vooraf verfoeien en eenmaal ter plekke dolenthousiast zijn. Hoe meer ze ervan weten, hoe leuker ze het gaan vinden. Net als zij.

'Sinds halverwege de negentiende eeuw gaat het niet zozeer meer om de schoonheid op zich, maar om de morele schoonheid. Sinds de jaren zestig van de vorige eeuw is het concept belangrijker dan de vormelijke uitwerking. We praten niet meer over mooie kunst – mooi is toch al zo'n uitgeknepen woord –, de kunst van nu vraagt veel meer van de toeschouwer dan alleen maar iets bekijken en het mooi of niet mooi vinden. Je moet er moeite voor doen, enige kennis voor hebben. Dan pas kun je de betekenis voor jezelf invullen. De kunstenaar wil ook zelf voor de nodige uitleg zorgen en die niet overlaten aan de critici. Hij gebruikt zijn kunst als communicatiemiddel om zijn visie op een bepaald idee uit te drukken. Vooral in zogenaamde installaties, waar Alex Hauser vanaf zijn tweede jaar in de opleiding mee bezig is, wordt de traditionele waarneming doorbroken.'

Maarten Peters neemt een slok wijn, maar neemt amper de tijd om van het rode vocht te genieten. 'Installaties overschrijden de grenzen tussen artistieke disciplines als schilderen en fotograferen, de grenzen tussen kunstwerk en toeschouwer en de grenzen in tijd en ruimte.'

'En zijn als zodanig niet nieuw. Lothar Baumgarten?'

'Daar heeft u gelijk in. Maar zelfs in de tijd van het impressionisme werd het al gedaan. Lothar Baumgarten heeft in de jaren tachtig onder meer *Imago Mundi* gemaakt. Die kent u zeker?'

'Hij had toch iets met kleuren?'

'Een muurinstallatie gebaseerd op de kleurenstaalkaart in cyaan, geel, magenta en zwart van Kodak, een bedrijf dat hij noemt als voorbeeld voor de globalisering, in combinatie met de namen van Europese landen met koloniale expansie. Beetje ingewikkeld, je zou het moeten zien, maar wat hij heeft gedaan is die Kodakkleuren laten veranderen in huidkleuren, en die gaan een dialoog aan met de overheersers. De muurschildering is een doordenkertje, want om de betekenis te doorgronden moet je Baumgartens drijfveren kennen. In ieder geval stelt deze kunstenaar continu vragen, en geeft hij ook antwoorden. En dat is het, volgens mij, waar het in kunst om draait. En wat u, meen ik, ook graag wilt zien in kunst.'

'Dat heeft u goed onthouden. Doet Alex Hauser dat ook?'

'Wel degelijk. Hauser stelt vragen over leven en dood, op een indrukwekkende manier die de hedendaagse kunstwereld op zijn grondvesten zal doen schudden. Ik voorspel een internationale carrière voor hem. En dan komt Nederland weer eens goed op de kaart te staan in de kunst. Dat kunnen we wel gebruiken.'

Peters neemt een slok wijn.

'Zo te horen past bij een kunstenaar die dit soort installaties maakt een bijzondere denkwijze,' zegt ze. 'Geldt dat ook voor Alex Hausers privéleven, vraag ik me af.'

De galeriehouder laat peinzend de wijn in zijn mond rollen en slikt die met zichtbaar genoegen door. 'Of Alex Hauser in staat is tot moord, is uw vraag.'

'Meer dan de gemiddelde mens? In wezen is iedereen in staat tot moord, is mijn overtuiging.'

'Ik durf het u niet te zeggen. Misschien wel, misschien juist niet. Als iemand zijn of haar persoonlijke gevoelens van haat, frustraties of wat dan ook een uitweg geeft, in dit geval via kunst, dan zou je kunnen stellen dat daarmee een daad als moord overbodig wordt. In ieder geval, als u het mij vraagt, Alex Hauser is een buitenbeentje, maar allesbehalve een potentiële moordenaar.' Maarten Peters leunt ontspannen achterover in zijn stoel, voor zover het niet al te comfortabele zitmeubel dat toelaat. 'U moet het in een jaloerse ex-vriend zoeken, daar ben ik van overtuigd. Westerhuis, of die leraar van haar. Eggelink. Ik heb hem even gesproken, tijdens die open dag. Een eng mannetje. En heeft u die vrouw van hem wel eens ontmoet?' Hij neemt een slok wijn en trekt een gezicht alsof er kurk in zit. En dan schrikken ze allebei van het geluid van de deurbel.

34

Peters laat Simmelinck binnen. De twee geven elkaar een hand, Peters glimlachend, haar collega met een strakke blik. De brigadier heeft, ondanks zijn donkere ogen, een open, sprekende blik die zijn stemming feilloos verraadt. Meestal is die vrolijk, maar op dit moment lijkt het alsof hij zijn laatste kruit heeft verschoten.

Simmelinck overhandigt haar een papier. 'Deze is voor jou.' De foto van Lodewijk Rotteveel? Als ze het papier openvouwt, ziet ze echter helemaal geen foto, maar een faxbericht van het lab. Van der Haars naam eronder. Haar ogen vliegen over de tekst. Het zal toch niet waar zijn...

'De fax waar je naar vroeg was er nog niet. Zal nu wel op je bureau liggen, vermoed ik,' zegt Simmelinck.

Ze staat op. Haar gemoedsrust balanceert tussen kwaadheid en diepe teleurstelling.

'Meneer Peters, ik ga u vragen om mee te gaan naar het bureau. U heeft gelogen over een essentiële kwestie. Ik heb nog geen arrestatiebevel, maar dat is zo geregeld, dat beloof ik u.'

Peters is met stomheid geslagen. 'Wat is dat bewijs?'

'Op het bureau, meneer Peters. Ik wil uw volledige verklaring, schriftelijk. Zoals voorgeschreven. Gaat u mee?'

De galeriehouder kijkt nog steeds verbaasd, steekt in een poging de gang van zaken een komische wending te geven zijn armen naar voren en houdt zijn polsen bijeen, zodat er handboeien omheen kunnen, terwijl hij trillend doet alsof hij vreselijk bang is. Ze kan er niet om lachen. Simmelinck doet hem daadwerkelijk de handboeien om, wat Peters vervolgens in een zenuwachtige lach doet uitbarsten.

'Instappen,' sommeert Simmelinck hem kortaf, terwijl hij het portier voor hem openhoudt.

Ze gaan met haar auto naar het bureau, Simmelinck laat de zijne staan. 'Haal ik later op,' zegt hij.

Onderweg overheerst een ijzige stilte, gelukkig is het slechts een paar minuten naar het bureau.

Daar gaan ze linea recta naar verhoor één. *To the point.* Ze vraagt Simmelinck of hij erbij wil blijven terwijl zij, nu met de officiële opnameapparatuur, tegenover Peters plaatsneemt.

Peters vertelt zijn verhaal exact zoals hij het al eerder aan haar heeft verteld. Het gestolen kunstwerk komt niet ter sprake en ze laat het zo. Als ze de cruciale vraag stelt, wordt hij erg zenuwachtig.

'Meneer Peters, heeft u Lucienne aangeraakt? Ik raad u aan goed na te denken over het antwoord.' Ze bespeurt kleine zweetdruppels op zijn voorhoofd.

Zijn mond beweegt, maar er komt geen geluid uit. Dan staart hij haar uitdrukkingsloos aan. 'Dus u gelooft dat ik haar heb vermoord.'

'Draait u er niet omheen. U moet mijn vraag beantwoorden.' Ze schuift de microfoon iets dichter naar hem toe.

Zijn antwoord komt stotterend. Twijfelend. 'Ik weet het niet, ziet u. Er daagt mij sinds vanmorgen iets over gisternacht, maar ik weet niet zeker of ik het heb gedroomd, of dat het echt is gebeurd.'

'Ik luister.'

'Misschien ben ik 's nachts de galerie in geweest, toen ik terugkwam van de kroeg. Miriam nam een douche, en toen ben ik in slaap gevallen of ik ben daadwerkelijk de galerie in geweest en heb Lucienne daar zien liggen.'

'Had u 's nachts uw zwarte vest aan?' vraagt ze.

Hij twijfelt. 'Ik denk dat ik dat heb aangetrokken, ja, ja, nadat we, nou ja, u begrijpt het wel.'

'Heeft u haar aangeraakt?'

'Ik kan het me niet herinneren. Dat is de waarheid.'

'Is dat uw definitieve verklaring?'

'Ja. Ik weet het echt niet meer, het spijt me.'

'Wij hebben sporen van uw vest op het lichaam van Lucienne gevonden, meneer Peters, dus zullen wij u dan maar vertellen wat er is gebeurd? Lucienne leefde toen u in de galerie kwam, u bent kwaad geworden omdat ze aandacht wilde voor haar werk, dat u maar niets vond, en toen dacht u: zo'n mooie jonge meid die niet op mij valt, dat kan niet waar zijn, ik geef haar een beetje coke om te ontdooien...'

'Nee, nee, dat is niet waar.'

'Hoe weet u dat? U herinnert zich niets!'

'Maar daar had ik mij zeker iets van herinnerd! Bovendien, ik heb nooit coke in huis, dat zweer ik u,' zegt Peters. Hij is flink overstuur. Ze speelt haar opwinding niet, ze is oprecht ontdaan, kwaad zelfs, dat het er daadwerkelijk op lijkt dat Peters niet zo onschuldig is als ze dacht, en, bovenal, dat ze zich zo heeft laten meeslepen door zijn charme.

'Dat wij niets hebben kunnen vinden, is geen bewijs dat u het niet in huis heeft gehad,' zegt ze afgemeten. Ze moeten niet alleen de galerie bij Peters nog een keer minutieus onderzoeken op sporen van coke, besluit ze, maar ook de andere kamers moeten nogmaals binnenstebuiten worden gekeerd. Haar mobiel gaat. Het is mevrouw Vos. Ze blijkt alleen thuis, dat komt goed uit. 'Ik kom zo meteen naar u toe.'

'Weet u wat, meneer Peters, ik laat u alleen. Dan kunt u nadenken hoe het nu precies zat. Ik adviseer u dringend de waarheid te vertellen. Misschien moet u nadenken of u een advocaat wenst.' Ze verlaat de kamer, met Simmelinck, en vraagt hem of hij Van der Haar opnieuw wil optrommelen. Haar collega begrijpt onmiddellijk wat ze wil.

Ze gaat nog even naar de kamer ernaast, naar verhoor twee, waar ze Peters kan observeren zonder dat hij dat merkt, dankzij de confrontatiespiegel tussen de beide verhoorkamers. Als ze de lamellen voor de spiegel heeft geopend ziet ze de galeriehouder zitten. Hij ziet er verslagen uit en oogt oud in het onsympathieke tl-licht.

Ze raakt gefrustreerd, en daar baalt ze van, want het is haar eigen schuld. Ze heeft zich laten meeslepen door de mooie verhalen van Maarten Peters, zonder objectief naar de feiten te kijken. Wagener heeft gelijk, ze moet zich aan de regels houden.

En toch. Ze kan zich Maarten Peters nog steeds niet voorstellen als moordenaar.

Ze loopt naar het kantoor van haar collega's, waar Simmelinck net de telefoon neerlegt.

'Geregeld,' zegt hij.

'Wil jij dan verder gaan met Peters? Ik verwacht eigenlijk geen verrassingen, maar haal hem het vel maar over de oren.'

'Ben ik niet meer geschorst?'

'Ik kan je niet missen in het team. Zorg alleen dat er nooit weer zoiets gebeurt, want dan stuur ik je acuut weg, en dan voorgoed. En praat er nooit meer met iemand over, want dan hangen we allebei. Als je nu het verhoor van Peters afrondt, werk dat dan direct uit en stuur hem maar weg als hij zijn handtekening heeft gezet. Hoewel, nee, laat hem nog maar een tijdje zweten. Van der Haar moet eerst die galerie nog een keer op zijn kop gaan zetten. Peters mag niet naar huis, alleen zijn sleutel inleveren.'

'Op basis waarvan moet ik Peters hier houden?'

'Verzin maar iets. Overleg maar met Markant, desnoods. En ik wil morgen Alex Hauser nogmaals spreken. In de middag, denk ik, morgenvroeg zitten we op de school. Ik ga naar mevrouw Vos. Kun je zorgen dat daar straks iemand de computer van Lucienne Vos ophaalt als dat nog niet is gebeurd? Misschien kan Ton dat straks doen als hij terugkomt. Ik heb de papieren.'

'Ik ga direct aan de slag,' zegt hij. 'Hoe zit het met jouw beveiliging? Ik kan je niet alleen laten gaan.'

'Ik ga naar de Gouden Regenstraat. Vlakbij. Ik vraag Gillissen wel.'

'Oké.'

Simmelinck loopt fluitend het kantoor uit, draait zich nog even om met een glimlach. 'Dat is wel een pak van mijn hart.'

'Ik hoor nog wel graag van je hoe je de problemen thuis gaat oplossen. O, en Han, op mijn bureau ligt een plastic zak met een brief erin, wil je die op sporen laten onderzoeken?'

Ze loopt naar het kantoor van haar collega's, waar de fax staat. Er liggen twee velletjes bovenop. De gegevens van Lodewijk Gerhardus Rotteveel. En een foto. Ondanks het feit dat zijn gezicht onduidelijk is overgekomen via de fax, doet het gezicht van de man, zeven-, achtentwintig moet hij inmiddels zijn, haar aan iemand denken. Natuurlijk, ze kent hem als jongen, zo veel jaren geleden. Maar dat is het niet; hij doet haar denken aan iemand anders. Ze moet de foto via de computerfiles opvragen. Of Wagener vragen. Later.

35

Ze hoort voetstappen dichterbij komen. Ze zwaait naar Gillissen, die achter haar aan is gereden en nu terug naar het bureau kan. Straks hoeft ze alleen nog maar naar huis te rijden.

De moeder van Lucienne knikt haar gelaten goedendag, heeft duidelijk geen zin in bezoek. De vrouw ziet er slecht uit. Haar huid is dof, de haren hangen onverzorgd piekerig langs haar hoofd. Ze draagt dezelfde kleding als gisteren. Voor ze haar het slechte nieuws bracht leek de vrouw zeer gesoigneerd in haar tweedelig grijze mantelpakje. Nu is het setje gekreukt en vertoont zelfs hier en daar een vlek. Er heerst een beklemmende sfeer in het huis.

'Het is een moeilijke dag voor u,' probeert ze een gesprek te openen. Meteen komen de tranen bij de vrouw. 'Er zit schot in het onderzoek, mevrouw Vos, we hopen u zo snel mogelijk uitsluitsel te kunnen geven over de dood van uw dochter.'

'Ik krijg haar er niet mee terug,' verzucht Luciennes moeder.

'Dat is waar, maar als u weet wat er is gebeurd dan kan u dat helpen bij de verwerking,' zegt ze rustig.

'Wat weet ú daarvan!' Het klinkt niet onaardig, maar voor haar is het als een messteek in de rug. Onverwacht, diep en pijnlijk.

'Over een tijd zult u het ervaren. Ik weet waarover ik praat.'

Het is eruit voor ze het in de gaten heeft.

De vrouw kijkt haar wat argwanend aan, alsof ze verwacht dat ze een foute grap zal vertellen.

Ze aarzelt. 'Mijn dochtertje is lang geleden spoorloos verdwenen,' zegt ze zacht. 'Ze was pas drie.'

Joriene Vos bekijkt haar ineens met andere ogen. 'Het spijt me, als ik dat had geweten...'

'Het geeft niet.'

'U... u zegt "spoorloos", heeft u haar nooit gevonden?' Luciennes moeder is oprecht geïnteresseerd, legt zelfs een vriendelijke hand op haar arm.

'Nee.' Nu moet ze even slikken en doorgaan, anders schiet ze haar doel voorbij. 'Mevrouw Vos, kunnen we het over uw dochter hebben? Ik heb enkele vragen, als u daartoe in staat bent.'

'Ja, ja, natuurlijk. Ik las in de krant dat het onderzoek geleid wordt door commissaris Markant, is dat uw baas?' De vrouw is ineens een stuk meegaander.

Ze knikt. 'En hij regelt de contacten met de pers. Hij krijgt alle rapporten onder ogen, dus wat hij wel en niet doorgeeft aan de pers gaat buiten mij om.'

'Hij komt niet erg sympathiek over.'

'De man verstaat zijn vak, dat is voor ons het belangrijkste,' zegt ze diplomatiek.

Ze heeft enkele standaardvragen voor de moeder, waarop ze de antwoorden kent, ze checkt slechts of de vrouw bij de les is. Joriene Vos is bij elke vraag bijzonder nerveus om vervolgens te ontspannen als ze de vraag heeft gehoord. De vrouw is bang voor een bepaalde vraag die ze nog niet heeft gesteld; ze had gelijk, hier is meer aan de hand.

'Wanneer is Lucienne voor het laatst op controle geweest voor haar hart?'

'Even zien, het was die dag dat het verkeer overal vastzat, we waren veel te laat in Nijmegen, met die late sneeuw. Begin maart, ja, zeven of acht maart. Heeft u gelezen wat voor misstanden er blijken te zijn in dat ziekenhuis? We zijn nu bij een specialist in Amsterdam.'

'Wist ze ook dat haar hartafwijking in combinatie met drugsgebruik dodelijk kon zijn?'

De moeder knikt. 'Dat een sterke wisseling van hartslag risico's met zich mee zou brengen, ja, daar heeft de cardioloog haar voor gewaarschuwd. Maar wij ook al, vroeger. Ze heeft daar nooit een probleem van gemaakt, ook niet toen ze bijvoorbeeld niet, of niet met grote mate, mocht sporten.'

'Wist, buiten u en uw man, iemand van haar hartafwijking?'

Joriene Vos schudt haar hoofd. 'Niet dat ik weet. Ze liep er niet mee te koop. Zelfs Monique weet het niet; dat is toch al zo'n gevoelig kind, Luus wilde haar niet ongerust maken. Ze heeft het al zo lang ze zich kan herinneren, ziet u, dus voor haar hoort het er gewoon bij. Hoorde,' verbetert de moeder zich, terwijl ze haar best moet doen om zich goed te houden.

'Heeft mijn collega de computer van Lucienne al opgehaald?'

'Nee. Misschien is er iemand aan de deur geweest toen ik weg was, dat weet ik niet.'

'Iemand van mijn team kan elk moment hier zijn om het apparaat op te halen. Kan ik misschien die mailbestanden alvast op een cd zetten? Dan kan ik verder met het onderzoek.'

Joriene Vos glimlacht. 'Monique is een pienter ding. Die dacht al dat u dat zou vragen, ze heeft alles gekopieerd voor u. Op een stick, of hoe noem je zo'n ding? Die ligt boven, ik zal 'm voor u ophalen.'

'Dat is mooi.' Ze merkt dat de vrouw twijfelt. 'Wilt u misschien zelf iets vragen, of zijn er dingen die wij moeten weten over Lucienne?'

De vrouw schudt in eerste instantie – te snel – haar hoofd, en pakt vervolgens trillend een sigaret uit een pakje dat ze achter een aantal boeken in de kast vandaan haalt. Een stiekeme roker. Voor haar man?

'Loopt u even mee naar buiten?'

In de tuin steekt ze haar sigaret op. 'U rookt vast niet, u lijkt me een sportmens.'

'Zo heel af en toe wil ik nog wel eens een sigaret roken,' bekent ze. 'Maar van de verslaving ben ik gelukkig al jarenlang af.'

Luciennes moeder biedt haar vervolgens een sigaret aan, maar die weigert ze.

'Uw man heeft zeker een hekel aan die lucht?'

De vrouw knikt, verontschuldigend glimlachend.

'Mevrouw Vos,' zegt ze op zachte toon, maar daardoor juist met nadruk, 'heeft Lucienne u iets verteld wat wij moeten weten?'

Luciennes moeder inhaleert een paar keer snel achter elkaar. 'Ik heb het gelezen,' zegt ze dan. Ze kijkt de rook na en lijkt iets te ontspannen. 'U komt er straks toch achter, als u in haar computer gaat kijken.' Ze zucht. 'Ik hield het niet meer, gisteravond, ik wilde weten of er iets was, en toen heb ik haar mails doorgelezen. Met hulp van Monique, moet ik er eerlijk bij zeggen. Ik ben niet zo'n held met die dingen. Maar, in haar mails aan haar vriendinnen las ik dat ze iets met een leraar had. "De liefde van haar leven" had ze erbij gezet, met uitbundige harten en vrolijke poppetjes die over het scherm dansten. Dat moet dan de nieuwe verkering zeker zijn, waar Monique het over had. Een leraar! Getrouwd!'

'Hoe heette die leraar?'

Mevrouw Vos schudt haar hoofd. 'Er stond geen naam bij.'

Dat is jammer, voor de bewijslast, maar het zal ongetwijfeld Eggelink zijn geweest. 'Dus er staan mailtjes van recente datum in haar computer?' vraagt ze.

'Ja. Het spijt me. Ik moest overal afblijven, ik weet het. Er is echter niks veranderd of weggegooid in de computer, ik zweer het u. Ik wil ook dat de waarheid boven tafel komt.'

Er zijn toch e-mailberichten van Lucienne bewaard, dat is goed nieuws. Dan lijkt het er inderdaad op dat iemand de gegevens van haar laptop heeft gewist, maar die persoon wist niet dat er bij haar ouders ook nog een computer stond. Nou ja, of Lucienne heeft gewoon zelf 'grote schoonmaak' gehouden. In ieder geval kan ze meer te weten komen over het slachtoffer, dat is mooi.

'Als mijn man erachter komt dat Luus het met een getrouwde man hield...' Mevrouw Vos lacht nerveus. Ze trapt met kracht de half opgerookte sigaret uit op een terrastegel, pakt de peuk van de grond en gooit die achter in de tuin, tussen de struiken. 'Hij wil Monique nu al van school halen. Ze moet een degelijke secretaresseopleiding gaan doen of zoiets, vindt hij. Monique natuurlijk doodongelukkig. En wat moet ik? Hij luistert nooit naar mij. Hij luistert alleen naar de preek op zondag, naar de dominee, maar verder naar niemand, godverdomme.' Ze slaat, zichtbaar geschrokken van de vloek die haar ontsnapte, haar hand voor haar mond.

Ze legt haar hand op de arm van Joriene Vos.

Die bedaart iets. Steekt harder trillend een volgende sigaret op, maar ditmaal helpt de sigaret niet om te ontspannen, mevrouw Vos is één bonk zenuwen. 'Eugène vindt rokers al zondaars,' zegt ze met een zenuwachtige lach. 'Dus u wilt niet weten wat hij vindt van vrouwen die het met getrouwde mannen aanleggen.'

'Heeft Lucienne geen enkele naam genoemd? Ook niet in een ander verband, bijvoorbeeld?'

Joriene Vos schudt haar hoofd.

'Wanneer zou ze weer thuis komen wonen?' vraagt ze.

'Ziet u, dat is nou juist het probleem, Eugène wilde het ineens niet meer hebben. Luus was vorige week zondag hier met het avondeten, toen hij een stukje voorlas uit de bijbel, over... ach, u weet wel, voor het huwelijk geen seks en zo. En toen vertelde dochterlief doodleuk dat ze het allang had gedaan. Ik dacht dat Eugène in zijn dubbelvla zou blijven hangen, eerlijk waar. Het was een paar minuten doodstil in de kamer, en toen sloeg hij Gods woord met een klap dicht.' Ze inhaleert een paar keer diep. 'Hij keek Lucienne niet aan, zijn blik bleef strak op de bijbel gericht en toen zei hij, met een akelig kalme stem:

"Eruit. Nu. Een dochter van mij zou me zoiets nooit aandoen. Nooit." Lucienne natuurlijk in tranen, een en al verontwaardiging, in wat voor eeuw wij wel niet leefden en zo, maar Eugène was onverbiddelijk. O god, als hij erachter komt dat ze het ook nog met een getrouwde man hield...'

'Daarom keek uw man verbaasd toen u zei dat ze het vrijdagmiddag hier was.' Ze had het toch goed gezien dus.

'Ja. Luus wilde weten of haar vader nog kwaad was. Ik heb haar gezegd dat ze zondag maar gewoon moest komen eten, dat het wel mee zou vallen, en ik heb mijn man later niet verteld dat ze hier was. Eugène houdt van Luus. Hield. Daarom was hij ook altijd zo bezorgd. En nu zal hij haar nooit meer zien...' De moeder inhaleert diep.

'Van de doden niets dan goeds, dat is toch ook een bijbelse gedachte?' zegt ze intuïtief. Direct twijfelt ze of ze hiermee de plank niet totaal misslaat.

Mevrouw Vos lacht, als een boerin met kiespijn. 'Die zal ik onthouden,' zegt ze.

'Heeft Lucienne verder iets gezegd of opgeschreven wat voor ons onderzoek belangrijk kan zijn?'

Joriene Vos schudt haar hoofd. 'Niets wat ik zo kan bedenken.'

'U zei gisteren dat ze bleek zag.'

'Junkfood?' Luciennes moeder draait haar ogen weg, ineens nerveus.

Ze dringt aan. 'Wat denkt u dat er echt aan de hand was? Gebruikte ze coke? Cocaïne?'

'Nee, dat wil er bij mij niet in. Ze wist dat het gebruik van die rotzooi slecht zou zijn voor haar hart en dat ze er een groot risico mee zou lopen. Ik heb wel mijn bedenkingen over die vriendinnenclub van haar. Ik zag een van die meisjes een keer op de kamer van Luus; die Vera. Ze stopte iets weg toen ze me zag. Ze waren me te geheimzinnig. Wie weet hebben ze iets in een drankje gedaan van Luus.'

'Kan Lucienne nog hier zijn geweest? Waren u en uw man

thuis, zaterdagavond?' Een verdekte manier om te checken of Eugène Vos iets te maken zou kunnen hebben met Luciennes dood. De man heeft wel hard geoordeeld over zijn dochter. Misschien is hij erachter gekomen dat Lucienne het met een getrouwde man hield. Ze gelooft het niet.

'We zijn naar de avonddienst geweest en daarna hebben we nog wat gelezen. Meestal belt Luus als ze wil komen, dus nee, ik denk niet dat ze is geweest.'

Joriene Vos vertoont geen enkele twijfel en kijkt haar recht in de ogen.

Ze gelooft de vrouw. 'Goed. Dan laat ik u met rust. Als u die bestanden voor me heeft?'

'Een moment.' Joriene Vos geeft haar de half opgerookte sigaret alsof het een kostbaar kleinood is en loopt naar binnen. Ze twijfelt of ze een trekje zal nemen, maar als ze ineens de voordeur hoort die wordt dichtgeslagen, gevolgd door zware voetstappen in de hal, trapt ze de sigaret snel uit. De heer Vos is in aantocht, daar twijfelt ze niet aan. Ze gooit de peuk in de struiken, waar ook de vorige onzichtbaar is verdwenen.

Luciennes moeder komt naar buiten en drukt haar snel een *memory stick* in de handen. 'Eugène is thuis,' zegt ze nerveus. 'Laat het maar niet zien, alstublieft. Dan vraagt hij geheid wat er aan de hand is. Moet ik hem vertellen, van die leraar?'

'Dat laat ik aan u over. De kans bestaat dat het eerdaags in de kranten staat. Zoals ik al zei, daar heb ik geen controle over.' Ze maakt gehaast haar zin af, omdat Jorienes echtgenoot op hen af komt lopen.

'Goedemiddag. U weer hier?' zegt Eugène Vos. Hij geeft haar een klamme hand.

'Ik had nog een paar vragen,' antwoordt ze.

Eugène Vos kijkt bedenkelijk. 'Zoals?'

'Of uw vrouw nog iets te binnen is geschoten wat van belang kan zijn voor ons onderzoek, bijvoorbeeld.'

'En?'

'Ik hoorde dat u wat problemen had met Lucienne. Uw vrouw zat daar erg mee en het is voor ons goed om te weten hoe Luciennes gemoedstoestand was de laatste tijd.'

'Heeft dat iets met haar dood te maken?'

'Waarschijnlijk niet, in de meeste gezinnen wordt wel strijd gevoerd, vooral als er opgroeiende kinderen in het spel zijn. Dat is absoluut nog geen reden voor moord. Maar, hoe meer we van haar leven weten, hoe beter we de waarheid rondom haar dood kunnen achterhalen. Meneer Vos, ik hoorde dat u Monique van school wilt halen?'

'Dat is mijn zaak, is het niet?'

'Ik zou het jammer vinden als Luciennes zusje hieronder te lijden heeft. U zou kunnen overwegen om af te wachten tot we zeker weten wat er met Lucienne is gebeurd.'

'Ik zal erover denken,' zegt hij, milder. 'Bent u al iets wijzer geworden?'

'We zijn druk bezig om alle aanknopingspunten te onderzoeken en Luciennes leven van de laatste weken in kaart te brengen. Ik hoop u een dezer dagen meer te kunnen vertellen. Hartelijk dank voor uw medewerking tot zover.' Ze geeft Eugène Vos een hand. Ze hoopt voor de ouders dat Monique niet ook nog zal vluchten. In dat geval zal Joriene Vos definitief breken.

Zodra ze in de auto zit, wrijft ze over haar ogen. Ze kijkt in het spiegeltje van de zonneklep. Haar ogen zijn roder dan vanmiddag. En ze jeuken. Ze voelde het al, binnen, natuurlijk toen ze over Suzan begon. Het is toch goed als ze er zomaar iets over kan zeggen in een gesprek, om vervolgens terug te keren tot de orde van de dag? Volgens de therapeut moet ze er juist over praten. 'Last van je ogen? Dat is verdriet dat eruit moet.' Als het zo uitkomt, er niet omheen draaien, was het stellige advies. Dat zegt Simone ook. Ze zoekt in haar tas naar haar allergiepilletjes en neemt er twee, spoelt ze weg met een flinke slok Spa Blauw. In haar ooghoek ziet ze een moeder met een klein kind lopen, de blonde krullen dansend om het kleine hoofd. Suzan, schreeuwt haar lijf. Ze neemt nog een slok Spa. Snuift de geur van haar auto op. Nieuw leer. Ze herinnert zich Suzans geur. Feilloos. Als ze soms bang is dat ze de geur kwijt is, duikt ze in het kleine koffertje met Suzans lievelingsspullen op zolder. Haar knuffel, Konijn. De roze trui die ze elke ochtend als eerste uitkoos in de kast tot die te klein werd. Een zacht, vilten popje, waar ze er drie van had zodat er af en toe eentje in de was kon. Suzan rook het onmiddellijk als ze voor de gek werd gehouden. Haar kleine meid had dezelfde goede neus als zij. Zou ze ook haar dood hebben geroken van tevoren?

Niet doen. Laat het rusten. Laat haar rusten. Het is te lang geleden.

36

Er zijn geen bijzondere ontwikkelingen, zegt Cornelissen, als
ze die vanuit de auto belt. Hij is net terug uit Nijmegen,
meldt hij, waar Janine niets meer wilde vertellen dan dat ze al
had gedaan. Het meisje had een acute blindedarmontsteking,
vertelt de rechercheur, toen ze bij vrienden in Nijmegen was.
Niets ernstigs, ze mag morgen al weer naar huis. Hij heeft haar
gevraagd of Alex Hauser bij haar op bezoek was in het ziekenhuis, maar ze zei van niet. Of ze de waarheid vertelde? Cornelissen vermoedde van niet, maar ze zei van wel en wilde verder
niets meer kwijt. Verder meldt Cornelissen dat hij bijna bij de
familie Vos voor de deur staat; hij zal de computer ophalen.
Simmelinck had hem al ingeseind en heeft de TR gevraagd het
apparaat door te lichten. Dat zullen ze vanavond nog doen,
hebben ze beloofd. Zelf zal hij vanavond nogmaals de buurt in
gaan, die twee buurtbewoners hebben ze nog niet thuis getroffen. Als er nieuws is zal hij bellen. Ze spreken af dat hij
morgenochtend op het bureau zal zijn; misschien zijn er mensen die zich toch iets herinneren en spontaan naar het bureau
komen. Wagener en Simmelinck gaan mee naar Arnhem voor
het onderzoek op de school. Het is kwart over zes geweest en
ze besluit naar huis te gaan. Ze start de wagen en wil net gas

geven als haar telefoon rinkelt. Simmelinck, licht in paniek. Dat ze hem had moeten bellen toen ze bij de familie Vos wegging.

'Parttime beveiliging heeft weinig zin, Nel.'

'Ben je nou helemaal, ik ben even langs het bureau gereden en ga nu naar huis. Die paar minuten. Ik kan zelf ook goed uitkijken, hoor. Ik word niet gevolgd en er is in de verste verte geen kip te ontdekken in ons rustige dorp.'

'Maak er maar een geintje van.'

'Ik neem die waarschuwingen wel degelijk serieus, Han, maar ik heb een rechercheopleiding gehad en ik wil niet in angst leven. Nooit meer, begrijp je?'

Simmelinck sputtert nog wat tegen, maar dan accepteert hij haar argumenten. 'Laat me morgen dan in ieder geval rijden, we pikken je wel op. Ik vind niet dat je in je uppie naar Arnhem moet gaan.'

'Geen probleem. Maar dan gaan we wel met mijn Volvo. Airco en getint glas; wel zo prettig. Half negen?'

'Zijn we er.'

De bezorgdheid van haar collega's doet haar goed, geeft haar een warm gevoel, ook al meent ze wat ze tegen Simmelinck zei. Ze weigert pertinent om haar normale leven in te leveren voor een bedreiging, zelfs niet voor een dag. Niet meer aan denken nu. Denk aan iets leukers. Morgen is Josien jarig. Ze gaan de kamer versieren en stiekem de hondenmand, knuffels en speeltjes voor de dag halen, die ze goed heeft verstopt voor de jarige. Alles is in huis voor de pup; morgen alleen nog het beestje zelf ophalen. Ze vindt het bijna net zo spannend als Josien zelf.

Ze belt Wagener, hij neemt onmiddellijk op.

'Hoe is het?' vraagt ze.

'Ik ben nog bij mijn ouders,' zegt hij. 'Mijn moeder zit in een *heavy* depressie. Ik ben net met haar naar de dokter geweest en die heeft nieuwe antidepressiva voorgeschreven met het dringende advies om ze dit keer ook in te nemen. Pa moet dat verdomme in de gaten houden. Die is zo met zichzelf bezig dat hij daar geen oog voor heeft.'

Ze hoort hem zuchten.

Het is sneu voor Ferry. Hij heeft het niet met zo veel woorden gezegd, maar ze denkt dat hij van plan was in Londen naar de *Rock Academy* te gaan voor een deeltijdstudie of misschien zelfs zijn baan bij de politie eraan te geven. Hij speelde er in een band die net een eerste cd opnam toen hij zich geroepen voelde om terug te komen. Gelukkig lijkt hij zich in haar team als een vis in het water te voelen, vooral als hij uitdagende computeropdrachten krijgt. Maar toch.

'Blijf je daar vanavond?'

'Nee, moeder ligt in bed nu, ik sta net bij de achterdeur om weg te gaan. Moet ik nog iets doen?'

'Ja, daarvoor belde ik eigenlijk. Zie jij nog kans een paar rapporten uit te werken? In ieder geval die van mijn bezoek aan Peters en mevrouw Vos?'

'Dat zal wel lukken. Ik ga een heerlijke grote *bag of junkfood* halen en dan door naar het bureau.'

'Ik heb de bandjes in je bovenste bureaulade gelegd. Tot morgenochtend. Han haalt je op.'

'Thanks.'

Haar telefoon gaat opnieuw. Markant. Niet opnemen? Dikke kans dat hij haar dan straks thuis belt. Liever meteen, dan is ze ervan af.

'Inspecteur De Winter.'

'Met mij. De rapporten wijzen geenszins op moord, zelfs Chirawari denkt toch aan een natuurlijke dood. Kunnen we het onderzoek afronden?'

'Nee, ik vind van niet. Er zijn wel degelijk aanwijzingen dat hier meer aan de hand is. In ieder geval dat de galeriehouder Maarten Peters ons heeft voorgelogen. Er zijn sporen van zijn vest op het lijk gevonden terwijl hij beweerde haar niet te hebben aangeraakt. Morgen is een herdenkingsplechtigheid voor Lucienne Vos op school; daar hopen we nog wat studenten te spreken.'

'Heb je de rapporten al klaar?'

'Morgenvroeg in je box. Doet Wagener vanavond nog.'

'Nummerdor vindt dat ik je beveiliging moet bieden. Aangezien ik geen mensen beschikbaar heb, lijkt het me verstandiger om Huls op de zaak te zetten. Dan kun jij naar Utrecht, dat wilde je toch graag?'

Nee, dat wil ze niet, godverdomme. Niet meer. Ze wil deze zaak oplossen. Ze moet alles uit de kast halen om Markant ervan te overtuigen dat zij, en zij alleen, als verantwoordelijke op deze zaak is gezet. Beveiliging regelt ze wel met Cornelissen en Simmelinck.

'Ik geef je nog een dag. Als je dan niks concreets hebt sluiten we de zaak.'

'Ik ben ervan overtuigd dat we hier met moord te maken hebben, dus er zal ergens iets opduiken.'

'Eén dag.'

Klik. Weg. Jezus, wat heeft die man toch tegen haar?

Ze zet de muziek in haar auto op uitbundig meezingvolume en galmt *Vivo per lei* met Andrea Bocelli mee.

Het nummer is bijna afgelopen als ze het grindpad op knarst en ze rijdt extra langzaam om de zangkunst van de Italiaan niet af te hoeven breken. Achter haar meent ze een blond hoofd – Rotteveel? – te zien in een auto die langzaam het pad voorbij rijdt. Ze rijdt de auto vlot achterwaarts het stukje pad weer af en draait de weg op. Een oudere vrouw met kort, blond haar in een blauwe Renault Twingo steekt haar hand op en zwaait vriendelijk naar haar.

Als ze zo doorgaat kan ze inderdaad beter stoppen.

Het is een drukte van belang in de keuken. Josien springt om haar vader heen, die net een pannenkoek in de lucht laat omdraaien en Anouk vult een taartvorm met een of ander groen goedje. Groen? Wat moet dat in hemelsnaam worden? Alleen

Emma zit rustig aan tafel met haar lijfblad, de *Yes*, en prutst intussen met haar mobiel; haar lange vingers gaan razendsnel over de toetsen.

'Ha, die Nelleke, je raadt nooit waar we vanmiddag zijn geweest,' glundert Josien.

'Houd jij die kleine klep van je eens dicht,' zegt Jaap. 'Ze hoort wel, maar luistert slecht.' Hij kietelt in haar buik, waarna ze zich giechelend achter Nelleke verschuilt.

'In die winkel waar ze gisteren die dode mevrouw hebben gevonden. Papa zegt dat jij die mevrouw wel gaat oplossen.'

'Dat slaat nergens op, dombo,' mompelt Emma, terwijl ze onverstoord doorgaat met sms'en.

'Jij bent alleen chagrijnig omdat Emiel je niet belt. Puh,' kaatst Josien terug.

'Houd eens op, jullie beiden. Josien, als jij nou eens even de tafel dekt,' zegt ze.

'En waarom kan Emma dat niet doen? Ik heb vanmorgen opgeruimd.'

'Dan doet Emma dat morgen. Dan hoef jij niks te doen, want dan ben je jarig. Als je nog een cadeautje wilt, zou ik maar snel beginnen,' zegt Jaap, iets strenger. De jongste steekt stiekem haar tong uit als Jaap het niet ziet, maar ze doet wel wat hij heeft gevraagd.

'Zijn jullie bij de galerie geweest, vanmiddag?' vraagt ze.

Jaap knikt.

'Laat me raden. Je hebt een foto gekocht.'

'Heeft hij je dat verteld?'

Ze knikt. 'Hij trok er een flesje wijn voor open zelfs.' Ze moet ineens denken aan het feit dat Peters heeft gelogen en haar gezicht betrekt, ze kan er niets aan doen.

Jaap ziet het, natuurlijk. 'Wat is er?'

'Niks, nee, ik dacht even aan iets anders.'

'Een collector's item, prachtig,' lacht Jaap. 'Op een veiling brengt die zo drie-, vierhonderd euro op. Bovendien wilde ik die Peters ook wel eens leren kennen.'

'Hoezo?'

'Als jij een man indrukwekkend vindt, moet hij heel wat in huis hebben.'

'Nou ja... ik ben toch ook op jou gevallen?' grijnst ze.

'Ja, lach er maar om.'

'Je meent het serieus!'

'Je was vol lof over hem, gisteravond. Over zijn keuze van werken en kennis van zaken, ja, ik dacht, dat moet ik zelf eens gaan beoordelen.'

'En?'

'Ik begrijp waarom je van hem onder de indruk bent.'

'Nou, onder de indruk is een groot woord.' Hij pakt haar met een arm om haar middel en zwaait dansend met haar de keuken rond. 'Het nieuws is dat hij over een paar weken enkele werken van mij wil exposeren. Er is een of ander project met kunstenaars in de regio tussen Lichtenvoorde en Bocholt, internationaal dus. Nog even geduld, en je woont samen met een heuse beroemdheid.' Hij zoent haar, breeduit lachend, tot hij haar hijgend weer neerzet.

'Dus je durft eindelijk een expositie aan. Heel goed.'

'Ik vertrouw helemaal op Peters' oordeel.'

'Lijkt me een strak plan. Gefeliciteerd. Ik ben apetrots op je, meneer de kunstenaar,' zegt ze, terwijl ze hem innig omhelst. Ze lacht, ook al voelt het een beetje geforceerd. Gelukkig ziet Jaap haar gezicht niet.

Ze hoopt dat Jaaps expositie zal doorgaan. Ze hoopt het van harte.

Emma kijkt hen aan met een blik alsof ze alsjeblieft gauw opgehaald en platgespoten kunnen worden. Ze pakt haar grote liefdes in het leven, de *Yes* en haar mobiel, en staat op. 'Die lui sporen echt niet,' zegt ze, meewarig haar hoofd schuddend, tegen Josien.

Ze lacht. 'Daar moeten we er straks dan maar eentje op drinken.'

'Zeker. Maar echt, ik kan niet anders dan je gelijk geven, ik vond het een kunstzinnige man, deze Peters.'

'Ha! Omdat hij je foto's mooi vindt. Geef het maar toe.'

'Nu onderschat je mijn psychologische kwaliteiten. Ik kan me in ieder geval niet voorstellen dat hij ook maar een vlieg kwaad zou doen.'

'Hoeveel korting heeft hij je gegeven om dat te zeggen?'

'Nu moet je oppassen, anders zal ik je een lesje armworstelen geven.' Hij wil haar tackelen, maar ze is hem te snel af en maakt zich lachend uit de voeten naar de kamer. Josien heeft de tafel netjes gedekt. Dan ziet ze de foto hangen die Jaap heeft gekocht, een kaal landschap met een helblauwe lucht, met in de verte enkele hutjes, die eruitzien alsof ze elk moment in elkaar kunnen storten. Jaap is achter haar komen staan, slaat zijn armen om haar buik.

'De dreiging van iets ondefinieerbaar ellendigs straalt ervan af,' zegt ze. 'Een zandstorm, een oorlog?'

'Irak. Ze heeft daar een hele serie gemaakt, in 1964,' vertelt hij. 'Onvoorstelbaar dat niemand deze eerder heeft ontdekt. Die Peters heeft wel kijk op kunst.'

'Dat kun je moeilijk ontkennen, als hij belangstelling heeft voor jouw werk.'

Hij heeft haar klemvast voor ze het in de gaten heeft.

'Hoezo? Dat was een positieve opmerking... au, laat me los, idioot.'

Hij drukt een zoen op haar neus en laat haar los. 'Als je maar weet dat ik echt wel de sterkste ben hier. Dus pas op wat je zegt. Hebben jullie de dader al?'

'Nee.'

'Verdenkingen?'

'Een aantal, nog niks concreets.'

Ze schuift aan tafel. Penne met makreel, spinazie, knoflook en ui. Lekker, maar veel trek heeft ze niet, ze is moe. Anouk wil niet komen, ondanks geroep richting haar kamer op de vroegere deel. Ze komt pas aansloffen als ze bijna klaar zijn, en als ze vervolgens protesteert omdat de spinazie koud is, stuurt Jaap haar zonder pardon weer weg.

'Het is hier geen hotel, zei mijn moeder altijd. Dat geldt hier ook, dame.'

Ze voelt hoofdpijn opkomen en haar oogleden jeuken. 'Ik ga douchen,' zegt ze, zodra ook Josien eindelijk haar laatste hap naar binnen heeft gewerkt. Het zijn geen van drieën grote eters, maar Josien spant wat dat betreft de kroon. Jaap heeft natuurlijk in de gaten dat ze zich niet lekker voelt. De diepe frons tussen zijn wenkbrauwen spreekt boekdelen.

Na de warme douche trekt ze haar badjas aan en gaat achter haar laptop zitten. Ze duwt de *memory stick* in het apparaat, kopieert de bestanden naar een mapje 'Lucienne' en opent ze. Lange rijen van e-mailberichten vullen haar beeldscherm, tot zelfs ouder dan een maand geleden. Ze leest. Haar ogen vliegen over de letters, gretig op zoek naar woorden als 'coke' en 'galerie'.

Ze vindt berichten aan en van de vier vriendinnen, ze leest de mails over de verliefdheid van Lucienne. En helaas staat er inderdaad geen naam vermeld van de leraar in kwestie. Het voelt alsof ze inbreekt in een dagboek, ze doet dit niet graag. Vluchtig gaan haar ogen over de woorden, tot ze blijven hangen bij mailtjes aan een onbekend adres. Hier en daar kan ze de zinnen lezen, terwijl de betekenis haar volledig ontgaat. Ze knippert met haar ogen omdat ze denkt dat ze het niet goed ziet, maar de zinnen blijven een raadsel. Wat betekent 'clove o fuck, AH?' De twee woorden 'clove' en 'fuck' zijn in rood gekleurd.

AH kan de kruidenier zijn die tegenwoordig niet alleen op de kleintjes let. Waarschijnlijker is dat ze het over Alex Hauser hebben.

Iets verderop leest ze nog zo'n vreemde zin. 'Dan gaan we coit en wuke nemen.' Ook hier twee woorden, als je ze al zo kunt noemen, in rood; 'coit' en 'wuke'. Iets met coke? Ze komt die twee woorden vaker tegen in rood; in geen enkele zin lijken ze op hun plek. En zo zijn er meer zinnen met roodgekleurde woorden die complete onzin lijken te zijn. Wat is 'de Zwieler van de deen?' Hebben Lucienne en haar vriendinnen een code bedacht om met elkaar, en met nog iemand, te communiceren?

Ze hoort Jaap de trap op komen.

'Nelleke, waar zit je?'

'Yo, hier, in mijn kantoor.' Haar eigen domein, waarin haar werkzame leven van de afgelopen jaren is samengevat. Kopieën van documenten, van opgeloste zaken, waarin ze wil kunnen terugkijken om eventueel nieuwe zaken mee te vergelijken. Plus enkele onopgeloste zaken uit haar Utrecht- en Arnhemperiode waar ze ooit weer in wil duiken als er nieuwe aanwijzingen zijn, of als ze een idee krijgt voor de oplossing. Een kastenwand volgestouwd met ordners en dikke mappen, een Apple Macintosh op het bureau dat Pim voor haar heeft laten maken.

'We versieren de kamer. Josien ligt in bed.'

'Ik kom.'

Jaap leunt over haar bureau, zodat zijn gezicht vlak bij het hare is. 'Zeg, commissaris...'

'Inspecteur.'

'Moet ik je van je werk af sleuren of ga je vrijwillig mee?'

Ze hoort de ietwat geagiteerde ondertoon in zijn stem.

'Hierna neem ik een week verlof.' Ze legt haar hand op haar hart. 'Dat beloof ik.'

Jaap knikt. 'Die kennen we.' Hij zoent haar zacht op haar hoofd. Ze voelt bezorgdheid om Jaaps houding, maar ze heeft de energie niet om er verder over na te denken.

Na de versieringen, een glas port en het sportjournaal ligt ze bijtijds in bed. Jaap blijft zitten, op drie is een documentaire over een bekende fotograaf uit Rusland. Ze is de naam al weer kwijt. Ze begint te lezen op pagina vierenzestig van *De Tweeling* maar ze kan haar aandacht er niet bij houden. Ze denkt aan woorden. Wat is een simpele manier om zulke codes te verzinnen? Er komen enkele gedachten bij haar op als Jaap naar bed komt. Ze hoort zijn elektrische tandenborstel. Ze nestelt zich even later als een foetus tegen hem aan, aan zijn kant van het waterbed. Het is warm, maar ze vindt het heerlijk om de geborgenheid te voelen.

'Met Gijs durfde je het wel aan,' fluistert Jaap zacht in haar oor.

Ze draait zich om, om Jaap in de ogen te kunnen kijken. Hij is serieus, dat hoorde ze al aan zijn stem en ze ziet het in zijn blik.

'De grootste fout die ik kon maken. Daarna ging alles mis.'

'Je durft je niet te binden.'

'Als je het weet, waarom vraag je het dan?'

'Omdat ik van je houd,' zegt Jaap, en kust haar zacht op haar mond.

'Ik ook van jou,' fluistert ze.

'Dan moeten we juist trouwen.'

Ze ligt nog een tijd wakker. Het zware onderbuikgevoel is er weer, ze voelt zich eenzaam, ondanks het rustig ademende lijf naast haar.

37

In pyjama zitten ze aan het ontbijt. Beschuit met een dikke laag hagelslag. Het begin van een superfeestelijke dag, althans volgens Josien. Elf jaar al weer, denkt Nelleke, terwijl ze de gretige happen van de benjamin van het stel met een glimlach volgt. Als er maar veel hagelslag op zit, dan eet ze alles.

Van Emma krijgt Josien een knalrode pluchen kreeft met een piep.

'Wat is dat nou?' Enigszins verbaasd bekijkt ze het ding en dan breekt een voorzichtig lachje door op het smalle snoetje, en die lach wordt breder als ze van haar oudste zus een leren hondenriem, maatje pup, krijgt.

'Echt?' En dan, als Josien hoort dat er echt, echt waar, een heuse pup komt, en wel vandaag nog, dan is ze door het dolle heen. Ze gooit haar armen in de lucht en de hagelslag vliegt over tafel. Jaap vertelt er nog maar eens voor de zoveelste keer bij hoe vaak zo'n diertje uitgelaten, geborsteld en gevoerd moet worden, een taak die ook op haar iele schouders gaat rusten, maar de lach van oor tot oor is niet van Josiens gezicht te krijgen. Ze vindt alles goed. Al zou ze een jaar lang de tafel moeten afruimen. Ze is niet meer te houden – blijkbaar twijfelde ze toch nog of het wel zou doorgaan – en de kamer is te klein voor haar gedans en gespring. Ze eindigt haar uitbundige bui op Jaaps schoot, waarna ze hem overlaadt met omhelzingen en kusjes waar ze hem maar raken kan. 'Wanneer ga je hem halen?' wil ze weten.

'Je hebt vanmiddag vrij gekregen van de juf, bij hoge uitzondering, dan gaan we samen de pup ophalen. En we gaan bij je moeder langs, die wil je ook graag zoenen,' legt Jaap uit.

'Vrij! Ik heb vanmiddag vrij, dat is tof,' juicht Josien. Ze begint haar dansje van voren af aan. Dit keer maant Jaap haar tot rust. Ze moet haar ontbijt opeten en zich gaan klaarmaken voor school.

Ze ruimt op, samen met Jaap. De hagelslag knispert onder haar grote tijgerpantoffels. Gelukkig komt Frida deze ochtend om hun huis glimmend schoon te maken.

Jaap vergeet halverwege de kamer dat hij een bak met vleeswaren naar de keuken wilde brengen, ze ziet hem gefascineerd naar het nieuwe kunstwerk kijken. In het ochtendlicht, dat helder op de muur valt, is de afbeelding haarscherp en indrukwekkend.

'O ja, Jaap, het schiet me ineens te binnen. Weet je wat ik zou willen? Twee of drie van die landschappen van jou, je weet wel, van vorig jaar. Kun je die uitvergroten? Ik heb twee onnoemelijk kale muren in mijn kantoor. Peters wees me er gisteren op dat een landschap mooi zou zijn en toen dacht ik aan jouw serie van Noord-Holland en de polder. Die zullen daar prachtig staan.'

Jaap knikt. 'Die man heeft kijk op kunst, dat zei ik je toch? Als je er maar veel reclame voor gaat maken. Ik zal er een paar voor je bestellen.'

'Geweldig.' Ze geeft hem een voor haar doen flinke schouderklop, maar op zijn brede schouders is het niet meer dan een lieve aai.

'Ik moet rennen,' zegt ze, terwijl ze de keuken al bijna uit is. 'Over een half uur staat Simmelinck voor de deur.'

'Rijd je niet zelf?' roept Jaap haar na.

Ze hapert even op de trap. Kan ze doen alsof ze dit niet heeft gehoord? Ze zegt vaag iets dat lijkt op 'samen rijden'. Ze neemt een volgende stap. En nog een. Ze hoort niets meer, loopt door.

Geen douche, vanavond lekker in bad, haar lijf laten masseren door de bubbels. Ze kleedt zich aan; gehaast. Een strakke stretchbroek in beige, een aansluitend T-shirt in dezelfde kleur en een lang, linnen colbert in beige, met bruin- en oranjetinten erin.

Ze pakt de stapel papier mee met uitdraaien van Luciennes computer. Ze zal de codetaal in de auto voorleggen aan haar collega's. Op de valreep trekt ze een tarotkaart, om die vervolgens weg te klikken voor ze ziet welke het is. Vandaag even niet. In plaats daarvan stuurt ze Ton een korte e-mail met het verzoek om twee vriendinnen van Lucienne, Vera en Marieke, vanmiddag op het bureau uit te nodigen. Liefst tegen twee uur, enige dwang mag. Het stadium van vrolijke praatjes is voorbij, schrijft ze er nog snel achteraan voor ze op 'verzenden' klikt.

Ze staat op en wil de kamer uit lopen, als ze bijna schrikt van Jaap, die in de deuropening staat.

'Is er iets wat ik moet weten rondom dit onderzoek? Gevaar, of zoiets?' Zijn stem klinkt geagiteerd.

Ze twijfelt even, besluit dan toch maar open kaart te spelen. 'Er is een ex-gedetineerde sinds een maand of wat op vrije voeten. Ruud denkt dat die nog een appeltje met mij te schillen heeft. Daarom letten Simmelinck en Wagener extra op, dat is alles. Ik zei Ruud ook al dat ik voor mezelf kan zorgen. En Markant vindt het zelfs niet nodig, dus maak je niet bezorgd.'

'Niet bezorgd! Waar zie je me voor aan? En, juist als die jandoedel zegt dat het niet nodig is…' Jaap haalt ongeduldig zijn handen door zijn haar en heft ze in een hulpeloos gebaar richting hemel. 'Jezus, Nel!'

'Ik wil deze zaak oplossen,' zegt ze, koeler dan haar bedoeling is, 'en ik doe er alles voor wat nodig is. Ik laat me niet bang maken.'

Ze loopt weg. De badkamer in, doet de deur op slot. Dat doet ze anders nooit. Ze fatsoeneert haar coupe en doet bruine oogschaduw op om haar rode ogen te camoufleren. Haar handen trillen een beetje, haar hart bonst hoog in haar keel. God, wat heeft ze een hekel aan ruzie maken. Hij heeft ook altijd zo verdomd gelijk. Maar wat moet ze dan doen? Hier binnen blijven zitten en wachten tot die verdachte in het bejaardentehuis zit? Ze hoort Jaap naar beneden lopen en haalt een paar keer diep adem.

Gehaast loopt ze naar beneden; Simmelinck staat zo voor de deur.

Voorzichtig kijkt ze om de hoek van de keuken. 'Ik zorg dat er continu iemand bij me is. Deal?' Ze wacht zijn antwoord niet af.

38

Vlak naast het directeurskantoor van Hennink heeft Nelleke zich teruggetrokken met Noortje Vriesekoop. De herdenkingsplechtigheid op de Arnhemse academie heeft geen nieuwe inzichten opgeleverd, Noortje was de enige die opviel tussen alle jongeren. Ze was zenuwachtig toen ze een kaarsje voor haar overleden vriendin op stak. Ze heeft Hennink gevraagd om een spreekkamer en hij heeft haar met een sarcastische blik het kleine hok toegewezen. Of het niet te min voor haar was. Ze heeft niets laten merken, die lol gunt ze hem niet. Het hok is vrijwel leeg, op een beschadigde formicatafel en twee oranje plastic stoeltjes na. Er hangt een muffe lucht van oude kranten en ze ruikt een vage urinegeur. Ze is geenszins nieuwsgierig hoe die luchten hier terecht zijn gekomen. Liever concentreert ze zich op de jonge vrouw die tegenover haar zit.

Ze schrikt van haar mobieltje, dat een heftige rapdeun produceert. Anouk heeft gisteravond stiekem weer zitten spelen.

'Sorry, ogenblik.' Ze loopt de kamer uit.

Het is Cornelissen. 'Ja, Ton?'

'Het buurtonderzoek.'

'Ja? Snel asjeblieft, ik zit in gesprek.'

'Een van die buren die we nog niet hadden gesproken was nu thuis. Mevrouw Pasman. Ze kon 's nachts niet slapen, ging haar hond uitlaten en zag toen licht branden in de galerie. Toen ze er langs liep zag ze een man. Verder geen details, helaas, want op het moment dat ze het zag, ging het licht uit.'

'Wacht even.' Ze loopt snel even het kamertje uit om vrijuit te kunnen praten.

'Geen details...'

'Maar wel een man 's nachts daar gesignaleerd. Dat is goed nieuws. Hoe laat was dat, toen ze langs de galerie kwam?'

'Na half een; die tijd heeft ze nog op haar radiowekker gezien, zegt ze. Vlak daarna moest ze naar het toilet en is ze eruit gegaan, omdat haar hond voor de deur zat te piepen. Ze klonk betrouwbaar.'

'Ze heeft Peters dus niet herkend?'

'Nee, heb ik speciaal aan haar gevraagd.'

'Goed werk, Ton. Verder hoor ik het later wel.'

'Nog heel even, Nel. Die computer van Lucienne heeft geen interessante informatie opgeleverd buiten dat wat je al wist, van de mails en zo. Dat was het.'

'Dank je.'

Ze stapt de kamer weer in terwijl ze de instellingen van haar mobiel wijzigt, zodat ze niet nogmaals een hartverzakking zal krijgen als ze gebeld wordt.

'Goed, Noortje. Ik probeer het zo kort mogelijk te houden, zodat je snel weer weg kunt.'

Het meisje haalt haar schouders op en draait met haar vingers rond haar lange haar.

'Je zei gisteren dat je niet wist waar Lucienne zaterdagavond is geweest. Weet je dat zeker?'

Noortje knikt. 'Ja.'

'Heb je echt geen idee waar ze naartoe kan zijn gegaan?'

Ze schudt haar hoofd. 'Volgens Vera had ze iets met een leraar op school, maar dat geloof ik niet, dan was ze vrijdag wel hier gebleven en niet met mij meegegaan naar Lichtenvoorde.'

'Welke leraar?'

'Die Eggelink, neem ik aan. Die rotzooit met alles wat tieten heeft. En misschien ook wel met alles zonder tieten.' Aan Noortjes nuchtere blik te zien maakt ze geen grapje.

'En Lucienne vertelde daar niks over?'

'Weinig. Dat deed Luus nooit. Ze mocht niks, van thuis, dus ze was gewend om haar mond dicht te houden. Ik had wel het idee dat ze trammelant had thuis.'

'Hoezo?'

'Anders gaat ze meestal zaterdags naar haar ouders voor de lunch, en nu ging ze mee de stad in. Toen ik vroeg waarom ze niet naar huis ging, keek ze een beetje somber, vond ik. Maar ze zei dat ze zondags zou gaan, dus ik heb er verder niks van gedacht.'

Ze haalt de stapel papieren met alle e-mailberichten uit haar tas en legt ze met een klap op tafel. Simmelinck noch Wagener kon er op de heenweg in de auto een zinnig woord over zeggen. Wel veel onzinnigs, waar ze erg om moesten lachen. Ze hoopt dat Noortje haar de oplossing zal aanreiken.

'Deze geheimtaal, leg me die eens uit.'

Noortje haalt haar schouders op. 'U bent toch de speurneus hier?'

'Luister. Ik wil de moordenaar van je vriendin pakken, en hoe sneller we actie ondernemen hoe meer kans we hebben om de dader te pakken. Dus ik hoop, nee, ik eis van je dat je meewerkt. Ik weet niet waarom je zo zenuwachtig bent, maar als er iets is wat ons verder kan helpen, dan kun je dat beter nu vertellen.'

Haar tactiek werkt; het meisje krijgt een kleur van schaamte. 'Sorry. Vera begon ermee, uit verveling op haar werk. Het was een spelletje. Als ze iets mailde, dan verzon ze woorden tussendoor of zoiets, ik weet het niet. Serieus niet. Al die flauwekul, ik heb wel wat beters te doen.'

Een pientere jongedame, dat zeker. Ze kan er geen vinger op leggen, maar er is iets in de houding van Noortje. Ze is afstandelijk. Ze liegt misschien niet, maar ze verzwijgt iets.

'Heb je iemand je woord gegeven dat je je mond ergens over zult houden?'

Noortje zwijgt in alle talen. Na enkele pogingen om meer te weten te komen geeft ze het voorlopig op. Er is meer te doen hier. Ze loopt naar de kantine voor een kop koffie. Daar botst ze bijna tegen Wagener op, die net de kantine uit komt. Met een wel zeer ontevreden blik.

'Wat is er?' vraagt ze.

Wagener schudt zijn hoofd, ontmoedigd. Hij trekt de deur iets dicht en zijn stem klinkt zacht. 'Eggelink zit hier in de kantine te wachten op jou. Die wilde je toch spreken?'

Ze knikt. 'Maar wat is er nou?'

'Ik weet het niet; zo veel studenten, en niet eentje die ons verder kan of wil helpen. Het is om gek van te worden.'

'Dat lijkt maar zo. Je moet geduld hebben. Ik ga naar Eggelink. Wil jij checken of we iedereen hebben gesproken die van belang kan zijn?'

'Daar was ik al mee bezig. Maar volgens mij moet je Peters hebben. Alle aanwijzingen gaan zijn kant op.'

Ze glimlacht. 'Kom maar met het sluitende bewijs, Watson.'

'Je bent onder de indruk van die kunstverkoper,' zegt haar assistent met een grijns.

'Maar ik verlies intussen de feiten niet uit het oog. En mag ik alsjeblieft zo nu en dan ook eens onder de indruk zijn van iemand? Er lopen al genoeg harken rond op onze aardkloot.' Ze ziet dat Wagener begrijpt wie ze onder de noemer 'harken' schaart.

'Inspecteur De Winter!' roept hij hard. Directeur Hennink komt met gehaaste stappen op hen af. Kleine zweetdruppels glinsteren op zijn voorhoofd. Hij is waarschijnlijk meer in het clubhuis te vinden met een glas whisky dan op de green om te sporten.

'U heeft iedereen gesproken die u wilde spreken, mag ik inmiddels hopen?' Ze zou zijn misprijzende gezicht graag in een minder arrogante vorm kneden. Ze wil hem wel eens zien tegenover de mensen aan wie hij verantwoording moet afleggen. Gelukkig is zij hem totaal niets verschuldigd. Voor haar onderzoek heeft ze alle vrijheid, tot een zekere grens, natuurlijk. Met respect voor de omgeving en mensheid.

Sommige mensen halen daarbij echter wel het bloed onder haar nagels vandaan en het kost haar de grootste moeite dat respect te bewaren. 'Zou het kunnen zijn, meneer Hennink, dat u uw studenten iets heeft ingefluisterd, zodat ze weinig tot niets loslaten over wat ze weten omtrent Lucienne Vos? Of zit ik er nu ver naast?'

Ze meent heel even een fractie van schuldbesef in zijn ogen te bespeuren.

Hij trekt zijn wenkbrauwen op. 'Het is mijn goed recht studenten te waarschuwen voor uw vreemde praktijken. Wat ze ermee doen is aan hen. Het zijn zelfdenkende individuen en ik zet geen pistool op hun hoofd.' Zijn stem klinkt ijzig.

Hier worden ze niets wijzer. Marc Eggelink, ze kan beter met Eggelink gaan praten. Ze stuurt Wagener een veelzeggende blik en voordat de directeur nog iets kan zeggen, lopen ze verder de kantine in.

Ook Marc Eggelink vertelt haar niets nieuws. Hij lijkt bezorgder over zijn stropdas, of die recht zit, dan over het lot van een vermoorde studente. Gefrustreerd verlaat ze met Wagener de kantine.

Simmelinck zwaait met een papier. 'Nieuws van Harm,' zegt hij. 'Helaas geen dna op de plakstrip van de envelop van die dreigbrief, hadden ze die zelfklevende dingen maar nooit uitgevonden, hè? De letters op de envelop komen uit de krant, *De Telegraaf* van afgelopen zaterdag, bijna een miljoen lezers dus zoek het maar uit, en de lijm leverde ook niets op. Maar – en dit is het goede nieuws – de inkt op het papier is dezelfde als de inkt op een van de brieven die we bij Lucienne hebben gevonden, in haar agenda. Dat briefje was van een leraar, rara welke? Juist ja. Eggelink. Iets over een afspraakje met haar. We hebben het gecheckt; hij heeft, gelukkig voor ons, een zeer oud model printer dat je bijna niet meer tegenkomt. De kans dat die prints van hem komen is meer dan negentig procent.'

'Eggelink?' roept Wagener verbaasd, 'die zit hier fucki... sorry, te verkondigen dat hij Lucienne amper kent, en de galerie al helemaal niet!'

'Haal hem maar weer uit de klas,' zegt ze tegen Wagener. 'Dit keer draaien we hem de duimschroeven aan. Ik loop wel even mee, kan ik meteen eens kijken hoe hij lesgeeft.'

Heeft Eggelink die brief geschreven? Met spelfouten? Is hij zo uitgekookt dat hij dat expres heeft gedaan? Dat wil er bij haar niet in.

De deur van Eggelinks lokaal staat op een kier. De leraar heeft niet in de gaten dat ze bij de deur staan. Tenminste, hij kijkt niet op of om en vertelt rustig door.

'De Etrusken hadden hun voornaamste gebied in Toscane; ten zuiden van Florence. De Romeinen hadden nogal wat overgenomen van de volkeren die zij beheersten, waaronder ook de Etrusken.'

Eggelink vertelt met meer verve dan ze hem had toegedicht, ze kan niet anders constateren, maar het tiental studenten zit er ongeïnteresseerd bij; een enkeling speelt met zijn telefoon.

Een vrouwelijke student staart verliefd naar Eggelink omhoog, maar geeft allerminst de indruk te horen wat hij zegt. Niemand maakt aantekeningen.

'De Etrusken waren enorm productief als het gaat om waterbeheersing, stedenbouw en vestingwerken. De Romeinen gingen er zelfs in de leer. Ze namen wat ze zagen niet zomaar over, maar voegden er veel eigen kennis aan toe. De oude tradities zijn nooit helemaal verloren gegaan in Italië en de zichtbare overblijfselen – en nu komen we bij het punt waar ik het over wil hebben – hebben kunstenaars uit latere perioden tot voorbeeld gediend. In de Romeinse kunst verenigden zich alle kunststromingen van de antieke wereld...' Hij ziet hen en stopt abrupt zijn verhaal, lijkt met zijn houding geen raad te weten. Met een harde klap slaat hij zijn lesboek dicht en voelt zenuwachtig met zijn handen of zijn haar goed zit.

'Meneer Eggelink, heeft u nog een momentje voor ons? Uw leerlingen redden zich wel, zo te zien.'

Eggelink lijkt geïntimideerd door het feit dat ze hem hebben betrapt met een allesbehalve aandachtig publiek. Alle stugheid en onwelwillendheid is verdwenen.

'Wat wilt u van mij?' klinkt het gedwee.

39

'Weet u wat het is, de jeugd is niet geïnteresseerd in oudheid,'
zegt Eggelink. 'Niet in oude mensen, niet in oude kunsten. Ze
willen zelf ontdekken, uitvinden, alles proberen, maar leren van
vroeger, ho maar.'

Wagener probeert koffie uit de automaat te krijgen. Ze hoort
twee keer muntjes in het apparaat vallen, daarna geeft hij de
moed op.

'Een momentje?' Eggelink staat op, loopt naar het apparaat
en geeft er een welgemikte dreun tegenaan met een vuist. Het
apparaat begint onmiddellijk te werken. 'Hij heeft soms kuren.
Net als de studenten,' grinnikt hij, nog steeds nerveus. Hij gaat
weer zitten, doet zijn grijze colbertjasje dicht, slaat zijn armen
over elkaar en likt zijn lippen.

Wagener schuift een bekertje koffie voor Eggelinks neus.
'Wil jij koffie of liever water?' vraagt hij haar.

'Water, graag,' antwoordt ze.

'Wat wilt u nog van mij? Ik moet terug naar mijn klas; het is
een puinhoop met 3d en ik heb al een uur gemist door al die
toestanden.' De leraar likt opnieuw zijn lippen en strijkt met
zijn vingers door zijn haar.

'Meneer Eggelink. Klas 3d is denk ik uw laatste zorg. Wij

staan op het punt om een arrestatiebevel voor u te vragen bij de officier van justitie. Als u ons de waarheid niet vertelt ga ik nu bellen.' Ze legt demonstratief haar mobiele telefoon voor zich neer. 'Leg ons eens uit hoe het zit met uw dreigbrief.'

'Eh, een dreigbrief?'

Ze merkt acuut dat hij er iets van weet.

'De inkt komt van uw printer. Ontkennen heeft geen zin,' zegt Wagener, terwijl hij een bekertje water voor haar neerzet. Zijn stem klinkt afgemeten.

Ze is verrast door Wageners opmerking. Tot nu toe bemoeide hij zich niet met haar verhoren, ook al heeft ze nooit gezegd dat hij dat niet mag. Graag zelfs. Hoe eerder hij ervaring opdoet met ondervragingen, hoe beter.

Eggelink laat zijn hoofd deemoedig zakken. Hij likt zijn lippen. 'Ik weet eerlijk niet waar u het over heeft.'

Ze wordt ongeduldig. 'Dat geloof ik niet, meneer Eggelink.'

'U moet me geloven.'

Ze zucht. Wagener weet zo te zien ook niet wat hij met deze man aan moet. Eggelink is zenuwachtig, maar vertelt niets.

'Helpt het als we u meenemen naar het bureau? Wat denkt u, wilt u er een nachtje over slapen op ons bureau?'

Eggelinks tong maakt inmiddels overuren. Hij kijkt hen om beurten aan, ze ziet hem twijfelen.

'Meneer Eggelink, het is overduidelijk dat u liegt.'

'Ik heb hem alleen even geholpen.' Eggelink flapt het eruit.

'Wie? Waarmee geholpen?'

De leraar haalt diep adem, lijkt opgelucht dat het hoge woord eruit is. 'Toen ik gisteren na de middagpauze in mijn lokaal kwam, was er een jongeman aanwezig. Die typte iets op mijn computer. Toen ik bij hem kwam printte hij net de tekst uit en wilde mij niet laten zien wat hij aan het doen was. Ik dreigde dat ik de directeur erbij zou halen, en toen zei hij dat het een waarschuwing voor Maarten Peters was. Daar had hij nog een appeltje mee te schillen, zei hij.'

'Wie? Wie was die man?'

'Geen idee. Ik kende hem niet, maar ik dacht dat het een student was, ik ken ze natuurlijk niet allemaal.'

'Hoe zag hij eruit?'

'Gewoon, normaal. Een jongeman, niets bijzonders.'

'Blond, donker, een baard?'

'Ik heb er niet zo op gelet. Hij had geen baard, nee, dat niet.'

'U vond het zomaar goed waar hij mee bezig was?'

'Nou ja, na een tijdje wel.'

'Kom op, meneer Eggelink. Een vreemde die zomaar achter uw computer zit? Staat er vertrouwelijke informatie in? Persoonlijke mails, rapportcijfers?'

'Nee. Ze zitten wel vaker aan dat apparaat, dus ik bewaar er niets bijzonders in. Lesmateriaal, roosters en zo.'

'En waarom liet u die jongeman zijn gang gaan? De waarheid, meneer Eggelink.'

De leraar haalt zijn schouders op. 'Ik dacht... ik mag die Peters ook niet zo.'

'O?'

Ineens is Eggelink feller. 'Hij graait de studenten voor onze neus weg, voor ze kunnen afstuderen. We zijn de afgelopen twee jaar vier studenten kwijtgeraakt door zijn mooie praatjes. Dat is funest voor die kinderen, die denken meteen dat ze de nieuwe Rembrandt zijn. U weet vast dat hij wel eens wat werken van de studenten in de galerie hangt, en als er dan eens iets verkocht wordt, denken ze dat ze er al zijn.'

'Wat kan het u schelen, een paar studenten meer of minder?' vraagt Wagener.

Eggelink zucht diep. Kijkt om zich heen, alsof hij checkt of hij bespied wordt. 'Hennink blijft maar zeuren dat, als het zo doorgaat, onze school moet inkrimpen. Ik zou de eerste zijn die eruit moet, zei hij vorige week. Ik moest er maar iets op verzinnen, zei hij.'

'Was versieren onderdeel van uw plannetje om studenten aan u te binden? Is dat waarom u iets met Lucienne bent begonnen?'

'Lucienne?' Eggelink lijkt te schrikken van die naam, alsof hij vergeten is dat zijn overleden student de reden van hun komst is. Hij maakt zijn lippen voor de zoveelste keer vochtig. 'Lucienne was een lieve jongedame. Een klassieke schoonheid met potentie. Maar ik had niets met haar.'

Ze worden gestoord door een leerling die met veel kabaal een blikje cola uit de automaat haalt. De jonge punker kijkt hen nieuwsgierig aan, Wagener stuurt hem weg.

'Wilde Lucienne van school af?' vraagt ze de leraar.

Eggelink schudt zijn hoofd. 'Ze was druk bezig met haar afstudeeropdracht. Hooguit maakte ze zich zorgen of die goed genoeg zou zijn.'

'Maakte u afspraakjes met Lucienne?'

'Pardon?'

'We hebben in Luciennes agenda een briefje gevonden voor een afspraak.'

'Dat moet dan voor een afspraak voor studiebegeleiding zijn geweest.'

'Op een záterdag?' vraagt Wagener.

'Als het niet anders kan, ja, waarom niet?' Eggelink kijkt haar assistent oprecht verbaasd aan.

Hij lijkt de waarheid te spreken, zijn antwoorden komen zonder aarzeling.

'Lucienne heeft met vriendinnen gemaild over haar verliefdheid op een leraar,' zegt ze.

'Op mij?' vraagt hij, zo mogelijk nog verbaasder.

De man speelt fantastisch toneel, of hij is echt zo naïef als een kleuter. Ze ziet Wagener kijken, die gelooft hem niet. Ze zucht. 'Waarover heeft u vrijdagmiddag gebeld met Lucienne?'

'Ik? Met Lucienne?'

In eerste instantie schudt hij zijn hoofd. Ze wil net vertellen dat ze bewijs daarvoor hebben en dan bedenkt hij zich. Hij klinkt onzeker. 'Ja, wacht even, dat ging over haar cijfers. Ze scoorde een paar mindere punten voor twee tentamens en daar heb ik met haar over gesproken.'

'Lucienne was boos, meneer Eggelink.'

Eggelink strijkt nerveus door zijn haar. 'Ik had net een aanvaring gehad met mijn eigen dochter, ik vrees dat ik Lucienne iets te hard aanpakte door de stress.'

Marc Eggelink knippert te vaak met zijn ogen en likt om de haverklap langs zijn lippen; ze weet niet of ze dit antwoord kan geloven. 'Wat was er, met uw dochter?'

'Ach, u weet wel, vriendjes, laat thuiskomen, dat soort perikelen rondom de opvoeding.'

'U heeft nogal eens aanvaringen. Lucienne. Uw dochter, en in een recent verleden met Alex Hauser,' zegt Wagener.

Ze verbaast zich steeds meer over haar assistent. Misschien komt hij eindelijk los.

'Voilà. Daar heeft u nou het voorbeeld. Peters kaapt zo'n talent gewoon voor onze neus weg zonder het belang in te zien dat hij zijn studie afmaakt.'

Opnieuw worden ze gestoord door een leerling. Wagener verzoekt de jongedame vriendelijk om later terug te komen.

'Ging daar uw conflict over?' vraagt ze.

'Nee. Ik had hem een onvoldoende gegeven voor een in mijn ogen slecht uitgewerkt project. Daar was hij het niet mee eens en dat liet hij iets te fysiek merken.'

'Waar was u zaterdagavond, meneer Eggelink?' vraagt Wagener ineens.

'Thuis, natuurlijk. Wat denkt u!'

'Uw vrouw was er ook?'

Eggelink schudt onhandig aan zijn colbert, alsof dat hem te warm wordt. Hij wrijft met zijn handen over zijn broek. Klamme handen? Van angst?

'Nou, nee, dat is te zeggen... ze was laat terug van de bridge-club.'

Ze staat op. 'Meneer Eggelink, u kunt uw klas de rest van het uur vrij geven; dat is toch bijna voorbij. Ik verzoek u daarna in het kamertje naast de directeur op ons te wachten, en dan gaan we, zodra wij hier klaar zijn, met u mee naar uw huis. Dan hebben we iets meer privacy. Bent u met de auto?'

Eggelink schudt zijn hoofd. 'Bus. Maar, eh... er is toch wel een apart kamertje beschikbaar?'

'In dat wc-hok voelen wij ons niet zo thuis, laten we het daar maar op houden.' Ze pakt haar spullen bij elkaar. 'Dan kunt u zo met ons meerijden.'

'Is dit echt nodig? Ziet u, ik, eh...'

Ze onderbreekt hem abrupt. 'Weet u wat, meneer Eggelink, u vertelt ons de waarheid niet. Of in ieder geval, u houdt iets voor ons achter. Ik denk dat u daar goed over na moet denken en dan praten we straks verder.'

Wagener staat al bij de deur en houdt die open voor de leraar, die niets anders kan doen dan vertrekken. Haar assistent sluit de deur achter hem. 'Je wilt hem zenuwachtiger maken.'

'En ik wil hem thuis zien. Wat vind jij van hem?'

'Een *creep*.'

'Een goeie omschrijving.'

Ze lopen samen de gang op.

'Mijn complimenten, Ferry. Als je zo doorgaat kan ik binnenkort met een gerust hart een compleet verhoor aan je overlaten,' zegt ze.

'Thanks.' Wagener zegt het terloops, maar ze ziet hem glunderen.

'We gaan Simmelinck vragen of die iets bijzonders heeft. Zo niet, dan gaan we richting huize Eggelink.'

40

Ze vinden Simmelinck in de grote studieruimte, waar de bijeenkomst plaatsvond. Het wemelt er nog van de studenten, maar het is rustig; als er gepraat wordt is dat op fluistertoon. Op een breed podium staat een spreekgestoelte met microfoon. Verlaten. Aan beide zijden ernaast staan twee schildersezels met doeken, waarop liefde lijkt uitgebeeld op verschillende manieren. Althans, dat is haar interpretatie van de figuren en vormen, hoofdzakelijk in rood en oranje geschilderd. Er zitten twee meisjes innig gearmd op de grond bij een van de ezels. De rest van de leerlingen houdt zich op gepaste afstand van het podium.

Ze vond Simmelinck vanmorgen nogal stil en bleek, maar inmiddels lijkt hij weer in normale doen. De rechercheur vertelt haar dat Cornelissen heeft gebeld; de telefoontjes van Lucienne, op de vrijdagmiddag, voerde ze met de leraar, Marc Eggelink, zoals ze al wist. Maar ook nog met iemand anders, dus, en dat blijkt Marieke van Gelder te zijn.

'Haar boosheid aan de telefoon betrof Eggelink, dat weten we al, maar misschien heeft die vriendin iets te melden; we zien haar vanmiddag, dus dat komt goed uit. Dank je. Gaan jullie mee? Ik ben hier klaar.'

Op de gang stuiten ze op directeur Hennink. Misschien heeft hij al naar hen staan loeren, het zou haar niet verbazen. De man staat zo te zien op ontploffen. Haar gedachte wordt direct bevestigd als Hennink hen richting uitgang wil leiden.

'We hebben u al bijna de hele ochtend getolereerd op deze school, zelfs tijdens de herdenkingsdienst. Uw bezoek wordt nu pertinent niet langer op prijs gesteld.'

'Dat verbaast me niets.' Ze beweegt geen meter in de richting die hij hen wijst.

'Mevrouwtje, ik zal Markant op de hoogte brengen van uw uiterst overbodige en irritante bezoeken hier. Geen wonder dat ze u naar die godvergeten uithoek hebben weggepromoveerd.'

Pardon? Hoe komt hij daarbij? Inwendig is ze razend. Heeft Markant hem iets wijs zitten maken? Hebben ze onder het genot van een fles whisky over haar zitten roddelen? Ze heeft moeite om zich goed te houden en hoopt dat Hennink niets merkt van haar woede.

'U kunt gerust zijn, wij gaan weg. Als u de heer Eggelink mist, die gaat met ons mee. Goedemorgen.' Ze wacht zijn antwoord niet af en loopt meteen weg.

Simmelinck glimlacht naar haar. 'Een hoop geblaat en weinig wol.'

'Een moment, ik loop even naar het toilet.'

Ze haalt een paar keer diep adem voor de spiegel en laat haar hart tot rust komen. Ze werkt haar oogschaduw bij, poedert haar neus. Kom op, De Winter, laat je niet afzeiken. Hier moet je boven staan.

In het hok zit Eggelink in elkaar gezakt op een stoeltje. Hij wringt zich in allerlei bochten – 'ik moet naar mijn klas', 'ik kom mee naar het bureau, dan vertel ik u alles' – om onder hun bezoek aan zijn huis uit te komen. Ze geeft geen krimp en een kleine twintig minuten later zet Simmelinck de auto voor een saaie twee-onder-een-kapwoning in een evenzo saaie nieuwbouwwijk in Duiven. Tientallen dezelfde woningen, tientallen dezelfde tuintjes en een straat vol geparkeerde auto's. Te weinig bomen, te veel grijs beton. Voor het huis van Eggelink staat een Daihatsu geparkeerd. Ja hoor, de Japanner.

'Uw auto?' vraagt ze.

Eggelink knikt.

Hij blijft in de auto zitten als zij en haar collega's uitstappen. Simmelinck moet zijn gordel losmaken en hem bijna uit de auto trekken tot hij inziet dat er toch geen andere oplossing is dan mee te gaan.

Ze vraagt zich af waarom.

Zijn vrouw lijkt in eerste instantie erg bezorgd, maar als ze zegt dat ze alleen een praatje komen maken glimlacht ze hartelijk en voorziet hen van een vers kopje Nespresso.

'Zo lekker snel en lekker, vindt u ook niet?' Ze kijkt haar man in het geheel niet aan en richt zich bijna alleen tot haar, wat enigszins bevreemdend overkomt. Simmelinck merkt het ook, ziet ze.

Wagener is naar een kamertje boven, dat de leraar hem heeft gewezen, om te kijken wat diens computer hun aan informatie kan geven. Als hij bijzondere dingen tegenkomt, nemen ze het apparaat mee. Het bevel tot doorzoeking heeft ze gistermiddag geregeld, toen ze vermoedde dat ze Eggelink in een thuissituatie zou willen meemaken.

Zodra mevrouw Eggelink weet waar het over gaat, maakt haar vriendelijke houding plaats voor een kille strengheid. Ze kijkt haar man continu met priemende ogen aan en haar mond lijkt versteend tot een smalle streep. Op de een of andere manier past die uitdrukking beter bij haar dan het vriendelijke voorkomen waarmee ze hen begroette. Haar hele uitstraling en postuur – kaarsrecht en allesbehalve flexibel – doet haar denken aan een schooljuf van de oude stempel; wie zijn mond niet houdt of niet rechtop zit krijgt met het houten latje over zijn vingers. De vrouw maakt echter allesbehalve een labiele indruk op haar, zoals Eggelink haar wilde doen geloven. Ziek lijkt ze ook aller-minst.

De spanning tussen de beide echtgenoten is bijna tastbaar.

'Ik wil uw man enkele vragen stellen,' zegt ze. 'Op school was hij nogal nerveus en ik had het gevoel dat hij zich sommige din-gen niet goed herinnert, misschien door de drukte en emoties rondom de herdenkingsdienst, vandaar dat ik heb besloten ons gesprek hier, in een voor hem vertrouwde omgeving, voort te zetten.' Waarmee ze gelijk maar op vriendelijke wijze aangeeft dat ze dondersgoed in de gaten heeft dat hij dingen verzwijgt. En aan de blik van zijn vrouw te zien, weet zij er meer van.

'Wat wilt u weten van mijn man?'

'Of hij een verhouding heeft gehad met de studente Lucienne Vos, bijvoorbeeld.'

Dia Eggelink verslikt zich van schrik in een slok koffie.

'Het spijt me dat ik het zo rauw op uw dak gooi, mevrouw Eggelink. Wij zijn op zoek naar de moordenaar van een jonge vrouw en daar hebben wij haast bij. Alles wat ons bij het onder-zoek kan helpen willen wij weten, en wel zo snel mogelijk. Wat er wel of niet tussen u en uw man speelt, is niet mijn zaak, maar alles wat met Lucienne Vos te maken heeft wil ik nu van uw man horen. Anders nemen we hem mee naar een rustiger omge-ving, waar hij een lange nacht kan nadenken over wat hij ons vergeten is te vertellen.' Ze richt haar blik van de vrouw naar Eggelink zelf. Die zit peentjes te zweten aan zijn imitatie-na-tuursteen keukenblad. 'De keuze is aan u, meneer Eggelink.' Ze zet haar recorder op de keukentafel en drukt op de rode knop. 'Dinsdagmorgen, tien uur vijftig. Aanwezig zijn de heer en me-vrouw Eggelink, rechercheurs Simmelinck en Wagener. Mijn naam is inspecteur De Winter. Ik luister.'

Zelfs Simmelinck kijkt haar nu aan met een verbaasde blik. Ze houdt er niet van om te dreigen, om haar macht te gebrui-ken, maar als het nodig is doet ze het met gemak. Dan haalt ze het beeld naar boven van het moment dat ze het slachtoffer vond en dat is voor haar voldoende motivatie om alles uit de kast te halen. Als Eggelink ook maar het geringste idee heeft dat hij kan wegkomen met leugens, dan wil ze dat idee acuut de kop indrukken.

'Welnu, Marc, ik ben een en al oor!' Ze heeft mevrouw Eggelink aan haar kant. Daar had ze op gehoopt.

'Ja,' fluistert hij bijna onverstaanbaar, terwijl hij zijn lippen likt. Zijn huid glimt van de spanning en hij krijgt rode vlekken in zijn nek.

'Wat, ja? Heeft u Lucienne Vos vermoord?' vraagt ze. 'Iets harder graag, meneer Eggelink.'

Eggelink schudt zijn hoofd, likt zijn lippen opnieuw. 'Ja, ik had een zwak voor Lucienne.' Hij buigt zijn hoofd; haalt met zijn vingers onzichtbaar vuil onder zijn nagels vandaan, alsof dat zijn belangrijkste taak is deze dag. 'We waren samen in de stad, en toen voelde ze zich erg eenzaam, en daarna op haar kamer... ze gaf open en eerlijk toe dat ze verliefd op mij was geworden en wierp zichzelf in mijn armen.'

Mevrouw Eggelink vertrekt geen spier. Misschien had ze zoiets verwacht? Omdat ze het vaker heeft meegemaakt?

'Ik heb haar te veel beloofd,' zegt Eggelink. 'Het was zo'n lieve meid, ik wilde alleen maar helpen. Ik ken iemand bij de uitgeverij waar ze had gesolliciteerd en ik had haar gezegd dat ze die baan wel zou krijgen als ik een goed woordje voor haar zou doen. Maar ja, die kennis ging helemaal niet over personeelszaken.'

'Dus die nieuwe baan van haar was nog helemaal niet zeker,' concludeert Wagener.

'Toen ik haar dat voorzichtig probeerde uit te leggen was ze erg over haar toeren, en...'

'Wanneer was dat precies?' onderbreekt ze de leraar.

'Vrijdag, tussen de middag. Ze begon ineens te huilen. Dat bleek niet zozeer om die baan te zijn, maar ze had problemen thuis, met haar vader, en voelde zich ongelukkig. Toen heb ik haar getroost en gezegd dat het wel mee zou vallen en dat ze anders natuurlijk bij mij terecht kon. Ik dacht dat het zo'n vaart niet zou lopen; wie wijst zijn kind per slot van rekening de deur? Maar nee. Ze durfde niet naar huis en belde later die middag, of ze kon komen. Hier, thuis.'

Eggelinks stem klinkt haperend. Hij kijkt voorzichtig naar zijn vrouw, wier mond nu helemaal verdwijnt in een boosaardige streep, haar hele gezicht een zichtbare afspiegeling van de afschuw die ze ongetwijfeld voelt voor haar man.

'Toen ik zei dat het niet zo simpel lag, werd ze boos,' vervolgt de leraar. 'Ze dreigde om mijn vrouw te vertellen dat ik haar verleid had. Ik weet niet of ze dat meende. Ze huilde voornamelijk tussen haar boosheid door. Ik had medelijden met haar, maar ik kan toch geen leerlingen in huis nemen? In ieder geval, ze hing op, en daarna heb ik haar niet meer gezien of gesproken.' Eggelink zucht en durft zijn vrouw niet meer aan te kijken.

Ze is niet overtuigd, ze denkt dat hij haar niet alles vertelt.

'Dat weet u zeker?'

Eggelink knikt.

'Een antwoord graag,' zegt ze.

'Ja, dat weet ik zeker,' zegt Eggelink. Maar hij kijkt haar niet aan, zijn blik is op de tegelvloer gericht, alsof daar belangrijker dingen gebeuren.

Dia Eggelink heeft nog steeds geen vin verroerd. De echtgenote verdiept zich aandachtig in de bodem van haar koffiekopje. Aan haar gezicht valt nu niets meer af te lezen; voor hetzelfde geld heeft Eggelink zojuist het weerbericht voorgelezen.

Ze heeft een vermoeden wat zich hier in de nabije toekomst gaat voltrekken, maar ze wil zich er niet mee bezighouden. Ze hebben het aan zichzelf te wijten.

'Mevrouw Eggelink, ik heb nog een vraag voor u.'

Eggelinks vrouw kijkt langzaam haar kant op, het lijkt alsof ze een diepe kwaadheid probeert te onderdrukken; ze is benieuwd hoe hoog de hartslag van de vrouw is.

'Waar was u afgelopen zaterdagavond?' vraagt ze.

'Bridgeclub,' zegt mevrouw Eggelink afgemeten. Zelfs dit ene woord schijnt te veel.

'Hoe laat was u thuis en waar was uw man?'

'Kwart over elf. De club duurt tot elf uur en daarna ben ik direct vertrokken, zoals gewoonlijk. Mijn man was thuis.'

'U was niet later dan normaal?'

Mevrouw Eggelink denkt na. 'Een kwartiertje, hooguit. Ik heb even met mevrouw Dankbaar staan praten.'

'Is u iets opgevallen aan uw man, toen u thuiskwam?'

Mevrouw Eggelink schudt haar hoofd.

Ze hoort een piepende deur, bijna tegelijkertijd komt er een jongen binnen van een jaar of dertien. Ingehouden, stil. Zo helemaal niet jongensachtig. Als twee druppels water zijn vader; zonder meer een knappe jongen met een donkere, dikke haardos en prachtige blauwe ogen; een bijzondere combinatie. Hij kijkt verwonderd rond, legt voorzichtig zijn schooltas op een tafel en blijft afwachtend staan.

'Loop maar door naar boven, Floris, we zijn even bezig.'

Zonder vraag of opmerking doet de jongen wat zijn moeder zegt. Aan de woorden mankeert niks, maar ze gelooft dat zij ook zou gehoorzamen als haar moeder haar op zo'n toon naar boven zou dirigeren. Ze staat op en loopt naar de jongen toe. Alsof er een dode geest door het huis zweeft, zo koud voelt het, ondanks de warme junitemperatuur.

'Floris?' De jongen draait zich om als ze hem roept.

'Mijn naam is Nelleke de Winter, inspecteur bij de politie. Ik wil je graag iets vragen,' zegt ze.

'Waarom wilt u mij iets vragen?' Floris kijkt zijn moeder onzeker aan.

'We doen een routineonderzoek op je vaders school.' Ze glimlacht naar de jongen. 'Niets bijzonders, maak je geen zorgen. Waar ben je afgelopen zaterdagavond geweest?'

'Gewoon, thuis. Dat ben ik altijd, zaterdags, ik mag nog niet uit.' Hij kijkt zijn moeder aan als hij zich blijkbaar ineens realiseert dat dit geen handige opmerking is; zijn moeder reageert echter niet, en hij haalt opgelucht adem.

'En was je vader ook hier?'

'Ja.'

'Hebben jullie samen tv gekeken?'

'Nee, ik heb boven op mijn eigen kamer gekeken.'

'Met een vriendje?'

'Nee, er komen geen vriendjes hier.'

De jongen slaat zijn ogen neer. Ze zal hem niet nog meer in verlegenheid brengen. 'Dus je vader kan weg zijn geweest zonder dat je dat in de gaten hebt gehad?'

De jongen twijfelt. 'Ja, nee, dat weet ik niet, ik heb er niet op gelet.'

'En je zus?'

'Die was wel uit. Martine is zeventien.'

'Goed. Dank je wel, Floris.' Ze knikt glimlachend naar de jongen.

Floris kijkt zijn moeder aan. 'Kan ik gaan?'

Zijn moeder knikt.

Ze drukt haar recorder uit.

'Goed. Meneer Eggelink. Wij gaan ervan uit dat u ons de waarheid heeft verteld. U komt vanmiddag om drie uur op het bureau in Lichtenvoorde.' Ze geeft hem haar kaartje. 'En dan neemt mijn collega Wagener hier,' ze knikt naar haar assistent, 'uw officiële verklaring op. We zullen die op papier zetten en dan hoeft u die alleen door te lezen en uw handtekening te zetten. Dat wil zeggen dat u die verklaring, als dat nodig is, later ook in de rechtszaal onder ede gaat herhalen. Is dat duidelijk?'

Eggelink knikt. Gedwee. Goed zo.

'Verder zal ik uw directeur, de heer Hennink, instrueren dat hij u gaande het onderzoek schorst van school en ik wil dat u bereikbaar bent voor het geval wij u nog nodig hebben.'

Als ze even later in de auto zitten, denkt ze aan de jongen, Floris. Om als kind op te groeien in zo'n gezin; de koude rillingen lopen over haar rug. Ook bij haar kwamen geen vriendinnetjes spelen, daar moest ze net aan denken, toen Floris zei dat hij geen vriendjes op bezoek kreeg. Zij speelde elk vrij uurtje bij vriendinnetjes op de boerderij, want dat was veel spannender dan in de tuin bij een huis in het dorp. Maar evenzogoed, als ze thuiskwam stond er een kop warme chocolademelk voor haar klaar en keek ze samen met haar vader naar *Ti-ta-tovenaar* en later naar *Q en Q*. Goed, ze heeft nooit een hechte band met haar moeder gehad, maar een bloedband is duidelijk ook geen garantie voor succes, dat heeft ze zojuist weer eens gemerkt.

41

'Martine, die dochter van de Eggelinks,' zegt ze, als ze even later in de auto zitten, op weg terug naar Lichtenvoorde, 'die is een paar jaar ouder en heeft wellicht iets meegekregen van dit alles. Wil je zorgen dat je haar te spreken krijgt vanmiddag? Vraag haar of ze iets weet van Lucienne, de school, maar houd de affaire met haar vader er maar buiten.'

Simmelinck knikt. 'Ik zal erachteraan gaan.'

Haar telefoon gaat, ze herkent het nummer. Aarzelend neemt ze op. Ze hoort suizende geluiden van een eentonige, rumoerige omgeving, maar ze hoort geen stem. Zit hij in een auto? Ze schuift haar achteruitkijkspiegel aan de passagierskant zo, dat ze de auto's achter zich kan zien. Enkele auto's die ze achter zich ziet, halen hen in, anderen ziet ze langzaam kleiner worden. Een grijze Peugeot 406, een oud model stationwagen, is de enige die ze langere tijd achter zich houden.

'Die 406, Han, rijdt die er al lang?' vraagt ze Simmelinck; hij chauffeurt op haar verzoek, zodat zij wat rapporten kan lezen.

In de Peugeot zit een man met blond, sluik haar. Ze kan zijn gezicht niet uittekenen, maar het is Rotteveel, geen twijfel mogelijk.

Simmelinck kijkt in zijn spiegels bij het inhalen. 'Een klein kwartier in ieder geval,' zegt hij. 'Hoe weet jij dat?'

'Dat telefoontje, net. Het was het nummer van Rotteveel.'

'Ik wilde je niet ongerust maken,' zegt Simmelinck, 'maar ik had het kenteken al onthouden.'

'Ferry, bel jij het districtsbureau?' zegt ze.

Het kenteken blijkt op naam te staan van een zekere D. Verweijen. Het bureau zal zo snel mogelijk natrekken of die naam in relatie staat tot Lodewijk Rotteveel.

'Wil je hem aanhouden?' vraagt Wagener.

'Heeft geen zin. Hij doet niets strafbaars.'

'We zouden hem een stuipje op het lijf kunnen jagen,' oppert Simmelinck.

Ze schudt haar hoofd. 'Laten we afwachten of hij nog steeds achter ons zit als we Doetinchem voorbij zijn.' Dan volgt alleen nog een kleine tien kilometer autobaan, tot de N18 bij Varsseveld.

Na de laatste afslag, Doetinchem-Terborg, ziet ze geen enkele auto meer voor zich. Simmelinck verhoogt de snelheid naar 150. De Peugeot volgt op een afstand.

'Goed. We doen het. Bij het ritsen.' Ze zegt het achteloos, maar haar hart gaat als een dolle tekeer in haar keel, terwijl er in haar gedachten beelden opdoemen die drie jaar geleden in haar geheugen zijn gegrift. Onuitwisbaar. De grijze Peugeot 406 verandert in een zwarte Ford Mondeo met brede sportvelgen en getint glas. Ze rijdt de Ford na een achtervolging van drie kwartier in een donkere decembernacht klem op het industrieterrein van Doetinchem; op een parkeerplaats van een al jarenlang gesloten meelhandel. Uit de auto klinkt het doffe gedreun van een zware bas. Hard en eentonig. Ze twijfelt. Zal ze op de assistentie wachten waar ze om heeft gevraagd? In de auto van de verdachte – en dat was haar grote fout, ze dacht dat er maar één verdachte in de auto zat – ziet ze geen beweging. De voorkant van de auto is zwaar beschadigd; de bestuurdersplek in elkaar gevouwen als een harmonica. Is de bestuurder dood? Ze stapt uit en ziet vaag de silhouet van een figuur; het hoofd naar voren gebogen over het stuur. Geen twijfel mogelijk, die is dood of buiten westen. Ze loopt op de auto af, en op datzelfde moment ziet ze vanuit haar ooghoeken een beweging achter de Mondeo. Een flits, een weerkaatsing van zilver in het licht van de lampen van haar auto en op datzelfde moment wordt ze met een enorme klap naar achteren gesmeten. Een ogenblik is ze verdwaasd, en dan voelt ze onmiddellijk een overweldigende pijn in haar zij opkomen. Ze voelt iets warms over haar rechterhand lopen. Bloed. In een fractie van een seconde voelt ze hoe het is als je denkt dat je leven eindigt. Ze kruipt hijgend achter haar auto, terwijl ergens in haar hoofd de vraag opkomt waarom er geen volgende schot komt. Achter haar Volkswagen Golf zet ze, met een wegvagende tegenwoordigheid van geest, haar Walther op scherp. Ze drukt met alle kracht die ze in zich heeft met haar rechterhand op haar zij. Het lukt haar met moeite om zich op haar knieën omhoog te werken. Voorzichtig loert ze over de motorkap naar de Mondeo. Niets. Ze wacht, drukt, hijgt. Spiedt. Heeft ze iets gemist? Dan ziet ze hem. Achter de auto kruipt hij omhoog, tegen de kofferbak aan, die hij opent. Hij lijkt gewond, beweegt in ieder geval langzaam. Als hij de kofferbak dichtdoet ziet ze het pistool in zijn rechterhand, klaar om te vuren. Ze bedenkt zich een fractie van een seconde. Meer niet. De pijn giert door haar lijf. Ze voelt dat ze flauw gaat vallen en durft niet langer af te wachten. Ze probeert te roepen, meer uit automatisme dan om een reactie af te dwingen, dat hij zijn wapen moet laten zakken. Het moet niet meer dan gefluister uit haar mond zijn geweest. Ze richt zich met alle kracht die ze nog in zich heeft op en schiet. Eenmaal. Gericht.

Daarna is er niets meer.

De rest hebben ze haar verteld nadat ze wakker werd, vier dagen later in het ziekenhuis. Twee kogels hebben ze uit haar buik gehaald, drie weken lang heeft ze op het randje gezweefd, met pijnen waaraan ze liever niet terugdenkt. Sindsdien heeft ze regelmatig last van haar spijsvertering. Zelf mag ze haar allergie dáár graag aan wijten, ook al leest ze dan in de ogen van haar vriendin Li dat ze wel beter weet. De darmen zijn het begin en het einde van het leven; ze reageren op stress en emoties, zegt Li. Natuurlijk is gezond eten en drinken belangrijk, maar als je in evenwicht bent kun je best een wijntje drinken. Af en toe vindt ze het echter wel handig om de kogels de schuld te kunnen geven. Dan hoeft ze niet na te denken over haar weggestopte emoties. Sinds die schietpartij is Jaap minder enthousiast, om niet te zeggen helemaal niet meer enthousiast, over haar werk bij de politie. Als het andersom was geweest zou ze ook zo reageren of misschien wel eisen dat hij iets anders ging doen. Moet ze hem straks vertellen over Rotteveel?

Ze hoort een stem. 'Sorry, wat zei je?'

'Ben je er klaar voor?'

'Ja.'

'Houd je vast.'

Zullen ze op tijd uit de auto zijn? Stel dat hij net een cd wisselt, of naar iets anders kijkt en vol gas hun auto ramt. Eén dode per week is meer dan voldoende. Foto's van het lichaam van de vermoorde Lucienne vormen een wazige afdruk aan de binnenkant van haar hoofd.

Ze is niet langer bang voor de dood, dat is het positieve effect van haar bijna-doodervaring. Het was zo rustgevend, dat ze zich er zo aan over wilde geven, aan die plek. Achteraf was het moeilijk de beelden terug te halen, laat staan ze onder woorden te brengen, maar ze krijgt nog steeds een warm gevoel als ze eraan terugdenkt. Jaap verwijt haar dat ze het noodlot tart als ze zich vol overgave in een confrontatie stort. 'Dan zit jij daar met zo'n boom van een vent in een verhoorkamertje. Eén flinke trap en je bent hartstikke dood,' schreeuwde hij ooit in een wanhopig moment. Zij lachte erom.

Als ze op het smalste stukje autobaan zijn, vlak voor de verkeerslichten, zet Simmelinck zijn blauwe zwaailicht op het dak en even later zet hij met een geoefende ruk aan het stuur zijn auto dwars op de weg. Ze voelt dat hij de auto onder controle heeft. Snel stappen ze uit de auto, ze stellen zich verdekt op. De 406 mindert vaart en rijdt zachtjes door tot hij bijna tegen haar Volvo aan staat. Dan staat de auto stil. Niemand stapt uit, er beweegt niets.

Ze mag dan niet bang voor de dood zijn, nu het gevaar zo reëel en dichtbij is, is ze wel degelijk bang. Bang voor de pijn. Ze realiseert het zich in een fractie van een seconde. Ze bereidt zich voor. Concentreert zich op haar ademhaling. Ze kijkt langs het donkere hoofd van Simmelinck naar de Peugeot. Simmelinck kijkt haar aan. Ze knikt. Hij loopt gebukt om de Volvo heen. Ze zegt tegen Wagener dat hij zich gedeisd moet houden. Hij is te onervaren voor deze actie. Tegelijk met Simmelinck komt ze overeind, haar pistool gericht voor zich uit houdend. Rotteveel veroert geen vin, komt ook zijn auto niet uit.

Ze loopt voorzichtig op de 406 af en gebaart naar de bestuurder dat hij eruit moet komen. Rotteveel opent het portier. Ze is alert op elke beweging van zijn handen. Simmelinck is tegelijk met haar bij de auto.

'Wat moeten jullie van mij?' Rotteveel gooit zijn peuk voor haar voeten en trapt die demonstratief uit. Hij heeft het over 'jullie' maar zijn met haat gevulde blik is op haar gericht. Simmelinck laat zijn badge zien.

'Ik wil weten waarom je ons achtervolgt,' zegt ze. Ze hoopt dat ze zelfverzekerder klinkt dan ze zich voelt.

'Sinds wanneer mogen we niet meer op de autobaan achter een Volvo aan rijden?'

Rotteveel is niet veel veranderd, constateert ze. Op de foto leek hij harder dan jaren terug. Misschien lag dat aan het zwart-wit effect. Met zijn piekerige, sluike haar en gladde, bijna roze huid zonder enige zichtbare baardgroei doet hij haar nu, net als toen, denken aan een puber die voor het eerst een afspraakje maakt. En allerminst aan een moordenaar die peuters misbruikt en wurgt.

Simmelinck waarschuwt Rotteveel. 'Eerdaags bega jij vast wel weer een misstap. Maar ik waarschuw je, dan bergen we je voor lange tijd op. Zo leuk is het niet in de gevangenis, zeker niet voor kinderverkrachters. Wel?'

Rotteveel hoort Simmelincks woorden schijnbaar onbewogen aan, alleen bij het woord 'kinderverkrachters' knippert hij met zijn ogen. Hij spuugt op de grond, kijkt haar glimlachend aan. Cynisch. Hij zwijgt.

Hij doet haar nog steeds aan iemand denken.

'Als iedereen zich nou eens met z'n eigen zaken zou bemoeien,' zegt Rotteveel. Hij kijkt haar aan. Doelt hij op iets speciaals? Ook nu zouden kinderen waarschijnlijk zonder angst met hem meelopen naar zijn auto. Voor een mooie knuffelbeer of snoep. De kinderen toen deden het wel. Stapten nietsvermoedend in, om een gruwelijke dood tegemoet te gaan.

'Dat geldt dan voor jou als eerste,' gromt Simmelinck kwaad. 'Als je ook maar het minste uithaalt, sla ik je persoonlijk helemaal verrot.'

'O kut,' zegt Rotteveel, terwijl hij naar haar lacht, 'daar word ik erg bang van.'

'Als je al een paar maanden vrij bent, waarom zoek je me dan nu pas op?' vraagt ze.

'Om u te waarschuwen.'

'Waarvoor?'

Rotteveel lacht hardop.

Ze heeft geen zin om op zijn uitdaging in te gaan; het liefst zou ze hem uit haar hoofd zetten, uit haar geheugen schrappen. Ze haalt haar schouders op en hoopt dat haar stem nonchalant klinkt. 'Je kunt gaan. Kijk uit wat je doet, we houden je in de gaten,' zegt ze. 'Bij de eerste de beste overtreding pakken we je.'

Rotteveel loopt glimlachend langs haar en knipoogt, wat haar een onaangenaam gevoel en kippenvel bezorgt.

Hij speelde met de kinderen in een schuurtje bij een leegstaande, vervallen boerderij, net buiten Zeist. Als ze haar ogen dichtdoet ruikt ze zelfs de muffe lucht in het schuurtje weer. Ze vonden er seksattributen. Bebloed. En vervolgens... ze dwingt zichzelf tot andere gedachten.

Ineens vindt ze het prettig dat ze continu iemand bij zich heeft.

'Wat wil die aso in vredesnaam van je?' vraagt Simmelinck zich af.

'Dat zou ik ook willen weten.'

Haar hart maakt nog steeds overuren als ze de Schatbergstraat in draaien.

'Tot vanmiddag,' zegt ze tegen Wagener. Hij zal op het bureau enkele rapporten uitwerken en de vriendinnen van Lucienne opvangen, die tegen twee uur komen.

Simmelinck blijft bij haar. Rotteveel hebben ze niet meer gezien, hij reed op de N18 rechtdoor toen zij de afslag Lichtenvoorde pakten, maar zonder dat ze er woorden voor nodig hebben, is het vanzelfsprekend dat hun afspraak over de beveiliging overeind blijft, zo niet intensiever wordt.

'Moment, Han, even iemand bellen.'

Ze belt Nummerdor, vraagt hem zo luchtig mogelijk hoe het destijds met haar promotie is gegaan. 'Was iedereen voor?'

Nummerdor twijfelt, hoort ze aan zijn stem. Dus toch? Weggepromoveerd? Zij?

'Vijf van de zes, hoezo?'

'Wie was die zesde? Markant?'

'Heeft Piet iets gezegd?' vraagt hij.

'Min of meer.'

'De commissaris was gefrustreerd omdat hij zelf tegelijkertijd zijn promotie tot hoofdcommissaris misliep. Meer kan ik er niet over zeggen, maar ik hoop dat het voor jou genoeg is. Ga uit van je eigen kwaliteiten, meiske, vertrouw op jezelf. Er wordt zo veel gepraat in het korps. Discriminatie, fraude, corruptie...'

'Sorry dat ik je daarvoor belde.'

'Geen probleem. Je beveiliging?'

'Ik heb continu iemand bij me.'

Nummerdor krijgt een ander telefoontje binnen. 'Nelleke, ik moet ophangen. Doe voorzichtig.'

'Altijd. Dag.'

Uitgaan van je eigen kwaliteiten. Kan wel zijn, ze is toch blij dat Henninks insinuaties kant noch wal blijken te raken.

Ze slaat Simmelinck joviaal op de rug. 'Bedankt voor het wachten. Je kunt bij mij een broodje krijgen,' zegt ze.

'Mooi.'

'Ga je ook met me mee tijdens het hardlopen?' vraagt ze, glimlachend, als ze bijna bij haar huis zijn.

Hij knikt opnieuw. 'Je kent mijn onbegrensde conditionele gesteldheid.'

'Een ronje van tien?'

'Minuten?'

'Kilometer.'

'Heb je een fiets?'

42

Ze gaat niet hardlopen. Simmelinck slaakt een zucht van opluchting dat ze toch maar afziet van een training vandaag. Om
veiligheidsredenen, maar dat zegt ze er niet bij. Aan wie deed
die Rotteveel haar denken? Zijn beeld spookt continu door haar
hoofd. In plaats van buiten te lopen zitten ze in haar keuken.
Met broodjes, koffie, thee voor haar, en veel praatstof. Ze evalue-
ren de ochtend en overwegen waar ze zich op moeten concen-
treren in het onderzoek. Ze voelt zich onrustig, haar gedachten
zijn bij Rotteveel. Ze wil het gevoel niet toelaten, maar ze ont-
komt er niet aan. Ze is bang voor hem. Het is zijn blik. De blik
van een man die zint op wraak. Op haar?

'Zag je die Rotteveel naar je kijken?' vraagt Simmelinck. 'Je
maakt mij niet wijs dat die alleen geïnteresseerd is in peuters.'

Ze haalt haar schouders op. 'Laten we ons houden bij wat we
weten.' Simmelinck voelt haar twijfel en onzekerheid, ze ziet
het in zijn ogen, maar hij gaat er niet op door.

'Peters. Die spoort niet,' zegt hij in plaats daarvan. 'Heeft
geen alibi en weet niet meer of hij 's nachts in de galerie is geweest. Terwijl de sporen daarop wijzen. Wie vergeet nou of hij
's nachts wel of geen lijk heeft gezien? En hij had een motief.'

'O?' Dat is goed. Afleiding. Aan iets anders denken.

'Jonge vrouwen. Hij valt op jonge vrouwen. En Lucienne was niet geïnteresseerd, daarmee trapte ze op zijn tere ziel. Lucienne was toch voor die leraar gevallen? Ook een oudere man, dus dat moet Peters jaloers hebben gemaakt. Heb je het rapport over Amsterdam nog gelezen?'

Ze knikt.

'Ik wed dat zijn vrouw erachter is gekomen dat hij rotzooide met jonge grietjes, dat ze wilde scheiden en dat hij haar op de een of andere geraffineerde manier om zeep heeft geholpen. Ook al viel het niet te bewijzen. Hetzelfde als met deze zaak, met een beetje pech. Die Peters is zo doortrapt als een kikker in paringstijd, dat zeg ik je.'

'Een kikker in paringstijd?' Gelukkig, ze kan nog lachen.

Simmelinck knikt en neemt genietend een hap van zijn broodje oude kaas. 'Van de kaasboer?'

'Uiteraard. Je hebt mazzel dat er nog een stukje is, meestal is een kilo na twee dagen al finito. Han, ik moet meer bewijs hebben dan een paar draadjes wol. De officier ziet me aankomen.'

'Als het goed is heeft Van der Haar met Cornelissen een tweede onderzoek in de galerie gedaan. Hopelijk komt daar iets uit.'

Een deur slaat dicht.

'Hoi.' Emma komt met een hoop lawaai de keuken binnen. 'Die kutschool, ik snap er geen hol van.' Dan ziet ze Simmelinck zitten. 'O. Hoi, Han. Nel, we hebben voor een jaar huiswerk van Prinsen, die eikel,' moppert ze. 'Eerlijk waar.' Ze gooit haar schooltas in een hoek en ploft onbehouwen naast Nel op een kruk.

'Ook goedemiddag,' zegt ze. 'Het valt niet mee, het leven van een puber. Hier, er is nog een lekker croissantje over. Ik help je vanavond wel.'

Emma kijkt iets minder donker. 'Kun je me overhoren met Engels? Morgen een s.o.'

Ze knikt en Emma loopt, bijtend in haar croissantje, de keuken uit.

Haar mobiel gaat. Ruud, ziet ze. 'Met Nel.'

'Nog even, Nelleke. Dat een collega met je meeloopt als beveiliging is niet genoeg, dat weet je, hè?'

Ze is even perplex van zijn opmerking. 'Hoezo? Je onderschat ons, Ruud.'

'Nee, dat doe ik niet. Ik ken Rotteveel. Je moet een paar man daar in je buurt continu laten rondrijden, en zeker eentje bij je huis.'

'De baas heeft geen mensen. De enige optie die Markant mij biedt is Huls op de zaak zetten.'

Hoofdcommissaris Nummerdor vloekt iets onverstaanbaars. 'Ruud?'

'Ik ga met Piet praten.'

'Nee. Ik wil deze zaak zelf afronden.'

Nummerdor is even stil, legt zich dan blijkbaar neer bij haar beslissing.

'Doe voorzichtig.'

'Doe ik. Hoe is het thuis?'

'Het gaat. Jullie komen zaterdag? Ans verheugt zich erop.'

'Wij ook.'

Ze moeten hun ogen en oren goed open houden, als Nummerdor zo bezorgd is moet ze dat serieus nemen. Met de aanhouding op de autobaan hebben ze Rotteveel misschien pas echt pissig gemaakt. Als ze nog aan die blik van hem denkt rilt ze. Misschien moet ze toch nog een poging wagen bij Markant. Ze kijkt Simmelinck aan en schrikt. Haar collega snuit zijn neus en ze ziet tranen in zijn ogen.

Ze legt een hand op zijn arm. 'Wat heb jij nou ineens?'

'Ik ben jaloers, zoals je met Emma omgaat. Je bent gelukkig hier, met Jaap en de kinderen, dat straal je aan alle kanten uit.'

'Ja,' zegt ze, lichtelijk verbaasd. 'Dat ben ik ook.'

'Marian en ik gaan scheiden. Ik voldoe niet meer aan haar verwachtingspatroon. Ze had me nog wel gewild als ik uitzicht zou hebben op een titel als inspecteur. Daarmee heeft ze op mijn ziel getrapt, om die ongrijpbare materie er nog maar eens bij te halen,' zegt hij. 'Het is afgelopen, over en uit. Gisteravond ging de kogel door de kerk.' De altijd zo vrolijke lach van haar collega is van zijn gezicht gewist. Zijn ogen staren droevig in zijn kop koffie.

Ze krijgt het koud van zijn woorden, nu hij die zo helder, zonder enige hoop dat hij het fout heeft, formuleert.

'Vanmorgen vond ik wel dat je bleek zag, maar ik dacht dat het kwam door dat akkefietje met het kunstwerk,' zegt ze. 'Een scheiding. Jezus, Han. Ik weet niet wat ik moet zeggen.'

Hoe lang is die van haar al weer geleden? Het voelt als een leven geleden. Een leven dat mooi begon, met hun prille huwelijk en jonge dochter. Gijs wilde na hun verlies door, of liever gezegd, opnieuw beginnen. Verhuizen, een nieuwe baby, een nieuwe baan. Ze hielden toch van elkaar? Waarom zouden ze dat niet terug kunnen vinden? Maar zij kon geen afscheid nemen van haar dochtertje. Nog lang niet. Elk klein kind dat ze zag op straat leek op Suzan. Er ging, zelfs na drie jaar, geen dag voorbij dat ze niet dacht: 'was ik maar...', 'had ik maar...'. Onzin, natuurlijk, maar gedachten laten zich niet dwingen. Schuld- en wraakgevoelens overheersten in haar hoofd, ze had simpelweg geen ruimte over voor liefde.

Gijs. Ze is blij voor hem. Hij heeft een nieuw gezin, met drie kinderen: twee jongens en een meisje. Het meisje is de jongste. Negen al weer, vertelde hij. 'Barbara zou het leuk vinden om jullie te ontmoeten.' Ze durft niet. Ze is bang voor de herinneringen, de onvervulde dromen en oude wonden. En misschien zal ze jaloers zijn op Gijs, met zijn dochtertje, Femke, die haar vast doet denken aan Suzan.

Ze drinken zwijgend. Ze kan het niet laten en snijdt een paar blokjes oude kaas af, om die in kleine stukjes in haar mond te laten smelten.

'Je bent de laatste van het bureau, Doetinchem meegerekend, die zijn huwelijk ziet stranden. De rest is allemaal al aan een tweede of derde partner, of single,' denkt ze hardop. 'Ligt het aan ons vak?'

Simmelinck haalt zijn schouders op. 'De woonkamer moet ineens een art-deco-uitstraling krijgen, wat dat ook mag wezen, inclusief een natuurstenen vloer van vijftienduizend euro, ze neemt alleen genoegen met de duurste zitplaatsen bij het concert van Borsato, om maar te zwijgen over haar kledingkast. Wat dat met mijn vak te maken heeft mag Joost weten.'

'Houd je nog van haar?'

'Ik zou alles gedaan hebben om haar bij me te houden.'

'Dat heb je gedaan, lijkt me.'

Haar collega weegt haar woorden. 'Ik denk dat het niet genoeg is.'

'Als het alleen om het materialistische gaat... dan ben je beter af zonder. Toch?' Ze zegt het voorzichtig.

Simmelinck zwijgt.

'Kom op. Tijd voor actie,' beslist ze, terwijl ze opstaat. 'Als jij Markant nog eens even belt voor een extra mannetje? Na die achtervolging komt hij misschien over de brug.' Ze ruimt de broodjes op. 'Dan gaan we daarna naar de galerie. Alex Hauser zou daar zijn, volgens Peters, om zijn expositie in te richten. Ik wil ze wel eens samen zien. Als we langs het bureau gaan, dan neem ik Ferry mee, en dan kun jij met Ton aan het werk.'

Simmelinck legt de kaas in de koelkast. 'Dat is goed.'

De rechercheur pakt de telefoon.

Ze loopt naar de vroegere deel en roept richting Emma's kamer dat ze gaan. Emma joelt iets onverstaanbaars terug.

Terug in de keuken is Simmelinck uitgetelefoneerd. 'We krijgen geen extra mensen. Je moest de zaak maar overdragen als je het niet aankunt, zei hij. Wat die man bezielt, zal voor mij wel een vraagteken blijven.'

'Is ook al aan zijn derde relatie toe,' zegt ze, alsof dat een reden is voor zijn gedrag.

Hij snuit zijn neus nog een keer en haalt diep adem. 'Het ligt aan ons vak, laten we het daar maar op houden. Als ik maar nooit zo word als die lange. Dan knoop ik mezelf op.'

'Als je de eerste symptomen krijgt, koop ik persoonlijk het touw voor je.'

43

Peters geeft haar een handkus bij binnenkomst. Wagener schudt afkeurend zijn hoofd, een laatste hap van een broodje wegwerkend. Zij vindt het wel wat hebben, zo'n ouderwetse blijk van respect. Toch trekt ze haar hand enigszins gereserveerd terug. Ze wil dat hij zich realiseert dat ze er niet op uit is vriendjes met hem te worden, ze wil de waarheid en daarvoor is afstand nodig. Ze herkent de galerie amper terug. De rolgordijnen zijn gesloten en zilveren spotjes aan het plafond zetten de ruimte volop in felrode en oranje kleuren. Ze komt ogen tekort om de kunstwerken in zich op te nemen. Er hangen enorme foto's van prachtig gefotografeerde erotische vrouwenlijven aan een kant van de galerie; aan een andere muur draait een animatiefilm, waarin ze vrouwenlichamen ziet, enkele in shockerende seksposes, afgewisseld met beelden van een rouwstoet en parende dieren. Ze ziet ook Wagener bedenkelijk kijken, hoewel ze tegelijk een waarderende blik in zijn ogen meent te ontdekken. Een derde wand is nog leeg; aan de draden aan het plafond te zien komen hier nog enkele werken te hangen. Aan kledingrekken hangen knap nagemaakte delen van vrouwenlichamen, alsof je zelf kunt uitzoeken welke borsten of billen je vandaag aantrekt. Die vindt ze wel heel bijzonder, hoewel het, als je de lichaamsdelen zo sec ziet hangen, ook iets lugubers heeft. Het zet haar in ieder geval aan het denken. Wil de kunstenaar plastische chirurgie aan de kaak stellen of veroordelen, het contrast tussen mooi en lelijk, leven en dood tentoonstellen of is hij misschien geïntrigeerd – geobsedeerd? – door vrouwen? Door de dood? Vindt Peters Alex Hauser daarom zo goed, intrigeert het hem wellicht ook? Wat zei Peters ook al weer gistermiddag? Alex Hauser stelt vragen over leven en dood, op een indrukwekkende wijze die de kunstwereld zal veranderen, of zoiets... Nee, op zijn grondvesten zal doen schudden zelfs.

De galeriehouder ziet er opgewonden uit; zijn gezicht kleurt heftig boven zijn zwarte coltrui. Wagener pakt een broodje uit een papieren zakje van Broodje Bram. Ze kijkt naar buiten door de hoge ramen. Op straat is het rustig. Geen spoor van een Peugeot 406.

'Wanneer is de opening precies?' vraagt ze aan Peters.

'Morgenmiddag is het eerst de beurt aan enkele vakbroeders en de pers. Als het goed is heeft u een uitnodiging in uw mailbox voor de exclusieve opening morgenavond, vanaf acht uur. Donderdag gaat de expositie dan open voor het grote publiek,' zegt Peters, met een trotse blik.

'Is Alex Hauser er?' vraagt Wagener.

'Broodjes halen,' antwoordt Peters. 'Hij zal zo wel terugkomen. Zoals u ziet, moet er nog een en ander gebeuren hier. Wilt u koffie?'

Ze schudden beiden hun hoofd.

Peters vraagt naar de dreigbrief, en of ze zich zorgen maakt.

'De brief kwam van iemand voor wie we absoluut geen angst hoeven te hebben,' verzekert ze hem. 'Laten we zeggen dat het een soort van grapje was om onze aandacht te trekken.' Een leugentje om bestwil.

'De foto's vind ik prachtig,' zegt ze, terwijl ze de galerie rondkijkt. 'Maar die film, ik weet het niet.'

'De vrouw staat symbool voor schoonheid en rechtvaardigheid,' legt Peters uit. 'Tegelijkertijd is de aftakeling van al dat moois ook een aanklacht tegen de dood. Hauser vindt het verwerpelijk dat iets moois, als een vrouw, een dier, vergankelijk is. Waarom zo veel schoonheid meegeven als vanaf de geboorte je dood al intreedt? Adembenemend, vindt u niet?' Peters is zichtbaar onder de indruk van zijn 'pupil'.

Ze denkt aan haar moeder, die vanmorgen in het ziekenhuis was. Ze voelt zich schuldig, omdat ze er niet bij was. Een vrouw in een weinig verhullende scène kreunt om haar aandacht.

Wagener kijkt met open mond naar het tafereel op de muur. 'Tja… Adembenemend, daar zegt u zoiets.' Haar assistent krabt zich op zijn hoofd, zichtbaar twijfelend wat hij met deze kennis moet.

'Bent u er wel eens bij geweest als Hauser met modellen aan het werk was?' vraagt Wagener.

Peters lijkt hem niet te horen en lijkt weg te dromen bij Hausers kunst. 'Alex Hauser wordt het gespreksonderwerp in kunstminnend Nederland. En daarbuiten. Let op mijn woorden.' Hij kijkt naar haar, naar Wagener. 'Sorry. U vroeg iets?'

'Mijn assistent vroeg of u Hauser aan het werk heeft gezien. Komt u wel eens in zijn atelier hier in Lichtenvoorde?' vraagt ze.

De galeriehouder schudt zijn hoofd. 'Een kok houdt ook niet van pottenkijkers, wel?' Peters lacht, breeduit. 'Het wordt fenomenaal. Ik kan bijna niet wachten tot morgen. Het wordt werkelijk een spektakel dat zijn weerga niet kent, dat verzeker ik u. U mag het beslist niet missen. En uw partner ook niet. Als fotograaf en kunstliefhebber zal dit hem zeker boeien. Dat we zo'n talent zomaar hier in ons dorp hebben. Buitengewoon.'

'We hebben een getuige die na middernacht een man in de galerie heeft gezien.' Ze overvalt hem bewust met deze opmerking en observeert zijn reactie.

Hij kijkt verbaasd. 'Dan was het dus echt zo en heb ik het niet gedroomd? Jezus. Inspecteur, ik verzeker u, ik heb dat meisje niet vermoord.'

Alex Hauser komt binnen, een kartonnen doos onder zijn arm. 'Ik heb meteen voor vanavond wat meegenomen, Maarten, het zal wel nachtwerk worden.' Hij knikt hen goedendag. 'En, wat vindt u ervan?'

'Het is in ieder geval zeer bijzonder,' antwoordt ze.

De voordeur gaat opnieuw open en een blond meisje met lange haren kijkt naar binnen. Ze herkent Monique, het zusje van Lucienne. Het meisje kijkt nerveus om zich heen, en als ze Maarten Peters ziet komt ze met aarzelende stappen binnen.

'Sorry dat ik hier zo binnenval. Ik dacht... ik ben... hier is het gebeurd,' stottert ze. Peters loopt op haar toe, slaat een arm om de schouders van het meisje.

'Iets drinken?' vraagt hij.

Monique begint te huilen, verstopt haar gezicht in Peters' trui. Alsof een kind bij haar vader komt uithuilen. Wat heeft die Peters met jonge meiden? Of misschien is het eerder andersom. Vallen die meiden echt zo makkelijk voor wat in hun ogen toch ook echt een oude man moet zijn? Een man die hun vader, wat heet, opa kan zijn?

Peters lijkt het geen probleem te vinden dat Monique zich laat troosten in zijn armen. Hij geneert er zich in ieder geval niet voor, wat haar doet denken dat hij geen verborgen agenda heeft; dan zou hij juist zenuwachtig worden.

'Je ouders hebben je toch niet alsnog van school gehaald?' vraagt ze, zodra het meisje zich weer enigszins onder controle heeft.

Monique schudt haar hoofd. Ze krijgt een zakdoek van Peters en snuit haar neus. 'Nee, nog niet. Maar ik blijf toch gewoon, hoor. Als ik eraf moet, ga ik het huis uit. Ik kan zo in de kamer van Luus trekken, heeft Noortje beloofd.'

Alex Hauser schenkt op zijn gemak koffie in. Het lijkt hem weinig uit te maken wat er om hem heen gebeurt.

'Je eerste officiële expositie, als ik Peters mag geloven. Gefeliciteerd. Ik ben onder de indruk.' Ze gaat op een krukje aan tafel tegenover hem zitten.

'Mijn doorbraak,' antwoordt Hauser.

'Hoop je.'

'Weet ik. De kranten zullen er vol van staan, is mij voorspeld.'

'Door wie?'

Alex Hauser grijnst. 'Er zit zo'n zweefteef in mijn klas, die tarotkaarten leest en zo. Ze heeft het voorspeld.' Dan is hij ineens serieus. 'Zonder gein? Ik ben ervan overtuigd dat mijn werk zo fantastisch vernieuwend is, dat het veel belangstelling zal trekken in de kunstwereld.' Lachend. 'Laat ze maar komen, ik ben er klaar voor.' Hij staat op, neemt een slok koffie. 'Althans, bijna. Ik moet opschieten, er moet nog veel gebeuren. Ik moet het filmpje nog aanpassen vanmiddag; de helderheid op dit scherm valt me tegen; en vanavond moet het klaar. Morgen is de dag...'

'Doe je dat ook in je atelier? Die filmpjes maken?' vraagt ze. Hauser knikt.

'Het ziet er indrukwekkend uit. Ik hoop dat je succes krijgt,' zegt ze.

Hauser lacht. 'Dat gaat lukken.'

Ze zegt de galeriehouder gedag en slaat een bemoedigende arm om Monique. 'Sterkte meid, houd je taai,' zegt ze.

Wagener is alvast naar buiten gelopen. Hij neemt de omgeving in zich op, en dat doet hij zeer nauwlettend, ziet ze, zoals hij alles met een aan perfectie grenzende precisie doet. Of het nu om de uitwerking van zijn rapporten of het strijken van zijn overhemden gaat. Als ze samen naar de auto lopen, kijkt hij om zich heen. Onopvallend, getraind.

'Heb je de les over beveiliging nog eens herlezen?' zegt ze voor de grap.

Hij gaat er serieus op in. 'Gisteravond, ja. Ik wist alles nog wel, gelukkig. Maar eigenlijk vind ik dat je er een prof bij zou moeten halen. Ik heb hier geen ervaring mee.'

'Ik wel. En je doet het goed. Samen redden we ons wel. Ik wil niet de hele dag vreemden om me heen die zich overal mee bemoeien. Dat is mijn keuze, goed?'

'Oké, *fair enough*. Ik dacht trouwens dat je Hauser iets harder aan de tand zou voelen. Of Peters. Die weet nog steeds niet of hij 's nachts in de galerie is geweest.'

'Oorzaak drank. Aandringen zal in zijn geval niet helpen. Maar ik wil Hauser vanmiddag verrassen in zijn atelier. Hij is wel intrigerend. Hij laat niet veel van zichzelf zien. We nemen wel een bevel tot doorzoeking mee. Laten we geen risico lopen dat er straks bewijsmateriaal niet wordt toegelaten.'

'Volgens de regels.'

'Soms heel nuttig.'

Ze stappen in de auto. Wagener rijdt weg, continu oplettend om zich heen kijkend.

Haar telefoon rinkelt. Van der Haar, ziet ze.

'Ha Harm. Breng me eens wat goed nieuws, alsjeblieft.'

'Sporen van drugs, in een van de keukenlades van galeriehouder Maarten Peters. Cocaïne. Is dat goed genoeg?'

'Ja. Dat lijkt me wel. We komen net bij de galerie vandaan, dus maken gelijk rechtsomkeert.'

Wagener heeft de boodschap begrepen en draait de auto; hij rijdt terug de parkeerplaats op.

'Harm, waarom zijn die sporen niet eerder gevonden?' vraagt ze.

'De keuken was de laatste ruimte waar we sporenonderzoek hebben gedaan. Markant kwam vragen hoe lang we nog nodig hadden; hij zanikte maar door over hoge kosten voor die pietluttige onderzoeken en nodige bezuinigingen. Hij zat me nogal op de huid. Ik werd pissig en heb blijkbaar een stukje gemist,' bekent de forensisch onderzoeker met een geagiteerde stem. Ze ziet het tafereel voor zich, met een commissaris die allesbehalve meewerkt aan Van der Haars onderzoek, dat opperste concentratie vergt. 'De sporen waren echt minimaal, Nel, maar dat mag geen excuus zijn. Het spijt me.'

'Soit. Het is gebeurd. Laten we blij zijn dat je ze alsnog hebt ontdekt.' Ze kent Van der Haar goed genoeg om te weten dat hem dit niet nogmaals zal overkomen.

'Volgens mij kun je hem in ieder geval nu een advocaat laten bellen,' zegt Van der Haar. 'Het bewijs is er.'

'Het is allemaal indirect bewijs, Harm. Als je nou vingerafdrukken van hem op haar kleding zou hebben...'

'Kom nou, dan heb jij niks meer te doen. Dat willen we ook niet, wel?'

'Nee, dat zou wel erg vervelend zijn. Harm, bedankt voor je telefoontje.'

Peters is verrast. Waarschijnlijk is haar blik donker genoeg, in ieder geval laat hij een vrolijke begroeting ditmaal achterwege.

'Ik twijfel of ik nu direct een arrestatiebevel zal aanvragen.'

'Wat is er gebeurd?' vraagt Peters; zijn ogen schieten ongerust van haar naar Wagener heen en weer.

'Er zijn sporen van drugs bij u gevonden, meneer Peters. Als u daar iets over wilt zeggen, graag nu, en snel, en de waarheid.'

Peters kijkt haar sullig aan. 'Drugs?'

Ze knikt.

'Ik heb u verteld dat ik die al lang niet meer gebruik. Dat was de waarheid.'

'Hoe komt er dan cocaïne in uw keuken?'

Peters schudt zijn hoofd. 'Ik kan het u niet vertellen. Het spijt me oprecht. Ik kan u alleen verzekeren dat ik niets met de dood van Lucienne Vos te maken heb.'

Haar telefoon gaat. Simmelinck. Die meldt dat Eggelinks dochter Martine haar vader zaterdagmiddag heeft horen telefoneren. Het klonk allemaal nogal heftig, ze dacht dat het een van zijn leerlingen was die een onvoldoende had gekregen, of zo.

Ook dat nog.

'Als u zich al niet meer herinnert dat u 's nachts in de galerie bent geweest, hoe weet u dat dan wel zo zeker? Zo kunt u ook vergeten zijn dat u die sporen heeft achtergelaten.'

Daarop heeft Peters geen antwoord.

Eenmaal weer buiten, twijfelt ze over Peters' onschuld. En Eggelink, die blijkbaar ook heeft gelogen of in ieder geval niet alles heeft verteld. Met wie heeft hij zaterdagmiddag gebeld? Met Lucienne?

Ferry haalt in een moedeloos gebaar zijn handen door zijn haar om ze daarna richting hemel te spreiden. '*My dear god*, wat heb je nog meer nodig? Die Peters is zo schuldig als maar kan.'

'Ik ben er niet van overtuigd, Ferry. Hij heeft geen enkel motief. Hij houdt van jonge vrouwen, hij vermoordt ze niet, en zeker niet in zijn eigen galerie zonder sporen uit te wissen. Peters is intelligent.'

Wagener knakt zijn vingers achterover. Uit pure nijd, lijkt het. 'Zal ik Daan Westerhuis op laten draven? Die is 's nachts bij de galerie geweest, gedroeg zich verdacht. Misschien vertelt hij ons niet alles. Hij was jaloers op de nieuwe vriend van Lucienne; je geliefde motief. En hij had al een strafblad, niet te vergeten.'

Ze twijfelt. Is ze niet objectief genoeg meer om Peters' ware aard te ontmaskeren? Ergens gelooft ze het niet, maar ze twijfelt. 'Doe jij dat maar. En laat Eggelink nu op het bureau komen, die zullen we de duimschroeven ook eens aandraaien. We gaan naar het bureau. Ik wil nadenken.'

44

De twee vriendinnen van Lucienne zitten gedwee achter een kop
thee in verhoor één. De deur van de verhoorkamer staat open,
Nelleke ziet ze vanuit de gang zitten en vraagt Simmelinck en
Cornelissen, die bij de deur staan te wachten op haar komst,
fluisterend om ze te verhoren. 'Kijk maar wat je uit ze los kunt
krijgen als je die twee samen in een kamer een beetje onder druk
zet. Ik ben geïnteresseerd in die geheimtaal maar vooral in eventueel drugsgebruik van de dames en uiteraard wil ik weten of Lucienne daar ooit aan meedeed. Tot nu toe hebben ze dat ontkend.'

Ze haalt koffie en gaat naar haar kantoor. Ze doet de deur achter zich dicht en dan is het stil. Ze bladert in papieren en leest.
Drinkt koffie. Leunt achterover in haar stoel, voor zover die dat
toelaat, en kijkt naar buiten. Denkt na. Maakt notities. Wist
Lucienne iets over Maarten Peters? Was hij het? Of was het Alex
Hauser, met opzet of per ongeluk, die doordraaft in zijn exhi-
bitie van vrouwen? Of de vriendinnen, die onwetend, misschien
stiekem, Lucienne coke hebben gegeven. Er was een man
's nachts in de galerie. Ze kunnen een vriend, of meerdere, bij
zich hebben gehad. Hoe zit het met die geheimtaal? Daar moet
ze de oplossing voor vinden. Op de een of andere manier moet
daar een antwoord in zitten.

Of moet ze het antwoord ergens anders zoeken? Heeft Lucienne in een ondoordacht moment niet kinderachtig willen zijn, mee willen doen en haar stommiteit met de dood moeten bekopen en zijn eventuele getuigen gevlucht?

Daan Westerhuis heeft ze afgeschreven. Hoewel zijn alibi niet sluitend is, is ze ervan overtuigd dat hij niets met de moord van doen heeft. Hij komt nooit in een galerie, laat staan dat hij die kiest als plek om een moord te plegen en het slachtoffer er zo bijzonder te situeren. Dat feit wijst in de richting van Hauser. Of Peters, die graag artistieker had willen zijn. Of Marc Eggelink, die daarmee Peters de schuld in de schoenen wil schuiven.

Ze leest meer rapporten, maakt meer notities. Leest opnieuw. Drinkt meer koffie. Haar vierde of vijfde kop al vandaag, ze is de tel kwijt. Het is niet goed voor haar, maar ze heeft de cafeïne nodig om helder te denken.

De mogelijkheid dat Lucienne zelfmoord heeft gepleegd schuift ze terzijde, dat heeft ze al direct gedaan na de eerste ontmoeting met de ouders en Monique. Of eigenlijk al sinds het moment dat ze het slachtoffer zag liggen. Buiten dat heeft ze in Luciennes computer te veel verhalen en gedichten gelezen die zo'n duidelijke hang naar het leven hebben dat een dergelijke rigoureuze stap niet aannemelijk is.

Er wordt op haar deur geklopt. Voor ze tijd heeft om iets te zeggen, dendert Markant haar kantoor binnen.

'Er is een man in Doetinchem vermoord. Twee uur geleden gevonden achter café Jansen in de Waterstraat. Zijn hersens liggen verdomme op het trottoir. Kunnen de heren het hier afronden zonder jou?'

Ze zucht diep, wrijft over haar slapen, voelt de huid rond haar ogen prikken. Opstandige stukjes van haarzelf die om rust schreeuwen, zo voelen haar ogen. En god, daar is ook nog die Rotteveel met zijn bedrieglijke babyface. En ze moet vrij nemen. Ook nog.

'En?' vraagt Markant ongeduldig.

'Nee. Ik bedoel, ik ga niet met je mee. Ik zit midden in een zaak en die wil ik oplossen.'

'Kunnen Simmelinck en Cornelissen dat niet doen?'

'Het is mijn zaak.'

Markant gromt binnensmonds. Dan schiet hem blijkbaar iets anders te binnen. 'Een klacht! Daar kwam ik voor hier. Van Hennink, de directeur van de academie. Hij noemde jullie optreden daar onbeschoft en is zeer ontdaan over de schok die je teweeg hebt gebracht bij zijn studenten.'

'Dat is niet mijn verdienste, maar de dood van een medestudente. Wat niet meer dan logisch is. En als er zich één onbeschoft heeft gedragen daar, dan is dat meneer Hennink wel. Hij is bang dat hij zieltjes verliest, oftewel aanzien en geld. Als hij maar kan golfen met zijn maatjes en een beetje kan roddelen, interesseert hem die hele school niet, dat is mijn indruk van deze directeur.' Ze zegt het kalm, maar inwendig stormt het. De commissaris lijkt er geen antwoord op te hebben, ze meent zelfs een van zijn mondhoeken iets omhoog te zien gaan als ze het woord 'roddelen' noemt. Misschien komt de boodschap over.

Het blijft even stil en ze is niet van plan om die stilte te doorbreken. Als hij niets meer te zeggen heeft kan hij wat haar betreft opzouten. Ze kijkt hem aan, daagt hem zwijgend uit tegen haar in te gaan.

'Je hebt inmiddels bewijzen, neem ik aan, dat het om moord gaat? Ik heb geen tijd gehad om alle rapporten te lezen.'

'Alles wijst erop dat Lucienne Vos geen natuurlijke dood is gestorven. En dat zal ik vandaag of morgen bewijzen.'

Markant staat op. 'Ik geef je nog één extra dag. En reken erop dat ik morgen waarschijnlijk Simmelinck en Cornelissen erbij wil hebben in Doetinchem.'

'Dat kan niet, ik heb ze nodig. En ze horen bij mijn team zo lang ik ze nodig heb!'

De commissaris verdwijnt zonder reactie. Haar hart klopt hoog in haar keel van de spanning. Komt hij nog terug voor revanche? Denkt hij na over de stappen die hij kan ondernemen? Daar wil ze niet over denken.

Ze haalt een paar keer diep adem om tot rust te komen en loopt naar verhoorkamer twee, de middelste kamer, naast verhoor één. Ze zet de lamellen open zodat ze door de confrontatiespiegel kan kijken, en drukt op een witte knop naast de deur zodat ze de mensen in de ruimte ernaast niet alleen kan zien, maar ook kan horen. Het huilen staat de twee dames nader dan het lachen, zo veel is haar onmiddellijk duidelijk. Simmelinck zit op de rand van het bureau en torent gezaghebbend boven de twee uit, terwijl Cornelissen de aardige vriend uithangt die hen op hun gemak stelt. Een bewezen succesformule.

'We hebben Luus zaterdagavond niet gezien, echt waar niet. We zijn samen met Noortje naar De Radstake geweest, en later ging ik, alleen met Vera, naar 't Doktertje.'

'Waarom twijfelde je dan zo bij die vraag?' zegt Simmelinck, met harde stem.

Marieke slaat haar ogen neer, een traan valt op haar witte bloes. Een zachtaardig meisje, is haar eerste indruk. Verlegen. 'Omdat Vera helemaal uit haar dak ging.' Ze kijkt haar vriendin aan. 'Bij 't Doktertje stond je boven op de bar te dansen terwijl je je kleren uittrok. Ik kreeg je bijna niet mee. Vraag maar aan Robert.'

Vera kijkt verbaasd. 'Kut, dat meen je niet.' Ze lijkt zich er niets van te herinneren, maar ze ziet aan de ogen van het meisje dat ze haar vriendin wel gelooft.

'Ik wilde mijn ouders al een tijdje om hulp vragen. Waar je terecht kunt met zo'n verslaving,' zegt Marieke. 'Luus was het daarmee eens.' Ze kijkt Cornelissen aan. 'Lucienne was Vera's oudste vriendin, al vanaf de lagere school.' Haar ogen zoeken die van Vera, ze vermant zichzelf. 'We maakten ons zorgen, snap dat dan.' Haar stem is hoog en iel, slaat af en toe over, maar haar woorden klinken zelfverzekerder naarmate ze langer praat. 'We durfden alle drie niks te zeggen uit angst voor thuis. Luus durfde sowieso niks te zeggen. Haar vader zou haar nooit meer willen zien als hij erachter zou komen op wie ze verliefd was, zei ze, en daarmee zou ze zich al trammelant genoeg op de hals halen. Ik respecteerde Luus, dat ze geen coke wilde, en we vonden dat jij dat ook moest doen. En dat je niet meer zo veel moest nemen. Echt Vera, waar wij bij zijn zo flippen, dat wilden we gewoon niet meer. Je kunt wel doen alsof er niks aan de hand is, maar ik zie je wel trillen soms, doe maar niet alsof het niet zo is.' Mariekes stem slaat over, als ze Simmelinck aankijkt. 'Ik was zondag bij mijn ouders, ik stond op het punt alles op te biechten. En toen belde Vera op, dat Luus dood was.'

Vera's gezicht wordt langzaam minder wit, strepen huid worden zichtbaar door de tranen die langs haar wangen lopen. Gecombineerd met enkele zwarte strepen van haar mascara is het effect heel bijzonder. Een zebrapad.

Ze heeft genoeg gehoord en gezien, klikt de microfoon uit en verlaat het kamertje.

Ze klopt op de deur, vraagt Simmelinck bij haar. 'Hebben ze nog iets losgelaten over hun geheimtaal?'

Simmelinck schudt zijn hoofd. 'Een geintje. Mailtjes over jongens en neuken, zeggen ze. En dan prikten ze voor de leut andere woorden uit het woordenboek, om het spannend te houden. Vooral iets van Vera, als ik hen mag geloven.'

'En het telefoontje van Marieke, met Lucienne, vrijdagmiddag?'

'Dat ging over Vera.'

'Vertellen ze de waarheid?'

'Wie het weet mag het zeggen. Die Vera Boschker is knap gestoord, en die meiden liegen makkelijker dan dat ze een scheet laten. Marieke leek me wel oprecht, en ik geloof in ieder geval dat ze Lucienne zaterdagavond niet hebben gezien. Ik heb trouwens Eggelink gesproken aan de telefoon, hij zal zo snel mogelijk deze kant op komen.'

Gerritsen, die bij de receptie zit, roept haar. 'Telefoon van het districtsbureau,' zegt hij, terwijl hij de hoorn van de telefoon omhoog houdt.

'Zet je hem even op toestel vijf?'

De hoofdagent knikt. 'Ik verbind u door, ogenblik alstublieft,' hoort ze nog vaag.

Het bureau, in de persoon van hoofdagent Van Wijk, meldt dat Daan Westerhuis op de video te zien is van een vechtpartij, zaterdagnacht in het centrum van Doetinchem. 'We hebben de camera's geplaatst omdat we moeilijkheden verwachtten. Het is allesbehalve een lieverdje, met een redelijk strafblad...'

'Ja, dat hebben we gezien,' zegt ze. Kom, schiet op man.

'... Maar u kunt hem schrappen als verdachte. Tegen de tijd dat uw moord werd gepleegd, rond middernacht, was Westerhuis nog volop bezig klappen uit te delen.'

'Bedankt voor de informatie. Dat staat allemaal in de computer, neem ik aan?'

'Ja. U kunt het checken.'

'Mooi. En bedankt.'

Ze gaat naar de spreekkamer, pakt de rode viltstift van het bord en wil een definitieve rode streep door de boeventronie van Westerhuis zetten, maar dat doet ze bij nader inzien toch niet. Geen enkele mogelijkheid uitsluiten. Zonder oogkleppen, zonder tunnelvisie, een *open mind* houden. Er kan geknoeid zijn met tijden, met de camera, wie weet. Ze zet een cirkel om de foto op het bord, het teken dat deze man hoogstwaarschijnlijk niet betrokken is bij de dood van Lucienne. Dan loopt ze naar het kantoor van haar collega's, waar Wagener achter zijn laptop zit. 'Ik wacht op Westerhuis,' zegt hij. 'Hij zou over een uurtje hier zijn.'

'Laat Westerhuis maar zitten,' zegt ze. 'Kom, we gaan Alex Hauser in het heilige der heiligen verrassen.'

'Wat wil je daar doen?' vraag Wagener.

'Ik heb geen idee.'

45

'Mijn geld staat op Peters,' zegt Wagener, terwijl hij de auto afsluit.

'Ik hoop dat je niet te hoog hebt ingezet,' antwoordt ze.

In de verste verte is geen mens te bekennen. Bij bedrijven verderop staan enkele auto's, maar verder is er geen teken van leven in de omgeving. Een naargeestige buurt, lijkt haar, om je creativiteit om te zetten in een product.

Er is geen bel. Wagener klopt aan en probeert de deur. Die is open. Binnen is het warm, de zon schijnt volop door de grote glazen dakkoepel, die buitengewoon mooi afsteekt tegen het pand, dat er oud en versleten uitziet. Het ruikt er naar terpentine en, sterker, onmiskenbaar naar hasj. De grote ruimte is chaotisch, gevuld met vellen papier en fotoafdrukken op tafels; in een deel van de ruimte lijkt een kleine huiskamer nagebootst door er een bankstel en een kastje met een tv neer te zetten. Daarnaast zit Alex Hauser, achter een imposant houten bureau.

'Wat is er nu weer? Ik ben druk, geen tijd.' Alex Hauser drukt ongeduldig op zijn toetsenbord, de laptop protesteert met het bekende eendengekwek van de Apple Mactintosh, dan pas kijkt hij op. 'O, u bent het.'

'Een dure notebook,' fluistert Wagener.

Ze knikt. 'We gaan rondkijken, meneer Hauser,' zegt ze, en houdt het bevel tot doorzoeking voor zijn neus.

'Deze is niet van mij,' zegt Hauser. Hij heeft blijkbaar Wageners opmerking gehoord. 'Maarten Peters is de gelukkige eigenaar van dit magnifieke stukje techniek.'

'Je had er toch een in de galerie?'

'En daar staat hij nog steeds; ik zet straks de bestanden over op de mijne. Dit is een G5, megasnel.'

'Vond Lucienne het leuk om voor je te poseren?' vraagt ze, kijkend naar enkele afbeeldingen van vrouwenlijven aan de muur. Op enkele ervan prijkt het fraai gevormde maar ook zeer professioneel in beeld gebrachte lijf van Lucienne Vos. Ze kan niet anders zeggen. Hij heeft gevoel voor vormen.

'Alle meiden vinden het cool als ik ze vraag.'

'Ook Vera? En Noortje?'

'Alle meiden.'

'Kreeg Vera coke van je?'

Alex Hauser haalt zijn schouders op. 'Heeft ze dat verteld? Jaloerse bitch. Omdat Lucienne mooier was. Daar kon ze niet tegen. Werd ze ineens gothic. Kan zo het graf in. Word ik nu gearresteerd voor dealen?' Hauser glimlacht, alsof hij wel weet dat een simpele drugsveroordeling haar opzet niet is.

Ze loopt rond, kijkt onder tafels, tussen vellen papier. Niets bijzonders. Het lijkt Alex Hauser niet te storen. Ze opent een deur, waardoor ze in een keukentje komt waar ze zelf amper in kan staan. Een andere deur is op slot. 'Wil je deze voor ons openmaken?'

'Moet dat?'

'Ja dat moet.'

'Er ligt alleen maar oude zooi.'

'Toch maar even doen.'

Het is een doka. Chaotisch en volgestapeld met materialen, maar onmiskenbaar een doka. Die nog wordt gebruikt. Ze ruikt de scherpe geur van ontwikkelvloeistof, die ze herkent. Van thuis, waar Jaap een donkere kamer heeft ingericht, maar ook van vroeger, van haar vaders kleine doka. Op een plank liggen strips negatieven. Ze houdt er een paar tegen de lamp; meer vrouwen, meer lijven in allerlei poses, lijkt het, ze kan de beeldjes in diapositief niet goed inschatten, omdat ze zo klein zijn. Ze struint door stapels foto's en lades met papieren. Oude bankafschriften, visitekaartjes, een uitnodiging voor een feestje bij Karel en Hettie Hauser ter gelegenheid van hun vijfentwintigjarig huwelijk, een gebruiksaanwijzing voor een radioset, een map met krantenartikelen over tentoonstellingen van Alex Hausers werk. In een bibliotheek, een ziekenhuis. En een artikel over een oude vrouw die opgebaard in een kerk ligt. Waarom heeft Hauser die in zijn la? Ze leest het artikel, waarin een pleidooi wordt gehouden voor meer openheid rondom uitvaarten. Niet alleen wordt er veel gesjoemeld met het geld van nabestaanden, die geen oog hebben voor geldzaken in hun rouw, aldus een journalist, maar ook is de dood nog steeds voor velen een taboe. Als ze de foto bij het artikel nauwkeuriger bekijkt, ziet ze eronder staan wie die heeft gemaakt: Alex Hauser. Met als commentaar erbij: 'De fotograaf doorbreekt taboes met een serie foto's waarop een dode vrouw is afgebeeld. Met een kunstzinnig gevoel creëert hij een serene, gepaste stilte in het beeld. Wat is er op dergelijke afbeeldingen tegen?'

Hauser heeft interesse voor de dood. Daaruit mag ze geen voorbarige conclusies trekken. Ze kijkt nog wat negatieven door, pakt de rolletjes bij elkaar en stopt ze in een stoffige, lege envelop, die ze boven op een stapel negatieven en papieren vindt.

De map met krantenartikelen stopt ze er ook in.

Het ouderwetse telefoongerinkel klinkt. Haar mobiel. Simmelinck meldt dat Eggelink niet op komt dagen, terwijl hij al lang op het bureau had kunnen zijn. Ze zijn bij hem thuis geweest maar ook daar was hij niet, net zo min als zijn mobiel. Dus kunnen ze ook zijn gesprekken niet laten traceren. Wil ze dat ze een opsporingsbevel uitgeven? Jazeker, dat wil ze. Simmelinck zal actie ondernemen.

Wagener komt de doka binnen, met in zijn handen een oude spiegelreflexcamera. 'Hij fotografeert ook traditioneel,' zegt hij, rondkijkend. 'Maar dat heb je al gemerkt, zie ik. Wat een puinhoop is het hier.'

Ze laat hem de negatieven zien. 'Deze moeten we maar eens goed bekijken,' zegt ze. 'En onze leraar is er waarschijnlijk vandoor.'

'Een schuldbekentenis?'

'Of bang voor zijn vrouw,' anwoordt ze.

'Ja, daar kan ik me wel iets bij voorstellen,' zegt Wagener. 'Als ik die twee zie, hoef ik nooit te trouwen.'

Ze laat Hauser zien wat ze mee wil nemen. Hij vindt het prima. 'Oude troep' noemt hij het.

'Deed Lucienne wel eens bijzonder modellenwerk voor je?'

'Hoe bedoelt u?' vraagt Hauser.

'Dat je haar zo fotografeerde alsof ze dood leek?'

Hauser lijkt even uit zijn doen. De computer 'kwekt' een foutmelding en hij strijkt door zijn blonde haar, dat daarna eigenwijs weer rechtop gaat staan. 'Waarom denkt u dat?'

'Wil je mijn vraag beantwoorden, alsjeblieft?'

'Ik, eh... ja, voor een advertentiecampagne van een uitvaartverzekering, vorig jaar. Hoe weet u dat?'

'Waar zijn die foto's?'

Alex Hausers twijfelt zichtbaar wat hij zal doen.

'Ik wil ze zien, meneer Hauser.'

'Loopt u maar mee.' Hauser loopt naar de doka en opent daar met een sleutel die hij uit een la haalt een andere deur. 'Had u die niet gezien?'

'Dat was mijn volgende vraag; dat scheelt al weer.'

Hauser doet een lamp aan; een kaal peertje schijnt sfeerloos licht op meer stapels papier, foto's en mappen. Hij zoekt tussen de spullen, haalt er een rode map tussenuit.

'Waarom schrok je van mijn vraag?'

'Vond u dat ik schrok?'

Ze knikt.

Hauser haalt zijn schouders op. 'Ik schrok niet, ik was meer verrast, denk ik.'

Op zijn bureau laat hij hun de foto's zien. Mooie beelden, fragiel, zoals Lucienne bleek en sereen de aandacht trekt. Hij legt de advertentie voor haar neer. Het gezicht van Lucienne is anders, dat zal hij gemanipuleerd hebben, en deels gesluierd. Ze herkent het meisje amper.

'Heeft Lucienne dit betaald gekregen? En jij?'

'Vandaar mijn laptop,' zegt Hauser. 'En Lucienne heeft er ook een paar honderd euro voor gehad, ja. Volgens mij heeft ze meubels gekocht voor haar kamer.'

'Ik wil graag de sleutel tijdelijk van je hebben; er komt straks een collega verder onderzoek doen hier.'

Hauser geeft haar de sleutel.

'En die van de doka.'

Ook die krijgt ze. Ze sluit de beide ruimtes af. 'Zijn er meer sleutels van?'

Alex Hauser schudt zijn hoofd. Ze gelooft hem.

'Hoeveel doeken zijn er het afgelopen jaar van je verkocht, Alex?'

'Ik verkoop nog niet veel. Peters vraagt er mega voor, vind ik, maar ja, dat is zijn vak.'

'Drie, tien?'

'Eentje,' antwoordt Hauser, met tegenzin.

'Goed. We weten voorlopig genoeg, Alex. Je blijft sowieso in de buurt, in verband met je expositie, maar houd ook je mobiel aan. Misschien hebben we nog vragen.'

Ze pakt de envelop van tafel en knikt naar de kunstenaar in spe. 'Succes.'

Ze lopen naar de auto. 'Zal ik je bij het bureau afzetten? Ik ga even naar huis, Josien is jarig.'

'Ik laat je niet alleen gaan.'

Ze zou in haar onderzoeksdrift bijna Rotteveel vergeten. Ineens ziet ze zijn cynische glimlach weer voor zich en het kippenvel kruipt haar over de armen.

'Dan mag je me thuis afzetten en later weer ophalen. Of je moet zin hebben in een stukje gebak. Ik moet je wel waarschuwen, Josien heeft zelf gebakken.'

'Ik eet alles.'

'Vertel mij wat.'

46

Op de bar staat een grote, ouderwetse lichtbak uit de doka van Jaap. Die hangt er met zijn hoofd boven; bekijkt met een loep een voor een de negatieven met een traagheid die haar extra ongeduldig maakt.

Haar vader had een heel kleine doka, je kon er amper in staan. Ze keek mee, in de rode duisternis, naar zijn doordachte handelingen. Ze ziet de vloeistofbak voor zich, waarin haar vader het gladde papier met geroutineerde, vaste hand liet zakken en dan voorzichtig heen en weer liet drijven. Tot er op wonderbaarlijke wijze langzaam reigers en roodborstjes, klaprozen of andersoortige bloemen tevoorschijn kwamen.

Ze wacht op Jaaps commentaar. 'Waar is Josien, trouwens?'

'Wandelen met de hond, al voor de derde keer,' zegt Jaap. 'Emma is erbij.'

'Wilde die pup wel mee? Lijkt me het ergste wat er is voor moeder hond, *by the way*, een voor een alle kinderen zo bruut het nest uit,' zegt Wagener.

'Daya piepte wel een paar keer toen we net weg waren ,' zegt Jaap, 'maar daarna kroop ze bij Josien in de nek. Ze voelt zich al een echte hond. Nel, je gaat volledig voor de bijl, voor zover je dat nog niet deed. Ze ondernam onderweg een paar keer een poging tot blaffen, we kwamen niet meer bij. Zeg, deze foto's zijn echt super, wat een gevoel voor licht, opmerkelijk.'

'Wat denk je?' vraagt ze.

'Een knap staaltje werk. Heel bijzonder.'

'Onsmakelijk,' zegt Wagener, amper verstaanbaar door een mond vol appeltaart, die hem wonderwel smaakt, te zien aan de gretigheid waarmee hij het stuk wegwerkt. 'Iemand zogenaamd dood laten lijken voor zo'n plaatje.'

Na een klop op de deur komt Simmelinck binnen. 'Ton heeft de surveillance overgenomen. Geen bijzonderheden te melden. Ik wilde je net bellen, toen ik je auto zag staan.'

'Kom er maar in, we hebben nog taart,' zegt Jaap. 'Hoewel, de appeltaart van Josien gaat hard. Er is nog wel een of ander soort kwarktaart, die Emma heeft gemaakt. Die ziet een beetje groen, maar is erg lekker. Hoezo surveilleren jullie? Hier in de buurt?'

'Overal in de omgeving. Extra beveiliging.'

'Kijk hier eens naar, Han, die foto's,' zegt ze snel, voordat Simmelinck over Rotteveel kan vertellen. Ze laat Simmelinck enkele foto's zien waarop een vrouw is afgebeeld; liggend op een bed, lijkbleek. 'Ze zou echt dood kunnen zijn, geloof ik. Hij heeft het al eens gedaan.' Ze laat hem het krantenartikel zien en schuift een stuk taart zijn kant op.

Simmelinck bekijkt de foto's nauwkeurig.

Wagener schudt zijn hoofd. 'Iemand fotograferen terwijl die al dood is, vind ik helemaal luguber.'

'Maar het zou wel kunnen,' zegt ze.

'Ach kom,' zegt Jaap. 'Je weet niet wat er allemaal mogelijk is met Photoshop. En je zei zelf dat er een vriendin van Lucienne op staat, die ook nog levend en wel rondhuppelt.'

'Vera, ja, dat klopt,' zegt ze. 'Ferry, van haar heb ik ook foto's gevonden die Hauser heeft gemaakt. Van voor haar gothic-periode. Dat ze zo mooi is, had ik niet gedacht. Heb je die negatieven nog op de bak liggen, Jaap?'

Jaap zoekt de foto's voor Wagener op.

'Maar toch. Volgens mij zitten er ook foto's bij van overleden mensen. Daar durf ik wat om te verwedden,' zegt ze.

'Vijftig,' zegt Simmelinck meteen. Ze kijkt hem verbaasd aan.

'Dat kan er echt wel af hoor,' zegt de rechercheur.

'Ik doe mee,' zegt Jaap. 'Dan moet je er maar niet over beginnen.'

'Ik ook,' zegt Wagener.

'Oké. Gaan jullie dan maar vast sparen, want ik ga toch winnen,' zegt ze, overtuigd van haar zaak. 'Ik weet het van een schilder, en echt niet de eerste de beste, die ooit een jongetje dood wilde schilderen. Dat kreeg hij maar niet voor elkaar en dat zat 'm in de ogen. Die zijn altijd het meest opmerkelijk bij een lijk.'

'Dat ben ik met je eens,' zegt Simmelinck.

'Wil je nog een slokje?' Jaap houdt Wagener de wijnfles voor, maar die bedankt. 'Jij?' vraagt hij haar.

'Lekker. Klein beetje.'

'Ik houd het bij een goede fotoshopper,' zegt Jaap. 'Je vertelde zelf dat hij daar zijn brood mee verdient, dus dat kan toch?' Hij heft zijn glas. 'Proost. Op Josien.'

Ze doet, ontevreden, de lichtbak uit.

'Hoe is het nou, Han?' vraagt Jaap, terwijl hij haar glas vult. 'Jij ook een wijntje? Een prima combinatie met taart, Wagener kan het weten.'

'Nou, of dat ook voor die groene taart geldt…' zegt Wagener aarzelend.

'Wil je een stuk proberen?'

Wagener knikt gretig. 'Zeer benieuwd.'

Simmelinck kijkt op zijn horloge.

'Onze dienst zit erop, het mag,' zegt Wagener.

'Doe maar een halve, ik moet nog langer mee vandaag,' zegt Simmelinck. 'Het is over en uit,' antwoordt de rechercheur op Jaaps vraag, terwijl die een glas wijn voor hem inschenkt. 'Gisteravond hebben we besloten om te scheiden. Ik ben nog opgelucht ook, raar genoeg.' Simmelinck blijft ondanks de opluchting steken in de laatste woorden en kan zijn emoties amper de baas.

'Ze verkopen het huis, daar zit zo veel overwaarde in dat hij zelf wel weer iets leuks terug kan kopen,' zegt ze. 'Misschien een van die appartementen in de Rapenburgsestraat, waar Roosendaal zat, of daartegenover.'

'Rot voor je,' zegt Jaap. Zijn blik is gefocust op enkele negatieven, die hij tegen het licht houdt. Hij laat ze, zichtbaar gefascineerd, door zijn vingers glijden.

'Wat voor indruk kreeg jij eigenlijk van Alex Hauser?' vraagt ze aan Simmelinck. 'Sorry dat ik je onderbreek.'

'Hij had weinig praatjes in de auto,' zegt haar collega. 'Als we maar iets over zijn expositie vroegen, of het over zijn werken hadden, leek hij geëngageerd, maar verder, ik weet het niet. Een vreemde vogel.'

'Jullie speurneuzen hebben niks met de creatieve zonderlingen op deze aardkloot, zeg het maar eerlijk. Heb je enig steekhoudend bewijs dat hij niet spoort?'

Daar heeft Jaap wel een punt. Geen enkel bewijs hebben ze, tot zover. Alleen indirect. En daar wordt ze knap chagrijnig van.

Het volgende moment denkt ze echter amper aan bewijzen, Alex Hauser en moord. Ze wordt helemaal in beslag genomen door een bruin, beige en wit gevlekte bol haren.

'Waar zitten de batterijen?' lacht Simmelinck. 'Het is net een speelgoedding.'

Josien glimt van plezier. 'Daya heeft keurig een plasje gedaan op het gras.'

'En ze kreeg gelijk drie koekjes,' zegt Emma. De beide meisjes liggen giechelend op de grond, de pup vindt het prachtig en bespringt en likt ze om beurten.

Emma komt overeind, schenkt een glas limonade in. 'Noemen jullie dat werk?' vraagt ze afkeurend, terwijl ze naar de glazen wijn kijkt.

'En heb jij geen huiswerk?' vraagt Jaap.

'Gaat het over Lucienne Vos? Weten jullie al iets?' vraagt Emma.

Ze schudt haar hoofd.

'Zijn haar ouders trots op haar? Ze zal nu wel beroemd worden, zo werkt dat toch met kunst? Daarom ga ik liever de mode in. Dan word je tenminste levend al beroemd.'

Emma is amper de keuken uit of Simone en Pim komen binnen. Geen minuut later liggen ze naast Josien op de grond, knuffelend met de pup, en Josien.

Na de cadeaus – de botjes en een flostouw voor de hond scoren hoger dan het mini make-upsetje voor Josien zelf – drinken ze koffie met hun vrienden. Simmelinck drinkt zijn glas leeg en weigert een tweede. 'Dan moet ik teruglopen. Heb je me nog nodig?'

Ze knikt. 'Ik moet straks nog even weg,' zegt ze.

'Koffie dan maar?' oppert Jaap.

'Lekker,' knikt Simmelinck. Hij is met Pim in gesprek over een appartement dat Pims bedrijf heeft verbouwd en nu in de verkoop heeft. Pim zal hem morgen bellen om het te gaan bekijken. Simmelinck fleurt zowaar op als hij met Pim op het internet enkele foto's van de woning kan bekijken. Totdat zijn mobiel gaat. 'Jongens, het is gezellig, maar ik moet naar Doetinchem, assisteren in het buurtonderzoek. Op commando van Markant.'

'Dat wil ik wel doen,' zegt Wagener. 'Dan kun jij met Nel mee.'

'Anders ga ik wel alleen,' zegt ze.

'Geen sprake van,' mengt Jaap zich in hun overleg.

'Nee. Dat is mijn job! Ik breng je overal waar je wilt. Vierentwintig uur per dag beschikbaar,' salueert Simmelinck. 'Dat gaat voor. Sowieso voor een buurtonderzoek. Ik bel Markant wel dat hij moet wachten.'

De telefoon gaat.

'Dag Nel, hoe is het, kom je me al halen?'

Ze was het vergeten.

'We komen er zo aan, mam.'

'Dat is fijn. Ik heb het onderzoek in het ziekenhuis gehad, vandaag. De dokter zei dat ik vezels moet eten en dat ik moet proberen af en toe met de rollator een klein stukje te lopen. Bewegen is goed voor de stoelgang, zei hij. Alsof dat allemaal zo eenvoudig is.'

'Maar de dokter heeft gelijk. Als je nu meteen je rollator pakt en alvast richting uitgang loopt, dan komen wij er zo aan.'

'Dan zie ik je straks wel. Dag.'

'Wil jij haar zo even ophalen, Jaap?' vraagt ze, terwijl ze haar allerliefste glimlach, hoopt ze, tevoorschijn haalt.

'Blijf niet te lang weg,' zegt Jaap, naar Josien knikkend.

'Waar gaan we heen?' vraagt Simmelinck.

'Naar huize Hauser.'

47

Het huis van de familie Hauser blijkt inderdaad het kolossale herenhuis te zijn aan de weg van Lichtenvoorde naar Aalten, net buiten de bebouwde kom. Ze heeft het huis vaak gezien vanaf de weg, maar had geen idee wie er woont. Een symmetrisch huis, met de voordeur in het midden en een brede, statige oprijlaan. Het is nieuwbouw, maar tot in detail jaren dertig stijl. In de voortuin, ter grootte van een voetbalveld, is een rechthoekige vijver gemaakt, geheel omrand met natuursteen.

Mevrouw Hauser laat hen binnen, haar man komt direct met grote passen op hen toe lopen en wil stante pede weten wat er aan de hand is. Hij bekijkt haar ID nauwkeurig voordat ze, met voelbare tegenzin, binnen worden gelaten. De ouders van Alex Hauser passen bij hun huis; statig, recht en grijs. Alleen bij hen ontbreekt de symmetrie volledig; hij is lang en stevig, zij is klein en iel. Eind vijftig, begin zestig, schat ze, ouder dan ze had verwacht. Alex lijkt op geen van zijn ouders; die hebben beiden de donkere trekken van zuiderlingen en bruine ogen, terwijl Alex op en top het noordelijke in zich heeft van de Germanen. In de hal loopt ze langs grote portretten van voor haar onbekende mannen. Misschien heeft hij voorouders van adel. Mevrouw

Hauser opent een van de witte deuren die tot aan het hoge plafond reiken en dan staan ze in een chic ingerichte kamer. De heer des huizes maakt een gebaar dat ze kunnen gaan zitten. De stoelen zijn comfortabel, maar staan te ver uit elkaar om een gevoel van vertrouwen of gezelligheid toe te laten. 'Waar gaat dit over?' vraagt Hauser met gefronste blik. In de kamer brandt een gashaard; een bijna volle fles wijn en twee glazen staan op tafel. Of ze het zelf de woonkamer noemen?

'Lucienne Vos. Een patiënte van u. Uw zoon Alex kende haar. Ze is zondagochtend dood aangetroffen.'

'Ik heb het gehoord,' zegt hij. Hij heeft een krachtige stem, met in de verte een Brabants accent.

Simmelinck knikt.

'Daarom hebben we een paar vragen voor u,' zegt ze. Als u er geen bezwaar tegen heeft, leg ik vast wat me belangrijk lijkt. Ze laat haar recorder zien en drukt op *rec*. 'Dinsdagavond negentien uur vijftien, bij de ouders van Alex Hauser. Aanwezig beide ouders, brigadier Simmelinck. Mijn naam is inspecteur De Winter.' De ouders maken geen bezwaar, maar geven ook niet de indruk dat ze staan te springen om mee te werken.

'Weet u waar uw zoon op dit moment mee bezig is?' vraagt Simmelinck.

'Ik hoop zijn studie afmaken, maar ik vrees dat ik met in de kroeg hangen dichter bij de waarheid ben,' antwoordt de heer Hauser.

'Wanneer heeft u Alex voor het laatst gezien?' vraagt ze.

Daar moet meneer Hauser over nadenken, ziet ze tot haar verbazing. Zijn vrouw kijkt hem terloops aan, om vervolgens haar blik op een punt in de verte te richten. Die verbergt iets voor haar man.

'Dat is al een een paar weken geleden,' zegt de moeder met een bijna verontschuldigende stem. 'Hij is druk, denk ik, met school.'

'Wat? Met coke snuiven, zul je bedoelen,' gromt de echtgenoot naar zijn vrouw. 'Het is zeker al drie maanden geleden dat hij geweest is. De paasbrunch, volgens mij. Verplichte koek voor hem.' Dan richt hij zich tot haar. 'Laten we er geen doekjes om winden. Alex is een nietsnut. Altijd geweest. Jan-Pieter, Clemens en Thomas hebben alle drie een academische opleiding, twee van hen ook in de medische branche, maar Alex was altijd aan het knoeien. Nam halfdode vogels mee naar huis...'

'Ach ja, dat was zo aandoenlijk,' valt mevrouw Hauser haar man in de rede. 'Dan probeerde hij...'

Hauser onderbreekt op zijn beurt zijn vrouw. 'Aandoenlijk? Ga weg. Ik heb gezien dat hij zo'n beestje koelbloedig de nek omdraaide toen het de tweede dag nog niet wilde eten. Aandoenlijk, laat me niet lachen.'

Mevrouw Hauser trekt bleek weg.

'Is Alex de jongste?' vraagt ze.

'Dat klopt,' zegt Hauser. 'De jongste en de meest opstandige, zogezegd. Ik heb hem het vwo doorgesleurd, maar ik kreeg hem daarna niet in een fatsoenlijke studierichting, helaas. Toen heb ik hem gezegd dat hij het zelf maar uit moest zoeken.'

'Betaalt hij zijn opleiding zelf?' vraagt Simmelinck.

'U gelooft toch niet dat ik iemand ga subsidiëren die straks gegarandeerd van een uitkering moet gaan rondkomen? Ik kan mijn geld wel beter investeren.'

Ondanks de warme gashaard krijgt ze het koud; het komt door de onverschilligheid waarmee Hauser senior over Alex praat. 'Morgen wordt in de galerie een expositie geopend met werk van uw zoon. Bent u daar niet trots op?'

Mevrouw Hauser loopt de kamer uit; waarom, dat heeft ze zo gauw niet gemerkt, maar ze vermoedt dat de emoties de vrouw te veel worden.

Hauser pakt zijn glas van tafel, neemt een slok wijn. 'Kan ik u iets inschenken?' vraagt hij beleefd.

'Nee, dank u.'

Ook Simmelinck schudt zijn hoofd, al kijkt hij belangstellend naar de ongetwijfeld dure fles wijn.

'U kunt me wel het toilet wijzen, als u wilt,' zegt ze, terwijl ze opstaat.

'Eerste deur rechts als u richting voordeur loopt,' zegt hij.

Ze doet de deur achter zich dicht en loopt de andere kant op. Ze hoort geluiden verderop in de hal, vermoedelijk vanuit de keuken, en hoopt dat mevrouw Hauser daar is. Als ze verder de hal in loopt vindt ze aan haar linkerhand inderdaad de keuken en ze ziet de vrouw, die net een papieren zakdoekje in de afvalbak laat vallen.

'Voelt u zich wel goed?' vraagt ze, terwijl ze de keuken in loopt.

Mevrouw Hauser laat zich op een stoel zakken aan de eettafel. De Chaplin van Montis, rond de duizend euro per stuk. Ze telt tien stoelen om de tafel. Ze gaat rustig tegenover de vrouw zitten. 'Wat wilt u mij vertellen over Alex?'

'Mijn man vindt het vast geen goed idee.'

'Wat vindt u zelf?'

De vrouw kijkt haar enigszins verrast aan. Ze glimlacht. 'Alex kwam pas bij ons toen hij vier jaar was. Na het derde pleeggezin, waar hij stil en afstandelijk vandaan kwam, dachten we hem hier een warm nest te kunnen bieden. Maar hij was al te veel kou gewend om nog warmte te kunnen voelen. Hij gedoogde anderen om zich heen, maar ging volledig zijn eigen gang in zijn eigen wereld. Jan-Willem nam hem zijn afstandelijke gevoel kwalijk, hij gaf hem toch een kans uit duizenden? Ik zag vanaf het begin in Alex' ogen dat hij geen vertrouwen meer had in de mensen. Ik heb geprobeerd tot hem door te dringen. Daarin heb ik gefaald.'

'Dat is erg verdrietig,' zegt ze. Het is even stil. Ze hoort de kraan achter zich druppelen. Ze voelt het. Voelt mee met die kleine jongen die geen vertrouwen meer heeft. Hechtingsangst met een meer professionele term. Daar heb je het weer. Ze slikt, om haar emoties de baas te blijven. Ze kan zich niet afhankelijk opstellen. Een keer meende ze dat ze eroverheen was. Toen ze haar biologische moeder had gevonden meende ze dat alles in orde was. Ze trouwde zelfs. Hechtte zich aan Gijs. En Suzan. Niet aan denken.

'Heeft Alex hier in huis nog een eigen kamer?'

Mevrouw Hauser knikt. 'Boven. Wilt u die zien?'

'Graag.'

Ze neust rond in de jongenskamer. Aan de muur hangen foto's; van een oorlogstafereel – in Irak, vermoed ze, aan de mensen te zien – en van jolige drinkers in een café. Opvallend in de kamer is een grote boekenkast, tot aan de nok toe gevuld met lange rijen jongensboeken. Ze herkent de oranje zijkanten van *Suske & Wiske*, en nog enkele rijen stripboeken. Oude uitgaven van *Arendsoog* zelfs nog; die heeft hij vast van een van zijn oudere broers gekregen. Enkele boeken over fotografie, een stuk of zeven uitgaven van *Snoecks*, en een woordenboek. Ze pakt het min of meer als vanzelfsprekend van de plank en bladert erin. Een Wolters, oude uitgave. Ze ziet niets bijzonders op de kamer. Een doodnormale jongenskamer, met doodnormale jongens-spullen.

Dan ineens schiet haar te binnen dat Vera Boschker heeft gelogen. Ze hebben geen, of in ieder geval niet alleen woorden uit het woordenboek geprikt. Er stonden ook niet-bestaande woorden in de e-mails. Verdomd, ze had het wel gedacht, daar is iets mee. Die meiden hebben iets uit zitten spoken. Mevrouw Hauser aait een grijze knuffelzeehond, zittend op het bed. Ze ziet nog steeds bleek.

'Hoe was Alex als kind?'

Mevrouw Hauser kijkt langs haar heen, alsof haar gedachten elders zijn. 'Stil en teruggetrokken. Het was alsof je niet tot hem doordrong.' Ze twijfelt even. 'Hoe lief of kwaad je ook deed, hij knipperde niet eens met zijn ogen, zo totaal onaangedaan.' Ze legt de zeehond met precisie terug op zijn plek op het bed. 'Dat beangstigde me wel eens.'

'Had hij nog eigen broertjes of zusjes?'

'Dat weet ik niet. Verdenkt u Alex ergens van?'

'We zoeken zo veel mogelijk informatie over iedereen die Lucienne Vos heeft gekend. Voor de ouders is het ook belangrijk dat we uitvinden hoe de jonge vrouw aan haar einde is gekomen.'

'Dat spreekt voor zich,' antwoordt mevrouw Hauser. 'Het is alleen... nou ja, Alex zou geen vlieg kwaad doen. Ook al denkt mijn man daar anders over. Met die vogel? Hij zag het niet, maar ik wel. Ik zag het verdriet in zijn ogen, toen dat beestje doodging.'

'Wanneer was hij nu hier voor het laatst? Denkt u alstublieft goed na.'

'Op een dinsdagavond in april. Dat moet een week of acht geleden zijn. Mijn man was er niet, hij gaf een lezing in het Medisch Spectrum in Enschede, vandaar dat hij het niet weet.'

'Annemarie, waar blijf je?' roept haar man vanuit de kamer.

Ze maken tegelijkertijd aanstalten om de kamer te verlaten, alsof ze het zo hebben afgesproken, en lopen stilletjes naar beneden. Dankzij de dikke loper op de trap is dat geen probleem. Mevrouw Hauser legt een hand op haar arm. 'Ik heb liever niet dat mijn man weet dat ik u dit heb verteld. Hij heeft het er niet graag over,' fluistert de vrouw haar toe.

Ze knikt. Ze loopt snel naar het toilet en spoelt door.

De heer Hauser kijkt haar argwanend aan als ze samen binnenkomen, maar of hij er iets van heeft gemerkt dat haar toiletbezoek gefingeerd is, betwijfelt ze.

Ze gaat zitten. Simmelinck zit zowaar met een glas wijn in zijn hand. Alhoewel hij er zeer verontschuldigend bij kijkt, kan ze een ontstemde blik niet verbergen. Hij zet het glas prompt op tafel neer. 'Een Brunello uit tweeduizend,' zegt hij. Alsof dat alles verklaart.

'Op de gezondheid,' zegt meneer Hauser, terwijl hij zijn glas heft. 'Lieve, jij ook een glas?' Zijn vrouw schudt haar hoofd. Hij kijkt Nelleke vragend aan, maar ook zij schudt haar hoofd.

'Ik heb nog een paar vragen, dan zal ik u niet langer ophouden,' zegt ze. 'De medische gegevens van Lucienne Vos, zijn die in het ziekenhuis, of heeft u die hier?'

'Het dossier ligt in het ziekenhuis, maar via een inlogcode kan ik ze in elke computer opvragen. Wat heeft dat ermee te maken, u heeft die gegevens toch al?'

'Heeft Alex toegang tot die gegevens?'

'Uiteraard niet, nee.'

'Nou, Jan-Willem, hij zat anders een paar maanden geleden wel achter je computer,' zegt zijn vrouw. 'Dat heb ik je toen nog verteld, weet je dat niet meer?'

Hij wuift de opmerking van zijn vrouw weg. 'Ach, onzin, dat wil nog niets zeggen. De gegevens van onze patiënten worden uiteraard goed beveiligd,' legt hij uit. 'Met wachtwoorden en een beveiligingscalculator, een soortgelijk systeem als het internetbankieren heeft. Alex gebruikt kwasten, geen muis.'

'Dan moet u misschien toch zijn expositie gaan bekijken,' zegt ze.

48

Ze begint niet over Simmelincks drankgebruik, het is duidelijk dat hij het moeilijk heeft en ze wil het door de vingers zien. Maar hij biedt uit zichzelf spontaan zijn excuses aan.

Die accepteert ze. 'Mits je je realiseert dat na vandaag alles weer volgens de regels moet gaan,' zegt ze. 'Dan maken we er verder geen woorden meer aan vuil.'

Inmiddels staan ze op haar verzoek opnieuw voor de deur van de galerie. Simmelinck stond erop om mee te gaan en ze heeft niet geprotesteerd. Het idee om straks naar huis te moeten lopen lokt haar niet.

Na drie keer bellen doet Peters pas open. 'Sorry, ik was me aan het omkleden,' zegt hij.

De galeriehouder is minder galant dan tijdens hun vorige bezoeken; hij kijkt hen amper aan en maakt een gehaaste indruk. Zou hij zich zorgen maken of de opening van de expositie morgen in gevaar komt?

'We komen voor de filmpjes van Hauser. Ik wil ze nog een keer zien. Als u ons binnenlaat, zullen we u verder niet lastigvallen,' zegt ze.

'Nou ja, een kopje koffie kan ik in ieder geval voor u regelen,' zegt Peters.

Simmelinck start de laptop op. 'Denk je dat hij nattigheid voelt?' vraagt hij fluisterend.

Ze haalt haar schouders op. Als Peters hun koffie heeft gegeven, verdwijnt hij.

Ze bekijken de filmpjes. Een keer, twee keer, nog een keer. 'Valt jou iets bijzonders op?'

'Veel bloot,' antwoordt Simmelinck. 'Wordt het niet eens tijd om te gaan?' Hij kijkt op zijn horloge. 'Jij hebt iets te vieren, thuis, en ik moet mezelf verhuizen omdat ik niks meer te vieren heb.'

Ze zucht. 'Ik kan niet uitstaan dat ik het niet zie. Ergens moet de oplossing zijn.'

Peters komt de galerie in, gekleed in smoking, met een dun sigaartje. 'De media komen morgen van heinde en ver,' zegt hij, 'dus ik moet een onvergetelijke indruk maken. Wat denkt u?'

'Aan uw kleding zal het niet liggen,' antwoordt ze.

'Nog een kopje koffie?' vraagt Peters.

Simmelinck schudt zijn hoofd, wijst op zijn horloge als ze zijn kant op kijkt, maar zij knikt. 'Graag, lekker. Of nee, doet u maar een glas water, als het niet te veel moeite is.'

Ze loopt rond in de galerieruimte, bekijkt Hausers werk. 'Is Hauser op zoek naar het shockeren van mij, als kijker?' vraagt ze aan Peters.

'Misschien ligt het eraan wat u shockerend vindt,' antwoordt Peters.

'Je kunt er toch niet omheen dat deze veelheid aan naakt, of je nu als man of vrouw kijkt, shockerend is,' meent Simmelinck. 'Op zijn minst provocerend.'

'Van Gogh werd in zijn tijd ook voor gek versleten om zijn werk,' zegt Peters. Hij geeft haar een glas water. 'Zijn dikke penseelstreken die alle kanten op leken te gaan behalve de goeie, de idiote kleurschakeringen; de mensheid in zijn tijd vond het maar niks. Daarbij had hij tot overmaat van ramp ook nog onderwerpen die nergens op sloegen, vond men toen. Zwetende boeren, versleten schoenen, zielige mensen en onrustige landschappen in plaats van een bijbels verhaal. Hij raakte zijn werk aan de straatstenen niet kwijt.'

'Dat is een slecht voorbeeld voor uw galerie,' zegt ze. 'Als Hauser ook pas beroemd wordt na zijn dood en nu niks verkoopt...'

'Dat willen we nu natuurlijk iets anders plannen,' lacht Peters. 'Gelukkig zijn er in deze tijd genoeg kunstenaars die internationaal serieus worden genomen en er goed van kunnen leven.'

'Dromend van de eeuwige roem, zoals Van Gogh dat waarschijnlijk nooit heeft gedaan, omdat hij zich meer zorgen maakte over de vraag of hij de volgende dag te eten zou hebben,' filosofeert Simmelinck.

'Uiteraard droomt Hauser van eeuwige roem,' zegt Peters. 'Onsterfelijkheid door het nalaten van iets wezenlijks voor de generaties na ons is het ultieme doel van elke kunstenaar, lijkt me. Toen mensen ooit, lang geleden, nog leefden van de jacht, was de enige kans op onsterfelijkheid je leven doorgeven aan nakomelingen. Nu proberen sommigen onder ons dat op een andere manier.'

'Misschien trekken we het uit zijn verband, denken we te groot. Is het eerder iets wat in de kunstenaar zelf zit,' denkt ze hardop, terwijl ze naar Peters kijkt. 'Echt creatieve mensen hebben vaak tegenstrijdigheden in hun karakter. Zowel introvert als extravert, lichamelijk zeer actief maar ook erg rustig, slim maar tegelijk naïef.'

'En enerzijds hebben ze een grote verbeeldingskracht en fantasie, maar anderzijds zijn ze superrealistisch,' vult Peters aan. Hij glimlacht. 'Ik heb dat boek ook gelezen.'

Peters probeert zijn stropdas te strikken, zonder fraai resultaat. Ze pakt de das van hem over en legt er in een handomdraai een strakke dubbele knoop in.

'Zo moet het kunnen,' constateert hij, een blik werpend in de spiegel bij de ingang. 'Hartelijk dank. Het spijt me, wat zei u net?'

'Heeft Hauser problemen om contact te maken met andere

mensen? Zoekt hij respect van zijn familieleden? Die indruk heb ik wel. Misschien is dat zijn motivatie.'

Peters schudt zijn hoofd. 'De frictie zit 'm in het feit dat mensen graag iets moois zien wat ze kunnen plaatsen, en kunstenaars juist grenzen willen verleggen. Kunst shockeert dan ook vaak op het moment dat de kunstenaar slaagt in zijn opzet. Als Hauser er de landelijke nieuwsbladen mee haalt, zal het mij in feite worst wezen wat zijn persoonlijke motivatie is,' bekent de galeriehouder. 'Ik zie talent, ik zie een potentieel groot kunstenaar, en ik hoop dat anderen dat met mij eens zijn.'

'Ik neem de laptop mee,' zegt ze, terwijl ze het apparaat uitschakelt. 'Dan kan ik de filmpjes thuis op mijn gemak bekijken.'

'Alex moet er morgenvroeg zijn bestanden van de Mac op kopiëren,' protesteert Peters. 'En morgenmiddag is de opening.'

'Ik zorg dat de laptop morgenvroeg om negen uur weer hier is,' zegt ze.

49

Jaaps blik staat op onweer als ze binnenkomt. Hij loopt net de keuken in, zijn armen volgestapeld met lege glazen. Ze zet haar tas en de laptop weg en neemt twee glazen van hem over. 'Niet boos zijn, alsjeblieft, ik heb het gevoel dat ik er vlakbij ben.' Ze geeft hem een kus.

'Je moeder zit in de kamer,' zegt Jaap, iets milder. 'Oma en opa De Geus zijn al weer weg. Je moest de groeten hebben.'

De kamer heeft een kleine metamorfose ondergaan door rondslingerend cadeaupapier en allerlei hondenknuffels in felle kleuren. Daartussendoor loopt Josien vrolijk rond met een hondenbot, pup Daya vrolijk huppelend achter haar aan, als ze de kans krijgt happend naar het bot.

Ze doet haar best om een gezellige verjaardagsvierder te zijn, maar haar gedachten dwalen af naar Maarten Peters en de galerie.

Simone vraagt of ze morgen tussen de middag zullen hardlopen en zij peinst over het kunstminnende leven van Alex Hauser. Ze helpt Emma een kwartiertje met haar Engels, en filosofeert over Eggelinks huwelijk.

Ze probeert interesse te tonen voor haar moeder, die tot in detail vertelt hoe het onderzoek in het ziekenhuis ging en dat het geen pretje was en wat ze vermoedt dat haar mankeert. Als dat allemaal waarheid zou blijken, dan heeft haar laatste uur geslagen.

'Maar het valt vast wel mee,' zegt haar moeder er zelf al achteraan, 'anders zou ik niet lang meer leven, denk je niet?'

Ze knikt instemmend, terwijl ze zich probeert te verplaatsen in Hausers gedachtewereld. De jonge kunstenaar heeft dus een jaar of vier in een tehuis doorgebracht. Net als haar broer, bedenkt ze ineens. Misschien kan haar moeder haar vertellen hoe hem dat heeft gevormd. Haar broer Rien hoeft ze het niet te vragen, die wil er niets van weten. Zij wel, zij heeft haar biologische moeder gezocht en gevonden. Op het moment dat ze Evelien voor het eerst zag, was er geen enkele twijfel meer. Ze zag haar ogen, ze zag haar mond en ze zag haar vingers. Lange, soepele vingers aan beweeglijke handen. Ze was blij vanwege de herkenning, tegelijkertijd voelde ze zich meer verlaten dan ooit, want ter plekke realiseerde ze zich dat ze de verloren tijd nooit meer zouden goedmaken. En het voelt nog steeds raar dat Evelien, haar eigen moeder, haar eigen vlees en bloed, een kennis van haar is. Zelfs vriendin is een te groot woord, daarvoor zijn er te veel onuitgesproken gevoelens en emoties.

Tegen tien uur brengt ze haar moeder naar haar appartement. Haar échte moeder. Al is hun relatie niet zoals ze wenst, het is deze moeder die haar troostte toen ze vier was en met haar voet tussen de spaken van de fiets kwam, en niet Evelien. Gebeurtenissen en jaren scheppen ook een band, ook al is dat geen bloedband.

Ze besluit een poging te wagen.

'Zeg mam, heb je met Rien eigenlijk vroeger meer moeite gehad dan met mij? Ik bedoel, Rien heeft toch veel langer in een tehuis gewoond? Had hij veel aanpassingsproblemen?'

'Ach kind, toen je bij ons kwam was je zo verwaarloosd. Ik zie het nog zo voor me, je billetjes rauw en ik kon je ribben tellen.

Je keek alleen maar met die grote groene kijkers van je, hoog naar het plafond, langs ons heen. Geen lachje, helemaal niks. Twee jaar, en je liep amper.'

'Mam, ik vroeg naar Rien.'

'Die wil er niks van weten, snap jij dat nou? Die komt nooit aan de vrouw, als hij zo doorgaat.'

'Maar hoe was hij toen hij bij jullie kwam?'

'Een gejaagde blik had hij in zijn ogen. Nooit stilzitten, altijd op zoek naar iets. We wisten alleen niet wat. Rien was een taaie. Is hij nog, vind je niet?'

'Stoer, ja, dat wel, maar ik vraag me af wat er onder die macho laag zit.'

'Annelies was een goeie voor 'm geweest. Dat hij dat meiske zomaar alleen liet zitten...'

'Een afwijking in sociaal gedrag,' fluistert ze in zichzelf. 'Zoals de hoogleraar in dat artikel ook aangaf.'

'... Rien sluit zich af voor zijn gevoelens, als je het mij vraagt,' zegt haar moeder. Haar stem klinkt zacht, alsof ze bang is dat iemand anders het zal horen. 'Anders had hij toch nu wel een vaste relatie en kinderen gehad? En hij kwam uit zo'n goed nest.' Haar moeder zucht. 'Ik heb gedaan wat ik kon.'

Als ze haar moeder veilig in haar kamer weet gaat ze snel terug naar huis. Ze drinken een laatste glas cognac met Pim en Simone en dan vertrekken hun vrienden. Samen met Jaap ruimt ze op, en dan kan ze zich niet langer beheersen en neemt de laptop mee naar boven. Ze doucht en installeert zich met het apparaat in bed. Jaap kijkt een late voetbalwedstrijd en zal de pup nog even uitlaten als die wakker wordt. Halverwege de avond viel die kleine van pure vermoeidheid hangend op haar schouder in slaap.

De geluiden van het Windows besturingssysteem klinken dof, half onder het donzen dekbed. Ze zoekt door de mappen en bestanden, niet wetend wat ze zoekt, hopend op een aanwijzing.

Ze heeft nog een dag, zei Markant. Star als hij is, zal hij daar niet op terugkomen; in feite heeft ze al een dag respijt gekregen. Gisteren dreigde hij ook al de zaak af te sluiten. Als ze morgen niets concreets heeft, zal hij het onderzoek zeker stopzetten.

Eggelink vraagt ook nog haar aandacht.

En de geheimtaal van de mails.

Ze zucht. Ze klikt lukraak op allerlei mapjes en bestandsnamen in de hoop iets te vinden. Wat dan ook.

Jaap komt de slaapkamer in, luid gapend, over zijn buik strijkend. 'Te veel gegeten,' gromt hij. Hij kijkt wat ze aan het doen is. 'Moet je met Picture Manager openen, dan hoef je niet elk document apart te openen om de foto groot afgebeeld te zien.' Hij wijst haar een programmaatje op het scherm van de laptop.

Dat is inderdaad handig, ze kan snel doorklikken. Ze verbaast zich over de vele afbeeldingen die Hauser bewaart in zijn laptop. Op een aantal ervan meent ze Lucienne te herkennen. 'Ik weet het niet, Jaap, kijk eens, is dat Lucienne? Er staat geen datum bij deze foto's.'

'Wat maakt het uit?' Jaap kruipt naast haar in bed. 'Ze zullen wel ouder zijn dan zondag. En toen was ze nog springlevend. We gaan slapen, ik heb het helemaal gehad.'

'Ja, goed, dit mapje nog even, dan houd ik ermee op. En dan ziet ze ineens een foto op het scherm van een vrouw die ze herkent. Ze haalt de envelop uit haar kantoor die ze bij Alex Hauser heeft meegenomen en schudt hem leeg op haar bed. Ongeduldig schuift ze foto's en rolletjes aan de kant tot ze te pakken heeft wat ze zoekt. Het krantenartikel met de opgebaarde vrouw.

Op de foto die Alex Hauser heeft gemaakt van de vrouw ligt ze in zijn atelier. Ze poseert, lijkt het, liggend, gehuld in een licht doorschijnend wit gewaad. Verdomd als het niet waar is.

'Jaap, kijk eens.'

'Ik wil slapen.'

'Ze is dood, Jaap, ik zeg het je.'

'Ach kom.' Hij wrijft in zijn ogen. 'Dat is onzin.'

'Dit krantenartikel is van negentien april. En deze foto,' ze houdt de foto voor zijn neus, 'is van de achttiende. Dat staat in het mapje. Hier, kijk dan.'

Jaap kijkt nauwkeuriger naar de foto en het artikel. 'Ik denk dat je gelijk hebt. De vrouw is later in de foto gemonteerd, of dat heeft hij met Photoshop gedaan,' zegt hij. 'Daar zal hij wel opdracht voor gekregen hebben.'

'Maar ze is echt dood. Hij heeft echt dode mensen gefotografeerd. Daar gaat het mij om.'

'Dat is op zich geen enkel bewijs dat hij dat meisje om zeep heeft geholpen, of heb ik iets gemist?' Hij zet de laptop aan de kant en kijkt haar indringend aan. 'Maar nu iets anders. Waarvoor zijn nou die surveillances?'

'De collega's houden een oogje in het zeil, dat is alles.'

'Vanwege die bajesklant?'

'Ja.'

Jaap zucht diep. 'Ik hoop dat je weet waar je mee bezig bent.'

Ze horen gepiep en krabbende geluiden. 'Daya wil er ook bij horen,' zegt ze. 'Kan zo'n dreumes zelf de trap al op?'

'Ik ga die kleine even duidelijk maken dat wij ons met slapen en andere van belang zijnde zaken in deze ruimte alleen wel redden,' zegt Jaap, terwijl hij langzaam en ongegeneerd gapend overeind komt. 'En daarna wil ik echt slapen.'

50

'Vandaag wordt er veel van u gevraagd; neem zonder morren alle uitdagingen aan. Dat lukt u, en u zult er later trots op zijn dat u er zich niet aan hebt onttrokken. Ook op het gebied van de liefde kunt u vandaag geen nieuwe aanzetten van oplossingen of gesprekken verwachten. Sta elkaar ook zonder veel woorden bij. Vrienden zouden vandaag uw hulp nodig kunnen hebben. Spreek hen er direct over aan! Natuurervaringen zijn vandaag zeer intensief. Tijdens een lange wandeling kunt u lekker bij-tanken. Wellicht kunt u ook wat mediteren, of thuis van uw lie-velings-cd genieten. Neem 's avonds tijd voor uzelf!'

De kaart voor vandaag is Zes van Zwaarden, en de boodschap past haar wel. Al zal de lange natuurwandeling er vast bij in-schieten, evenals het mediteren. Of ze aan een rondje hardlopen zal toekomen, is ook nog maar de vraag. Hard lopen, hard wer-ken wellicht, dat zou dan maar een kleine fout van de tarot-kaartendame zijn. Ze glimlacht. Ze heeft geen vervelende dro-men gehad, voor zover ze zich kan herinneren, en werd bijtijds wakker met een helder hoofd zonder watten. Ondanks de cog-nac. Het helpt dat ze daarvoor amper twee glazen wijn heeft ge-dronken.

Ze besteedt ruim de tijd aan zichzelf. Een douche met krachtige massage, bodylotion en een haarcrème, zodat ze fris en glanzend de dag in kan. Ze kiest fluitend een crèmekleurig pak – een van haar duurste kledingaankopen van vorige zomer – uit de kast, en een dun colletje in beige zijde. Ze belt Simmelinck met het verzoek om Hauser alvast te sommeren in de galerie te blijven, waar hij volgens Peters bijtijds zou zijn deze ochtend. 'Ik heb geen arrestatiebevel. Als hij niet meewerkt dan zorg je maar voor een onopvallend dreigementje dat de expositie wordt afgelast.'

Een koddig blafje, vergezeld van een paar wapperende oren, komt haar tegemoet als ze de keuken in loopt. Daya springt enthousiast tegen haar aan en ze tilt het beestje op. Ze aait de pup en houdt haar tegen zich aan. De kleine beloont haar met driftige likjes van haar ruwe tongetje over haar hand en pogingen om haar wangen te likken. 'Nee, niet in mijn gezicht, prutsje, je lurkt mijn crème eraf.' Ze brengt het hondje bij Josien op de kamer, die nog diep in elkaar gedoken ligt te slapen. Zodra ze een nat tongetje in haar nek voelt is ze echter meteen klaarwakker.

'Opstaan, mop, die kleine moet nodig een plasje.'

Ze zet de koffiemachine aan en laat het apparaat een kopje espresso zetten. Ze hoort dat de bonen bijna op zijn en als ze in de bijkeuken komt voor de bonenvoorraad, ziet ze de chaos die Daya 's nachts heeft aangericht. Haar mandje op de kop, een schoen erbovenop en de meeste sokken van het wasrek op de grond. In de hoek ziet ze een klein plasje; gelukkig hebben ze hier een tegelvloer. Josien heeft mooi wat te doen op haar vrije middag.

Jaap heeft ze nog niet buiten bed gesignaleerd, die was zo moe gisteravond dat hij bijna boven haar foto's in slaap viel.

In de krant weinig opzienbarend nieuws. Waar ze om moet glimlachen is het verhaal over een echtpaar dat zich heeft laten invriezen, om over tientallen jaren, als de wetenschap zover is, weer tot leven gewekt te kunnen worden. En toen ontdooide de vriezer per ongeluk... Waar de mensen hoopten op de techniek van de toekomst, liet de techniek van nu hen al in de steek.

Ze smeert neuriënd een boterham, brengt Jaap koffie, geeft hem de krant en een kus, en dan gaat ze naar buiten. Het wordt alweer een zonnige dag, ze snuift de verse ochtendlucht op en loopt naar de geiten met een handvol brokjes. Jaap zal ze straks hun complete ontbijt geven, maar de beesten reageren enthousiast op dit voorafje.

Even later stuift een dienstauto, de donkerblauwe Golf, de oprijlaan op en stapt Simmelinck galant uit om de passagiersdeur voor haar open te doen. Haar collega ziet er opnieuw bleek uit.

'Was het een lange nacht? Of juist veel te kort?' vraagt ze.

'Ik heb dozen ingepakt, ik kon toch niet slapen,' antwoordt Simmelinck.

Haar telefoon rinkelt. Markant, ziet ze op het scherm.

'De Winter, goedemorgen commissaris,' zegt ze, opgewekt.

'Ja, zeg Nel, ik heb Cornelissen nodig in Doetinchem.'

'O.'

'Is dat een probleem?'

Moet ze nu weer op haar achterste benen... ach, wat zou het. 'Ik denk het niet, nee, ik red me hier wel.'

'En eh,... je hebt geen persoonlijke beveiliging geregeld?'

'Nee, ik heb vannacht niemand overuren laten draaien op de deurmat.'

Markant bromt iets onverstaanbaars.

'Verder nog iets, commissaris?'

'Nee, voorlopig niet,' zegt Markant.

'Ga je mee?' vraagt ze aan Simmelinck.

Simmelinck knikt. Ze vertelt hem wat ze gisteravond heeft ontdekt.

'Denk je dat Hauser onze man is?' vraagt hij.

Ze haalt haar schouders op, durft geen ja en geen nee te antwoorden. Ze heeft haar gedachten, maar om die nu op tafel te leggen zorgt er misschien voor dat haar collega zich daar straks door laat beïnvloeden. Enkele belastende feiten liggen er, maar wie weet heeft Hauser er een logische verklaring voor.

'Ik heb op hem gegokt,' zegt Simmelinck.

'Waarom?' vraagt ze.

'Jaloezie, dacht ik, samen op de academie of vanwege de liefde... en verder zette volgens mij iedereen z'n geld op Peters. Alles wijst evenzogoed wel zijn kant op, hè?'

'Ja.'

Simmelinck bespeurt haar twijfel, ziet ze, maar hij gaat er niet op door. Het is ook niet belangrijk. Aan speculaties en hersenspinsels hebben ze niets, bewijzen moeten ze hebben.

Alex Hauser is blij dat hij zijn laptop terugziet. Hij oogt zenuwachtig, wat niet zo verwonderlijk is omdat hij een paar uur verwijderd is van een voor hem zeer belangrijk moment. Hoe zal de pers over hem oordelen? Zijn toekomstig succes staat of valt zeker voor een deel met de mening van enkele mensen van wie hij hoopt dat ze verstand hebben van kunst en talent. Dergelijke gedachten moeten op dit moment door hem heen gaan.

Ze start de laptop op. Hauser heeft alleen oog voor het apparaat, hij merkt amper dat ze tegenover hem zit en haar recorder op tafel zet. Ze heeft Simmelinck gevraagd om ervoor te zorgen dat Peters niet in de galerie komt, zodat ze niet worden afgeleid.

Ze draait de laptop iets bij zodat hij op het scherm kan kijken.

'Alex, er zijn enkele foto's waarover ik het met je wil hebben.'

Als ze de foto's over het scherm laat passeren, let ze intensief op Hausers blik. Weinig reactie, in ieder geval geen paniek in zijn ogen. Bij de foto van de oude vrouw die opgebaard ligt, vraagt ze of deze vrouw echt dood is.

Hauser geeft het direct toe. 'Een tante. Mijn oom had helemaal geen foto van haar, tenminste niet van de laatste jaren, en wilde er graag eentje hebben. Hij vond mijn foto erg mooi en maakte er geen probleem van dat ik die zou bewerken voor een krantenartikel.' Hij kijkt haar glimlachend aan. 'Wel knap dat u dat heeft gezien, iedereen dacht dat het in scène was gezet.'

De jonge kunstenaar is open, dat komt haar goed uit. Ze klikt meteen door naar de foto's waarop ze gisteravond Lucienne meende te herkennen. 'Wie is dit?'

Alex Hauser kijkt naar de foto's. 'Lucienne,' antwoordt hij.

'Waarom zijn die zo onduidelijk?'

'Dat ligt aan de lage resolutie. Die zijn alleen voor mijn archief. Van deze serie heb ik er vier op hoge resolutie, dus veel duidelijker, bewaard. En die komen hier straks te hangen.'

Hauser klikt op een aantal mapjes en dan ziet ze een beeld voor zich waarvan ze schrikt. Ze knippert een keer met haar ogen om zeker te weten dat ze het goed ziet. Maar ze ziet ook Simmelinck vol verbazing kijken, zijn mond half open. Het is Lucienne. In de galerie. Dood, geen enkele twijfel. Ze heeft het beeld van het slachtoffer nog vers op haar netvlies staan.

Hij laat ze zonder enige schroom zien, ze ziet zelfs een blik van trots in zijn ogen. 'Het zijn de mooiste die ik ooit van Lucienne heb gemaakt.'

'Je bent in de galerie geweest toen Lucienne dood was,' zegt ze. 'Alex Hauser, bij deze arresteer ik je voor de moord op Lucienne Vos. Han, wil jij het districtsbureau bellen en vragen om een arrestatiebevel?'

'Nee, wacht, het is niet wat u denkt,' zegt Hauser. Hij is plotseling zenuwachtig, lijkt zich nu pas te realiseren welke indruk hij geeft met de foto's.

'O?'

'Het moest geheim blijven,' antwoordt Hauser.

'Ja, voor de politie, dat begrijp ik,' zegt ze afgemeten.

'Voor de media, natuurlijk. Wat denkt u dan?'

'Voor de media?'

'Als die deze successerie zouden zien vóór de opening, kan ik alle aandacht wel vergeten.'

'Je hebt gelogen.'

'Ik heb al uw vragen netjes beantwoord.'

'Maar ons niet alles verteld, dat is in een moordonderzoek net zo erg als liegen. Alex, je hebt foto's gemaakt van het slachtoffer van een misdaad en dat niet gemeld. Dat is op zich al voldoende om je op te pakken.'

'Moet ik bellen?' vraagt Simmelinck.

'Wacht even,' antwoordt ze.

'Alstublieft,' smeekt Hauser. 'Ik heb niets met haar dood te maken. Ik zweer het u op het graf van mijn moeder. Wat maken die paar foto's nou uit, ze was toch al dood.'

'Het graf van je moeder?' zegt Simmelinck verbaasd.

Dat zal ze hem later wel uitleggen. 'Maken die foto's deel uit van je expositie?' vraagt ze Hauser.

'Ja.'

'Hoe is het precies gegaan? En nu de hele waarheid graag.'

Simmelinck kijkt en luistert ook aandachtig naar Hauser, ziet ze. Ze heeft hem niet voor niets meegevraagd. Als er een is in haar team die oog heeft voor de kleinste details, dan is hij het wel. Wagener heeft dat talent ook, maar moet zich nog ontwikkelen.

'We hadden afgesproken, hier in de galerie.'

'Hoe laat?'

'Een uur of tien. Alleen, ik was veel te laat.' Hij hapert.

'Waarom?'

'Ja, ziet u, dat is ook een reden dat ik u dat niet kon vertellen. Maarten zou 's avonds weg zijn, maar ineens was hij bij me in mijn atelier, nogal overstuur.'

'Waarom?'

'Ik weet niet of ik dat...'

'Ja dat moet,' zegt ze, terwijl ze hem indringend aankijkt. 'Ik moet alles weten, Alex.'

'Geld. Hij had dringend geld nodig, zei hij. Door alle investeringen in de galerie en iets met een vrouw in Amsterdam was hij bijna door zijn spaarpot heen, zei hij.'

'Waarom zei je niet dat je weg moest?'

'Dat zei ik hem, maar hij luisterde niet. Hij was nogal afwezig.'

'En toen?'

'En toen niks. Hij bleef maar zitten, heeft een fles wijn leeggedronken en tegen een uur of elf ging hij weg.'

'Waar zou hij naartoe gaan?'

'Uit, neem ik aan, zoals hij altijd doet in het weekend. Ik moest me nog omkleden en mijn spullen pakken en... nou ja, voor de zenuwen even iets nemen.'

Hij heeft dus coke gesnoven, dat ook nog.

'Luus zou nog één keer model staan voor me, had ze beloofd. Ze wilde daarna niet meer, zei ze, want een leraar had haar herkend van die advertentie en gedreigd dat ze van school gestuurd zou worden. Ik heb haar proberen te bellen, dat ik later zou komen, maar ik kreeg de voicemail. Onderweg kwam ik nog een vriend van me tegen, en toen ik in de galerie kwam, moet het zeker tegen half een zijn geweest.'

'Hoe kwam je binnen?'

'Iedereen weet waar Maarten de sleutel heeft liggen.'

'Dus je komt wel vaker in de galerie als Peters er niet is?'

'Ik niet alleen. Maarten is vaak weg, we drinken hier wel eens in voor we de kroeg in duiken. Volgens mij weet hij er ook wel van.'

'En toen?'

'En toen ik binnenkwam was ze dood. Ik had me nog wel zo voorgenomen aardig voor haar te zijn. Ze heeft vaak model voor me gestaan zonder dat ze er ooit iets voor wilde hebben, en ik was de laatste keer niet zo aardig geweest en...'

'Waarom niet?' onderbreekt ze hem.

'Ze wilde eigenlijk al niet meer en dat kwam mij slecht uit. Ik wist dat ik het mooiste van haar nog niet had gevat in mijn shots.'

'Nu wel?'

Alex Hausers ogen schitteren ineens, dat hij zojuist verdacht werd van moord schijnt hij vergeten te zijn. 'Jazeker, dit zijn stuk voor stuk werken van wereldklasse, dat zult u zien.'

'Waar zijn ze?'

'Ze liggen in mijn atelier, klaar voor de expo, ik zou ze net met Maarten gaan halen. Wilt u mee?'

'Straks misschien. Ik heb nog een paar vragen. Wie is die vrouw, bijvoorbeeld, in Amsterdam, over wie je het had?'

'Ene Francien, die hem een rib uit zijn lijf heeft gekost, zei hij.'

'En je weet niet waarom?'

Hauser schudt zijn hoofd.

'Hoe doe je dat, trouwens, met dat filmpje. Moet je die laptop de hele tijd bedienen?'

'Nee,' zegt Alex. Hij gaat haar voor, opent de deur naar de keuken zet het apparaat om de hoek op de eettafel. 'Die staat straks veilig hier op tafel en dan zet ik hem op *repeat*, dan gaat hij net zo lang door tot ik hem zelf stopzet. Ik heb een draadloze verbinding met de beamer.' Hij wijst naar het apparaat, dat tegen een van de wanden op een smalle tafel is gezet. 'Het werkt perfect.' Hij zit op hete kolen. 'Ik moet alleen nog een paar bestanden van het Mac notebook op deze zetten.'

'Laten we dan eerst die werken van je maar eens gaan ophalen,' zegt ze. 'Praten kunnen we intussen ook.'

Alex Hauser is zichtbaar opgelucht.

51

'Het zag er allemaal indrukwekkend uit, moet ik eerlijk zeggen,' zegt ze tegen Wagener. 'Ik kreeg er rillingen van. En dat kwam niet alleen omdat het Lucienne Vos is, die erop staat.'

'Denk je dat hij het heeft gedaan?' vraagt Wagener. 'Als ik het zo hoor, heeft die Peters alweer gelogen, ditmaal over die Francien. Ook verdacht, toch?'

Ze zitten met een dampende kop koffie voor zich aan Wageners bureau. Haar derde kop al vandaag, ze voelt haar darmen protesteren. Het zij zo, haar hoofd heeft de cafeïne nodig. Wagener werkt met smaak een boterham naar binnen, vast zijn vijfde of zesde alweer van deze dag.

'Als we Alex Hauser mogen geloven, ja.'

'Die dus 's nachts bij haar in de galerie was. *My god*, waarom heb je hem niet gearresteerd?' vraagt haar assistent.

'Ik ben niet overtuigd. En het bewijs dat we hebben overtuigt straks geen enkele rechter. Het is niet genoeg.'

'En Eggelink dan? Die is nog steeds spoorloos, vreemd genoeg. Doetinchem zit met drie man achter hem aan; Cornelissen heeft wat geregeld daar,' zegt Wagener.

Ze glimlacht. Laat dat soort acties maar aan Ton over.

'Eigenlijk heb je helemaal niets.'

'Dat is niet waar. Ik heb een halve gare leraar, een galerie-houder die liegt en blut is en een kunstenaar die dode mensen fotografeert,' zegt ze cynisch.

'Je hebt geen enkel bewijs dat een van hen Lucienne Vos heeft vermoord. En als we het daar toch over hebben... je weet niet eens honderd procent zeker dát ze is vermoord.'

'Niet zo hard, straks hoort iemand het.' Ze zegt het als grap, maar realiseert zich wrang dat het geen grap is. 'We moeten die Francien vinden.'

'Gaan we naar Amsterdam?'

Ze schudt haar hoofd. 'Kost te veel tijd. Kun je Peters' vroege-re school bellen? Of onze collega's daar. Misschien weten zij iets.'

Wagener tikt al op zijn toetsenbord, op zoek naar informatie en telefoonnummers. 'Die Peters moeten we hebben, *for sure*. Hij heeft geld nodig, zei je. Motief nummer twee, na de liefde, zeg jij toch altijd?'

'Ik ga hem bellen,' zegt ze. 'Nog beter. Hij moet maar komen uitleggen hoe het zit.'

Binnen tien minuten is Peters op het bureau; Simmelinck meldt dat hij hem in verhoor één heeft gezet.

'Neemt u mij niet kwalijk, ik heb enorme haast, over een paar uur krijgen we de eerste gasten al binnen,' zegt Peters ongeduldig, zodra ze met Wagener de verhoorkamer binnenkomt. 'Om half twee is de opening voor de pers.'

'Misschien moeten we die opening maar afblazen,' zegt ze, opzettelijk met forse, besliste stem.

Peters schrikt zichtbaar. 'Pardon? Dit is uw manier van grap-jes maken, mag ik hopen?'

'Dat u ons onzinverhalen vertelt en flauwekulsmoezen op de mouw spelt, dat is ook een grap, zeker?' vraagt ze geïrriteerd.

'Ik zou niet durven, dat zweer ik u met de hand op mijn hart,' zegt Peters, de daad bij het woord voegend.

Ze ziet Wagener afkeurend kijken naar het theatrale gebaar.

'Francien. Zegt die naam u iets?'

'Francien? Waarom? Wat heeft die hiermee te maken?'

'Dat horen wij graag nu van u.'

'Niets, helemaal niets. Een oude liefde, dat is alles.'

'Die u nogal wat heeft gekost, niet?'

Peters wordt ongeduldig, oogt ontstemd. 'Wat heeft dat... ach, wat ook... een prostituee. Niet zo aardig als ik aanvankelijk dacht. Het werd wat tussen ons, althans, dat dacht ik. Achteraf bleek dat ze meer geïnteresseerd was in mijn geld dan in mijzelf. Ze werd zwanger, een bloedtest bewees dat ik de vader was en ze hield haar mond pas dicht toen mijn bankrekening leeg was. Dat is Francien. Voltooid verleden tijd, zo helpe mij god almachtig. Nu kunt u mij misschien uitleggen wat deze affaire met de dood van Lucienne Vos te maken heeft?'

'U had geld nodig. Misschien pushte u Alex Hauser om een expositie te houden? Om zo geld binnen te laten rollen? Hij vertelde ons dat u zaterdagavond bij hem was en dat u geld nodig had.'

'En wat dan nog?'

'Zijn foto's die het meeste succes oogsten zijn foto's van dode mensen, als u dat op weg helpt.'

'Daarmee wilt u toch niet suggereren... ach, dat meent u niet serieus, mag ik hopen.'

'Voor tien euro of minder worden in ons land mensen omgelegd, meneer Peters,' zegt Wagener. Hij klinkt echt pissig.

'Maar zo steek ik niet in elkaar. Als ik had geweten dat u mijn misstap met mevrouw Koenen, Francien, zo belangrijk vindt, dan had ik u dat meteen verteld. Het is niet in me opgekomen. Mijn oprechte excuses. Kan ik nu gaan?'

'Nee.' Ze is resoluut. 'Ik ga uw expositie afgelasten en ik ga Alex Hauser en nog een paar mensen hierheen halen. Dan gaan we in plaats van champagne vanmiddag gezellig theedrinken en aan het einde van de middag wil ik weten wie Lucienne heeft vermoord en waarom. Dus nee, u kunt niet gaan.'

'Ik kan wel vast uw bestelling opnemen voor de lunch,' zegt Wagener. 'Broodje frikadel?'

'Een frootje brikadel met een slaatje bla. Of rampot staap-steeltjes,' zegt hij, gemaakt vrolijk.

'Wat?' vraagt Wagener.

'Grapje.'

'Mijn opmerking was geen grapje, meneer Peters, ik ben zelden zo serieus als op dit moment,' zegt ze.

'Mijn excuses.' Peters grijnst, kijkt haar polsend aan. 'Het was een grapje dat we vaak maken, ik zeg het bijna automatisch als iemand "broodje frikadel" zegt. Sorry.'

Ze lacht niet, ze blijft hem uiterst serieus aankijken en hij zucht diep. 'Goed, u uw zin. Ik was jaloers op haar nieuwe liefde, die leraar van school. Verdorie, als ze dan toch op oudere mannen valt, dan toch zeker niet op die loser. Ik voelde me in mijn kruis getast. Aan de kant geschoven, afgeschreven, opgegeven. Ik dacht: als die meid niet liever voor mij kiest dan voor die gladde gluiper, dan vreet ik mijn stropdas op. Alleen, Lucienne was meer geïnteresseerd in coke dan in mij. Na één snufje werd ze al high, en ik ben gaan douchen. Waarschijnlijk heeft ze zelf nog meer genomen, te veel, blijkbaar, want even later lag ze dood in mijn galerie. Daarna heb ik Alex gebeld, die zo graag nog een keer foto's van haar wilde maken. "Ik heb haar voor je zoals je haar het liefste ziet" zei ik tegen hem, en hij heeft inderdaad zijn mooiste serie ooit geschoten zaterdagnacht. Ik heb het geld nodig, Alex het succes en hoe u het ook wendt of keert, het was een ongeluk.' Peters leunt na die laatste woorden achterover, alsof nu alles tot zijn tevredenheid opgelost is.

Wagener kijkt triomfantelijk naar haar. Zie je wel, zeggen zijn ogen, ik had gelijk.

'Welk deel van uw verhaal is waar?' vraagt ze.

Peters haalt met verbaasde blik zijn schouders op. 'Waarom gelooft u mij niet?'

Ook Wagener kijkt verbaasd.

'Waarom zou ik u geloven?' vraagt ze zich hardop af. 'Na zo veel leugens? Als u het wilt weten, ik heb het helemaal gehad met u, meneer Peters, ik ga u vasthouden. We vinden wel een reden. Tot we die Francien van u hebben opgespoord en het verhaal van haar kant hebben gehoord, bijvoorbeeld. Voordat mijn assistent het proces-verbaal daarvan heeft opgemaakt is de opening lang en breed achter de rug, dat kan ik u verzekeren.'

Daar lijkt Peters van onder de indruk. Maar hij zegt niets.

'Het moet wel erg belangrijk voor u zijn, dat u zo lang volhoudt. Als u schuldig bent, dan adviseer ik u nu de waarheid te vertellen of een advocaat te bellen. Wagener, wil jij samen met Simmelinck meneer Peters' verklaring opnemen?' Ze knikt naar Wagener. Ze verlaten de verhoorkamer en ze doet de deur achter zich op slot.

'Let goed op of hij de waarheid spreekt, Ferry. Als je vermoedt van niet, dreig maar. Ik wil iets checken. Kun je dan straks met me mee naar de ouders van Alex Hauser? Ik wil graag dat je daar iets voor me opzoekt. Over, laten we zeggen...' ze kijkt op haar horloge, '... een half uur. Ik meld me wel.'

Wagener knikt, met verbaasde blik.

52

Ze heeft het Alex een paar keer horen doen, die letters omdraaien. Toen Peters dat grapje maakte, schoot haar ineens een idee door het hoofd. Letters omdraaien. Nu zit ze met vellen vol getypte mails voor zich.

Ze leest, in zichzelf mompelend, 'clove o fuck, AH'. Wat moet dat betekenen? Ze puzzelt en speelt met de letters. Het kost haar wat tijd, omdat ze niet alleen letters omdraaien, maar dan is ze eruit. Het heeft hier helemaal niets met neuken te maken, zoals ze eerst dacht, ze maken een afspraak met elkaar. Five o'clock, AH. Als ze dan de woorden 'coit' en 'wuke' net zo ontrafelt staat er wiet en coke. Bingo. De 'Zwieler van de deen' laat ze voor wat het is, maar ze ontdekt meer. In een e-mail van Alex Hauser aan Lucienne ontleedt ze zo een zin waaruit blijkt dat er bij hem volop cocaïne wordt gebruikt, maar na meer codes die ze ontcijfert leest ze ook, en daarbij juicht ze inwendig, dat Lucienne Vos daar pertinent niet aan mee wil doen. Wel een jointje, maar geen coke. Nooit. Ze rept met geen woord over een hartafwijking, maar het zegt genoeg. Lucienne zou uit zichzelf nooit coke gebruiken en haar vrienden weten dat ze het niet wil.

Alex Hauser die cocaïne gebruikt. Die dode vrouwen fotografeert en hoogstwaarschijnlijk beschadigd is in de eerste jaren van zijn leven. Zou zo'n jongeman moord als statement gebrui- ken? Nee, dan zou hij juist trots zijn op zijn daad en die van de daken schreeuwen. Kunstenaars en moord... het roept herinne- ringen bij haar op aan John Lennon. Aan Theo van Gogh. Kun- stenaars die werden vermoord. Waren er ook kunstenaars die zelf moordden? Ze weet het niet. Vanavond Jaap eens vragen.

Ze klopt bij de verhoorkamer op de deur, waarna Wagener naar buiten komt.

'En, bekent hij nog steeds?' vraagt ze.

'Hij houdt het op een ongeluk,' antwoordt Wagener. 'Maar je twijfelt toch niet aan zijn schuld? Die *creep* is zo *guilty* als maar kan.'

'Heb je een moment? Ik wil je iets laten zien.'

Ze toont hem de e-mails.

Wagener is verrast dat ze de geheimtaal heeft opgelost. 'Knap gevonden. Ik heb er ook al menig uurtje op zitten zweten,' zegt hij. 'Maar het helpt ons niet echt, wel? Ze hebben het over een beetje drugsgebruik, *so what*, dat wisten we allang. En dat Lu- cienne Vos niet gebruikte, dat is ook geen nieuws.'

'Dan gaan we nu naar Hausers ouders. Ik heb gebeld, me- vrouw Hauser is in ieder geval thuis.'

Onderweg meent ze opnieuw de grijze Peugeot achter zich te zien rijden, maar ze is er niet zeker van. Wagener let goed op zijn omgeving, zoals gewoonlijk, en hij lijkt niets te zien. Dan verbeeldt ze het zich. Vast.

Het huis van de familie Hauser ligt er verlaten bij. Geen auto's op de oprit en niemand te zien. Ze rijdt langzaam en kijkt in- tussen in de achteruitkijkspiegel, maar ziet geen grijze Peugeot langskomen als ze de oprijlaan inrijden.

'Waarvoor zijn we hier eigenlijk, je bent toch al bij de ouders geweest?'

'Je moet in Hauser seniors computer zoeken voor me.'

Mevrouw Hauser laat hen binnen met voelbare tegenzin. Ver- volgens twijfelt de vrouw of ze hen toegang tot de computer zal geven. 'Mijn man is er niet, ik weet niet of hij daarmee zal instemmen.'

Ze probeert de vrouw op haar gemak te stellen door te vertellen dat Wagener een expert is op computergebied en dat ze niets stuk zullen maken. Ze laat haar het bevel tot doorzoeking zien. 'De waarheid moet boven tafel, mevrouw Hauser, ik hoop dat u daaraan wilt meewerken.'

De vrouw gaat hen voor naar een kamer met massieve donker eiken meubels; het pronkstuk van de kamer is een oud Engels, stevig bureau, waarop een plat beeldscherm staat.

'Het moet dan maar,' zegt mevrouw Hauser, 'al begrijp ik niet wat u wilt.'

Wagener zit al achter het bureau. De computer komt tot leven met gepiep en gesuis. 'Wat wil je dat ik zoek?' vraagt hij.

'Ik wil weten of er iemand in de medische gegevens heeft ingelogd... even kijken, we hebben het opgezocht, de avond van de lezing...' ze bladert in haar notitieboekje, '... ja, dinsdag 18 april. 's Avonds.'

'*Allright*,' zegt Wagener. 'Maar waarom in deze computer? Het is een inlogsysteem via internet, dat kan in principe op elke computer.

'Het moet hier ergens liggen volgens de heer Hauser,' zegt ze. 'Hier, deze moet het zijn. Het werkt met een beveiligingscalculator. Dan weet jij genoeg, toch?'

'Wilt u misschien een kopje koffie?' vraagt mevrouw Hauser. Ze oogt nu nerveus, in plaats van de gelatenheid die ze voorheen over zich had.

'Een glas water zou fijn zijn. Mijn collega heeft toch even tijd nodig hier.'

Ze loopt met de vrouw mee naar de keuken.

'Verdenkt u Alex?' vraagt mevrouw Hauser, terwijl ze twee koffiekopjes onder het espressoapparaat zet. Daarna schenkt ze een glas water in, dat ze aan haar geeft.

'Daar kan ik u helaas niets over zeggen,' antwoordt ze.

De vrouw laat zich aan de keukentafel zakken en begint ineens te snikken. 'Ja dus. Weet u, ik heb slecht geslapen vannacht, ik maak me zorgen om die jongen.'

'Waarom?'

'Mijn man heeft de kinderen van jongs af aan gepusht om het ver te schoppen. Onze zoons deden dat als vanzelf; gingen rechten en medicijnen studeren, helemaal naar wens van hun vader. Alex is vanaf het moment dat hij bij ons kwam tegendraads geweest. Hoe harder mijn man riep dat hij Alex' studie aan de academie niet zou financieren, hoe hardnekkiger Alex werd in zijn voornemen om er juist heen te gaan. Daar wilde hij bewijzen dat hij niet een doorsnee-tekenaar is. "Onze kunstenmaker" noemt mijn man hem altijd. Alex is het laatste jaar, nog meer dan voorheen, geobsedeerd door succes. Oftewel erkenning door mijn man, zo kun je het ook zien. Terwijl mijn man zich steeds meer afkeert van hem. Beiden te eigenwijs om de eerste stap naar elkaar toe te maken. Ik moet u eerlijk bekennen, ik heb mezelf menig keer afgevraagd waar dit zal eindigen.'

Als ze het kantoor naderen, hoort ze het onmiskenbare geluid van een laserprinter. Met een klik pakt het apparaat een blaadje, om dat vervolgens als een kleine bladblazer door het apparaat te duwen. Ze zet een kopje koffie voor Wageners neus neer. Haar assistent heeft zijn armen over elkaar gevouwen en kijkt met een brede grijns naar het beeldscherm. *'Ready.'*

Haar ogen flitsen over de papieren. Bingo. 'Er is inderdaad ingelogd op 18 april, om 21.07 uur,' zegt ze. 'Mevrouw Hauser, wilt u alstublieft met ons meegaan naar het bureau zodat wij uw verklaring, met name dat uw man die avond niet thuis was, op papier kunnen zetten?'

'Ik heb er nog eens over nagedacht, en ik weet eigenlijk niet zeker of ik daarover wel iets wil zeggen. Dat hoef ik niet, toch? Misschien moet ik op mijn man wachten.'

'U heeft uw man erbij nodig om zeker te weten of Alex thuis is geweest? Mevrouw Hauser, het lijkt mij verstandig als u met ons meegaat en ons de waarheid vertelt,' zegt ze.

53

Wagener pakt een broodje van zijn bureau, terwijl zijn ogen peinzend over de papieren flitsen. Ze telt verbaasd de hoeveelheden broodjes. Drie zakken vol en een zak ligt, leeg, op zijn bureau. 'Hoezo veel? Voor Peters, en mevrouw, en onzelf, het is immers lúnchtijd', zegt hij, met grote nadruk op 'lunch'. Simmelinck neemt de verklaring van mevrouw Hauser op, in verhoor twee. Hoewel dat weinig nut heeft. Haar man liet aan de telefoon weten dat hij geenszins van plan is op het bureau te verschijnen, laat staan dat hij een officiële verklaring wil afleggen. 'Of u moet met een arrestatiebevel komen,' zei hij. 'En dan wil ik mijn advocaat bellen.' Ze pakt zuchtend een broodje uit een van de zakken en laat zich op Simmelincks stoel zakken. Ze neemt een hap van een broodje oude kaas. Kaas. Alweer zondigen vandaag. De wil om het broodje om te ruilen ontbreekt. Mevrouw Hauser wil geen uitspraken meer doen die belastend kunnen zijn voor haar kind, ze maakt gebruik van het verschoningsrecht. Helaas voor hun zaak, maar het is haar goed recht. Ook al zijn die regels niet voor niets opgesteld, ze heeft er soms een bloedhekel aan.

'*So what's next?*' vraagt Wagener, als zijn mond even niets te doen heeft.

Ze ziet dat hij kruimels van zijn broek plukt.

'Dat je vermoedt dat er iemand anders dan meneer zelf in de computer is geweest,' zegt Wagener, 'ook al zouden we dat zwart op wit hebben van die mevrouw Hauser, bewijst geen ene *fuck*... eh, sorry, bewijst niks. Als je Alex Hauser ernaar vraagt, zal hij ongetwijfeld ontkennen en zeggen dat de broers ook in de computer kunnen inloggen en wie er verder nog allemaal in dat huis komen. Die broers zullen vast niks loslaten, die beschermen elkaar altijd tot het uiterste. En de moederkip beschermt haar *chicken*, dat is nogal logisch. Dat schiet allemaal niet op.'

Ze peinst. Ergens begint haar iets te dagen. Nadenken wil ze. Een time-out in de hardloopwedstrijd, die zo langzamerhand richting finish moet gaan. Ze laat de gebeurtenissen van de afgelopen dagen de revue passeren. Ergens ligt de oplossing voor het grijpen, ze voelt het.

Haar mobiel gaat. Cornelissen, ziet ze.

'Hé, Ton, ik dacht dat jij Markant moest helpen?'

'Ja, ja. We hebben Eggelink.'

'Waar is hij?'

'Hij is op het bureau, hier in Doetinchem. Eggelink zegt dat hij het huis is uitgebonjourd na jullie bezoek. Hij was ten einde raad en is bij zijn zus ondergedoken, in Zelhem. Hij is enorm zenuwachtig.'

'Kun je in de galerie komen met hem, vanmiddag, bij de opening voor de pers?'

'Wil je niet weten wie hij zaterdagmiddag heeft gebeld?'

'Maakt me nu even niet uit.'

'Jij bent de baas.'

'Mooi. Dan zie ik je daar.'

Wagener kijkt haar vragend aan.

'Ton heeft Eggelink in Doetinchem,' legt ze uit.

'Wat moet die in de galerie?'

'Ik wil iets proberen.'

'Wat?'

'Dat zal ik je zo vertellen. Laat jij Peters intussen maar gaan. We hebben niet genoeg om hem langer vast te houden.' Ze veert op uit haar stoel, blij dat ze de beslissing heeft genomen om actie te ondernemen. 'O ja, Ferry, wil je kijken of je die meiden, die vriendinnen van Lucienne, te pakken kunt krijgen? Laat die ook maar naar de galerie komen.'

Ze verrast Peters met de mededeling dat hij kan gaan; mits hij naar de galerie gaat en bereikbaar blijft. Net als ze naar haar kantoor loopt, intussen Wagener instructies gevend, gaat haar telefoon. Jaap.

'Jaap, wat is er?'

'Josien is weg.'

Hoewel zijn stem kalm en donker klinkt, als normaal, voelt ze een hese ondertoon van paniek.

Rustig blijven, Nel, misschien is ze gewoon de tijd vergeten.

'Ze ging wandelen met de pup, zei ze. Ze had allang weer thuis moeten zijn. Ik ben bij de buren geweest, niemand heeft haar gezien. Nel, je moet komen, met je hele team, het is niet goed.'

Niks rustig aan doen. Onmiddellijk in actie komen moet ze, natuurlijk. Niet kalm afwachten, zoals toen. 'Ik kom eraan.'

Ze geeft Wagener snel de rest van haar instructies en haalt Simmelinck uit verhoor twee. 'Mevrouw Hauser, u kunt gaan. Blijft u bereikbaar alstublieft. Meldt u zich maar af bij de balie. Wij moeten weg.'

Simmelinck stelt geen vragen. Hij bespeurt de onrust in haar ogen, want hij volgt direct.

'Zijn er agenten beschikbaar?' vraagt ze.

'Agent Van Hal en brigadier Meijer zijn in het dorp in verband met enkele winkeldiefstalletjes.'

Ze grist de autosleutels van haar bureau terwijl er flitsen van de gruwelijke foto's van de Zeist-zaak door haar hoofd spoken.

Ze laat Simmelinck rijden, ze voelt zich op dit moment allesbehalve een veilige verkeersdeelnemer en ze kan de tijd beter gebruiken om na te denken wat ze moet doen. De rechercheur zet zonder overleg direct het blauwe zwaailicht op het dak en met een rotvaart rijden ze weg. Ze bedankt hem in gedachten voor zijn voortvarende actie.

Waar is Josien?

Ze belt met de collega's en vraagt of ze zo snel mogelijk in de buurt van haar huis willen uitkijken naar een grijze Peugeot 406 stationwagen en een elfjarig meisje met een jonge hond.

'Rijdt hij nu met haar richting Zeist?' vraagt Simmelinck aan haar, met zachte stem. 'Die hut in dat bos, daar bracht hij toch al zijn slachtoffers naartoe? Ik ken hem niet, Nel, jij wel, althans, je weet hoe hij werkt. Wat gaat hij doen?'

Ze kijkt hem wanhopig aan, angst grijpt haar naar de keel.

De beelden van slachtoffers verschijnen in haar hoofd. Of ze wil of niet, ze ziet Josien in de handen van Rotteveel en ze heeft de grootste moeite om zichzelf bij elkaar te houden en haar gedachten te focussen op wat ze moet doen.

'Dat is precies wat hij van ons verwacht,' fluistert ze. 'Zeist. Hij verwacht dat we daarheen gaan.'

Ze pakt haar mobiel en toetst de N in. Neijenhuis, Nooijer, Nummerdor. Ze drukt op het groene telefoontje.

De telefoon gaat een keer over en dan pakt Nummerdor gelukkig op.

'Ruud, Josien is verdwenen. Ik ben bang dat hij haar heeft. Stuur je je team eropaf?'

Nummerdor begrijpt haar onmiddellijk en stelt geen vragen. 'Nu meteen. Ik spreek je later.'

Simmelinck remt af bij het kruispunt waar ze moet kiezen, naar huis of naar het westen van het land.

'Naar huis,' zegt ze. 'Zo snel als Ruuds team kunnen wij er toch niet komen.'

'Ik denk dat je gelijk hebt,' zegt Simmelinck. 'Dat hij hier in de buurt is. We zullen hem pakken, Nel.' Hij legt even een hand op de hare en knijpt erin. 'We krijgen hem wel.'

Binnen een paar minuten zijn ze bij haar huis. Simmelinck moet door zijn snelheid hard remmen op het grindpad. Ze let er amper op. Ze moet Jaap zien.

Hij komt al door de achterdeur aangerend. Hij is in paniek, ziet ze direct aan de blik in zijn ogen. Normaal is die blik zo rustig dat het haar soms irriteert, maar het lijkt nu alsof die rust er nooit is geweest. Ze heeft hem nog nooit zó volledig uit zijn doen meegemaakt.

'Wat is hier aan de hand, Nel, dat geouwehoer met die beveiliging, dat was niet voor niks.' Jaap gooit een handdoek voor haar voeten op de grond. 'Waarom heb je ons godverdomme niet gewaarschuwd? Dan had ik mijn dochter niet alleen laten gaan.'

Haar ogen branden. Ze voelt ze jeuken, irritanter dan ze ooit heeft gevoeld. Bloed stroomt naar haar hoofd. Ze dwingt zichzelf om aan Josien te denken. Er is nu geen tijd voor haar eigen pijn. Waarom doet ze dan niets? Haar hart slaat in de hoogste hartslagzone, daar heeft ze haar Polar hartslagmeter niet voor nodig. Het beneemt haar de adem, haar keel zit verstopt door de dikke angst. Zijn dochter. Niet de jouwe. Zie je nou wel? Als puntje bij paaltje komt ben je overbodig. Afgedankt, weggegeven.

'Nel?' Simmelincks stem lijkt van ver weg te komen.

Denk aan Josien. Waar kan ze zijn. Haar lijf lijkt te verstijven vanbinnen. Denk aan Josien. Niet aan jezelf. En niet aan Suzan, god, helemaal niet aan Suzan denken. Intussen verzet ze geen stap. Ze kan het niet, ze kan aan niets anders denken. In haar hoofd spoken beelden van Josien, dan weer van Suzan. Zijn dochter, niet de jouwe. Ze wil iets zeggen, maar er komt geen woord over haar lippen. Afgedankt. Het is nooit anders geweest, houd jezelf maar niet voor de gek. Houden van is gevaarlijk, dat zie je maar weer. Pijn overheerst haar lijf, ze voelt het in elke vezel van haar lichaam. Afgedankt. Alleen.

Ze ziet zichzelf koffers pakken. Weg van hier, weg van de plek waar ze dacht, tegen beter weten in, erbij te mogen horen. Laat alles en iedereen oprotten. Ze wil niet meer. Weg. Ze wil weg.

'Nel? Gaat het?' Simmelinck legt zijn hand op haar arm. Een warm gevoel.

Weggaan kan niet. Niet nu. Josien is in gevaar. Denk na, Nel. Denk aan Josien. Waar is ze? Langzaam zakt het heftige gevoel in haar, ze voelt dat ze rustiger wordt. Alles bij elkaar heeft het waarschijnlijk nog geen twee minuten geduurd, want Jaap is maar een paar keer op en neer gelopen tussen de auto en de achterdeur. Vreemd, dat haar brein dat feilloos heeft geregistreerd terwijl ze zo afwezig was.

Ze kijkt haar collega aan en dwingt zichzelf om na te denken. Waar kan ze zijn? 'De buurvrouw,' schiet haar ineens te binnen. 'Han, ja, ik ben in orde. Ik moest even nadenken, maar nu weet ik het, geloof ik. Buurvrouw Cuppers. Daar is ze graag, in dat houten hutje achter op het land. Ook een hutje, Han, dat heeft hij vast ontdekt.'

Jaap wil met haar mee, maar ze schudt haar hoofd, terwijl ze plotseling haast krijgt. De rechercheur in haar is weer wakker. Gelukkig. 'Je moet hier blijven, Jaap, voor het geval er iemand belt. Alsjeblieft, laat ons dit doen.'

Ze is al weg. Hardlopend, over het zandpad, dat is het snelst. Simmelinck rent met haar mee, hijgend, maar hij houdt haar bij. Dat was Jaap niet gelukt, ook al had hij alle conditie uit zijn lijf geperst.

54

Hij kan zichzelf wel voor zijn kop slaan. Hoe kon hij dat nou zeggen? Grote klootzak dat hij er rondloopt. Maar god, hij heeft zich ook zo op lopen naaien, gek werd hij ervan. Hopelijk realiseert ze zich dat hij zichzelf niet was. Is. Maar hij vermoedt van niet. Hij zag het in haar ogen. Het gelaten accepteren. De pijn. Hij dwingt zichzelf helder te denken. Wat moet hij doen? Zijn dochter. Hun dochter. Ja, natuurlijk ook die van Nelleke. Hij heeft zondag nog tegen Simone gezegd hoe gek die kleine op Nelleke is. Net als de andere twee meiden. Jezus christus, als Josien maar niks overkomt. Wat moet hij doen? Moet hij Heleen bellen? Heeft ze er iets aan als hij haar ongerust maakt? Nee, eerst afwachten maar. En Nelleke, hoeveel risico loopt zij nu, dat kleine roodharige stuk eigenwijs, op dit moment, terwijl hij als een kip zonder kop heen en weer loopt, van de keuken naar de achtertuin – de beukenheg moet nodig gesnoeid worden – van de woonkamer naar de oprijlaan. Wat moet hij doen?

Net als hij naar binnen wil lopen, hoort hij voetstappen in het grind. Op zijn hoede blijft hij stilstaan en luistert. Ze klinken licht, vrouwenvoetstappen? Hij kijkt voorzichtig om de hoek van de brede houten staldeur, een van de vele authentieke onderdelen van de boerderij die hij heeft laten restaureren, en ziet dat het Simone is. In hardloopkleding.

'Hoi Jaap. Is Nelleke al klaar?' Ineens ziet ze blijkbaar aan hem dat er iets niet in orde is, want ze kijkt hem geschrokken aan. 'Wat mankeer jij in godsnaam? Je ziet lijkbleek.'

'Josien is verdwenen.' De angst in zijn ogen zegt blijkbaar genoeg, want Simone stelt geen overbodige vragen en probeert hem niet gerust te stellen met loze woorden. Hij vertelt, voor zijn gevoel erg onsamenhangend, over de wandeling van Josien en de pup, dat ze allang terug hadden moeten zijn, en dat Nellekes ogen een soort doodsangst uitstraalden toen ze thuiskwam, wat hem nog banger maakte voor wat er aan de hand is. En dat Nelleke bewaakt wordt, of zoiets. 'Dus er is echt iets helemaal fout, Siem,' zegt hij. Hij ziet bezorgdheid in haar ogen. Haar bovenlip trilt af en toe nerveus. Dat is hem nog nooit opgevallen bij haar en hij vraagt zich af of dat aan hem ligt, of dat het iets nieuws is bij haar. Misschien heeft hij haar nog nooit zo zenuwachtig gezien? Hij graaft in zijn geheugen, maar de enige beelden die hij ziet zijn die van Nelleke en Josien.

'Kunnen we iets doen?' vraagt Simone.

'Ik moet hier blijven. Voor het geval er iemand komt, of belt,' antwoordt hij.

Twee politieauto's komen met grote snelheid aanrijden. Met zwaailicht. Een geüniformeerde agent komt gehaast uit de auto en stelt zich voor als brigadier Meijer. Ach ja, geen agent, een brigadier, hij had het kunnen zien aan die friemel op de schouders van de man. Het zal hem eigenlijk worst wezen. Meijer, verrek, die komt hem bekend voor. Vast op zo'n politiefeestje wel eens een pilsje mee gedronken. De man deed ook al zo familiair, legde meteen een hand op zijn schouder. Wat moet dat voorstellen, een troostend gebaar? De andere agent, die achter het stuur blijft zitten met het raam open, heeft hij nog nooit gezien, voor zover hij zich kan herinneren.

Meijer informeert naar het laatste nieuws en vraagt welke

kant inspecteur De Winter op is gegaan. De agent in de auto praat intussen met iemand aan de telefoon. Misschien met iemand in de andere auto.

Hij wijst waar Nelleke – inspecteur De Winter, ja – en Simmelinck naartoe zijn gerend.

'Heeft u verder iemand gezien, heeft er iemand gebeld?'

Hij schudt zijn hoofd. Meijer roept iets naar zijn collega, die vervolgens iets in de telefoon zegt en meteen daarop trekt de tweede auto met hoge snelheid op en verdwijnt. Hij heeft geen idee waarheen en het komt even in hem op te vragen waar voor de duvel die auto naartoe moet. Laten ze Nelleke achterna gaan! Maar hij zegt niets, zijn gedachten vliegen als losse flodders door zijn hoofd. Hij is overdonderd door de snelheid waarmee alles om hem heen verandert terwijl hij zelf niets onderneemt. Het verbaast hem. Hij dacht dat hij altijd zo daadkrachtig was. In plaats daarvan voelt hij zich onzeker en bang. Die politiemensen doen in ieder geval wat. Hij staat hier maar een beetje dom te staan. Zijn respect voor Nelleke en haar collega's groeit en hij belooft zichzelf dat hij nooit meer een agent verrot zal schelden als hij een bon krijgt. De partner van de brigadier, een veel te jonge knul voor dit werk, als ze het hem vragen, is uit de auto gestapt en sluit die af.

'Blijft u vooral hier, meneer De Geus. We doen er alles aan om uw dochtertje veilig terug te brengen.' Zo snel als ze gekomen zijn, verdwijnen ze ook weer. Meijer voorop, rennend, de jonge collega erachteraan. In de richting waarin ook Nelleke en Simmelinck zijn verdwenen. Hij kijkt het stel na.

'Waar is je telefoon?' vraagt Simone.

'Binnen. Hoezo?'

'Die moeten we bij de hand houden, lijkt me,' antwoordt ze. Ja. Stom. De telefoon.

'Kom, dan gaan we naar binnen. We kunnen wel een borrel gebruiken, vind je niet?' zegt Simone, terwijl ze hem bij de arm pakt. 'Je moet vertrouwen hebben in Nelleke, Jaap.'

Vertrouwen. Ja. Heel goed. Een borrel. Nog beter.

55

God, als haar maar niets overkomt; dat overleeft ze niet. Niet nog een keer. Het gevoel van toen komt terug. Heftig en plotseling. Ook toen rende ze. Hoewel ze nog niet aan hardlopen deed kon ze uren rennen, tot haar benen categorisch weigerden om nog een stap te verzetten. Het was alleen veel te laat. Ze had eerder zelf in actie moeten komen.

Waar is Josien? Kleine krummel, met haar jolige sproetenwangen en wipneusje, waar zit je? Laat haar ongedeerd blijven, god, alstublieft, ik doe alles wat u wilt.

Ze vertragen hun pas als ze de hut naderen. Een kleine bouwval, waar vroeger voorraden werden bewaard en die later diende als houtopslagplaats. Josien houdt van donkere hoekjes, waar ze zich in een andere wereld waant en fantaseert over god mag weten wat.

Hoort ze iets? Ja, Simmelinck hoort het ook. Hij raakt haar arm aan en kijkt haar veelbetekenend aan. Haar collega hijgt nog licht na; ze merkt dat hij zijn versnelde ademhaling onder controle probeert te krijgen. Stil halen ze hun wapen tevoorschijn; ze wijst naar links en rechts, Simmelinck knikt en loopt naar de linkerkant van de ingang. Ze trapt de gammele deur open en schrikt van het hoge gepiep. Het is Daya, die trillend, met angstige oogjes in elkaar gedoken achter in een hoekje zit. Als het hondje haar herkent, komt ze enthousiast kwispelend op haar af. Ze stelt het beestje gerust en aait het over de kop. Snel. Josien. Simmelinck staat buiten. Luistert, observeert de omgeving. 'Ik hoor verder niets. We moeten opschieten,' zegt Simmelinck.

Ze laat het beestje achter in de hut. Ze hoopt dat Daya nu voelt dat ze hier veilig is. Haar hart bonkt in haar borstkas. Waar in hemelsnaam is Josien?

'Het bosje,' schreeuwt ze bijna naar Simmelinck. 'Hij bracht zijn slachtoffers naar die hut als ze dood waren. Hij vermoordde ze buiten, tussen de struiken, tussen de bomen.'

'Bidden dat hij nog niet zover is,' antwoordt haar collega. Ze zetten het opnieuw op een rennen; als ze gelijk heeft en Josien is daar, dan zijn ze er met een paar minuten. Als ze opschieten.

Ze rennen voor wat ze waard zijn. Het is amper een kilometer, maar voor haar gevoel duurt het eeuwen voordat ze er zijn.

Bij het bosje aangekomen splitsen ze zich op. Woorden zijn overbodig.

Ze hoort haar eigen ademhaling, verder is het ineens doodstil om haar heen. Ze blijft staan, luistert aandachtig, spiedt tussen bomen en struiken of ze iets vreemds kan ontdekken. Ze hoort zelfs geen fluitende vogels, dat is vreemd. Alsof ze geen getuige willen zijn van wat zich hier afspeelt, of heeft afgespeeld? Niet aan denken, niet aan denken. Ze loopt, met haastige passen nu, verder het bos in. Het duurt te lang, verdomme, ze komt te laat.

Ze hoort iets, meters verderop. Zacht loopt ze dichterbij en dan schiet er een konijn uit de struiken. Ze schrikt ervan. Haar hart klopt in haar keel. Ze gaan het niet redden. Ze komen te laat. Net als bij Suzan.

Tegen haar wil draait de film zich af in haar hoofd. De eerste minuten, uren na Suzans verdwijning, terwijl ze wachtte en wachtte en de politie haar geruststelde door haar voor te houden dat het wel goed zou komen. Het ongeloof dat ze weg was met tegelijk de wil om te geloven dat ze elk moment voor haar zou staan, onbezorgd vragend waar mama zich nou zo druk over maakte. De totale paniek toen dat niet gebeurde. Haar hersens die in brand leken te staan en daarna de verdoving, die haar hoofd wekenlang niet ontvankelijk maakte voor elke goedbedoelde opmerking. Niet weer, bonkt haar hoofd. Niet weer. Wat zal ze doen?

Dan ineens hoort ze zichzelf schreeuwen. Zo hard ze kan brult ze 'Josié-íén!!!' Enkele vogels – ze zijn er toch nog – vliegen geschrokken op, en dan meent ze een hoog geluid te horen. Een meisjesstem? Ze zet het op een rennen, hopend dat ze het goed heeft gehoord. Was het een gesmoorde kreet om hulp? Of is dit *wishfull thinking*?

Ze hoort het opnieuw, dichterbij nu. Ze versnelt, rent, struikelend over boomstronken en takken draaft ze, terwijl ze geen idee heeft of ze de goede kant op gaat.

En dan ziet ze iets tussen de struiken; in een felgele kleur. Het shirtje van Josien? Laat het waar zijn, laat haar daar zijn, alstublieft.

Ze is er.

Met een arm om haar nek en een mes op haar wang komt hij uit de struiken. Voor zover ze kan zien is Josien ongedeerd. In de ogen van het meisje ziet ze angst, maar ze houdt zich voorbeeldig rustig.

Zo totaal van de wereld als ze was, met een hartslag van minstens honderdvijftig, nadat Jaap haar kwetste daarnet, zo rustig is ze nu. Ze glimlacht geruststellend naar Josien.

Praten met de man. Misschien is Simmelinck in de buurt en hoort hij haar.

'Meneer Rotteveel?'

'Zo. Is het nu ineens meneer?'

Niet op reageren, ze laat zich niet uitdagen. 'Waarom mijn dochter?' vraagt ze.

'Ach, weet u, ik ben niet vies van jonge meisjes, zoals u weet.'
Alleen al om de geile blik in zijn ogen zou ze een kogel tussen zijn ogen willen jagen.

'Wat bedoelde je toen je zei dat iedereen zich met zijn eigen zaken moet bemoeien?'

'Precies wat ik zei.'

Dat doet hij anders zelf allerminst. Maar ze zegt het niet, ze weet niet of hij dan kwaad wordt.

'Waarom ben je niet met haar naar Zeist gegaan?'

'Omdat ik verwachtte dat u daarheen zou gaan. Maar ik had moeten weten dat u slimmer was. Niet dat u daar veel aan heeft.' Rotteveel drukt zijn arm vaster om Josiens nek. Een zachte, kleine kreet van angst ontsnapt uit de mond van het meisje, dat haar met grote ogen aankijkt.

Han, verdomme, schiet op, waar zit je? 'Rustig aan, Lodewijk, even rustig aan. Zullen we eerst onze wapens weg doen? Dan praten we er rustig over.'

'Ik dacht het niet.' Hij kijkt haar triomfantelijk aan. Een scheve grijns op zijn gezicht.

Ja. Eindelijk. Achter Rotteveel ziet ze Simmelinck langzaam dichterbij komen. Nog een paar meter. Ze bidt dat hij niet per ongeluk op een takje trapt.

'Kom op, Lodewijk. Dit willen we allemaal niet.' Ze voelt een sprankje hoop.

'Jij hebt geen idee wat ik wil, trut.'

'Wat is dat dan, Lodewijk? Wat wil je?'

Simmelinck is vlakbij.

De blik in Rotteveels ogen beangstigt haar. Hij kijkt ineens niet meer naar haar, maar langs haar heen. Ze ziet zijn hand met het mes erin trillen. Ze verliest het contact met hem, voelt dat ze geen tijd meer heeft en richt haar pistool op de man. 'Laat dat mes zakken. Ik waarschuw maar één keer.'

'Dan snijd ik dit kleine keeltje door.'

'En dan schiet ik tegelijk een kogel in je hoofd.'

Rotteveel twijfelt zichtbaar.

Zijn grijnzende mond verandert in een kwade streep. God, wat houdt Josien eraan over als ze nu schiet? Wat als ze niet schiet en hij toeslaat? Erger, dat is erger. De foto's van zijn slachtoffers flitsen voor haar ogen. Laat je niet misleiden door die babyface, deze man heeft geen geweten. Een psychopaat die niets te verliezen heeft.

En dan, godzijdank, grist Simmelinck Josien van achteren bij hem weg. Rotteveel wil uithalen met zijn mes en ze bedenkt zich geen seconde. Het schot klinkt hard in haar oren. Rotteveel slaakt een rauwe kreet en slaat achterover.

Ze bukt zich als Josien op haar af komt en het meisje valt huilend in haar armen.

'Alles is goed,' sust ze, terwijl ze het meisje stevig vasthoudt.

Ze ziet dat Simmelinck zich om Rotteveel bekommert en zijn telefoon pakt. Ze ziet ook dat brigadier Meijer met een collega aan komt rennen. Meijers hoofd is rood van inspanning.

'Kom maar, meiske, we gaan naar huis.'

'Waar is Daya?'

'Die zullen we meteen ophalen, ze zit in het schuurtje, ze is helemaal in orde.'

Een lach komt door haar tranen heen. 'Ik was zo bang dat hij mijn hondje dood zou maken.'

'Was je zelf niet bang?'

Josien knikt. 'Maar jij bent politie, dus ik dacht wel dat je zou komen. Het duurde alleen een beetje lang.'

Ze voelt tranen over haar wangen stromen en ze pakt Josien stevig vast. 'Als je maar weet dat ik je altijd kom redden mop,' fluistert ze gesmoord in de kleine oren van het meisje. 'Altijd. Geloof je me?'

Josien knikt.

56

Ze heeft Jaap nog nooit zo opgelucht en kwaad tegelijk gezien. Opgelucht omdat hij zijn dochtertje, en haar, levend in zijn armen kan sluiten. De kwaadheid daarna is voor haar alleen. Even meent ze ook een soort van schuldgevoel in zijn ogen te zien. Om wat hij heeft gezegd? Ze zal zich vergist hebben. Terwijl collega's in- en uitlopen en zelfs Markant zijn gezicht laat zien, zegt hij niets, maar uit zijn ogen spreekt een woede waar ze het koud van krijgt. Hij is zo stil dat ze hoopt dat hij haar keihard verrot zal schelden. Zodat ze zich kan verdedigen. Ze heeft gedaan wat ze kon. Het schuldgevoel verstikt haar, daar hoeft niemand anders voeding aan te geven.

Als alle formaliteiten achter de rug zijn, is alleen Simmelinck er nog. En Simone. Die dacht dat ze zouden gaan hardlopen tussen de middag.

'Dat heeft ze al gedaan,' probeert Simmelinck de spanning te breken. 'Met mij.'

Ze heeft het benauwd in het huis.

'Ga je even mee naar buiten?' vraagt Simone. De lieverd.

'Ik durfde Jaap niet alleen te laten ook al wilde ik naar jou toe,' zegt Simone, als ze een stuk zandpad aflopen. Er ligt een dode mus langs de kant. 'Hij was echt helemaal de weg kwijt.'

'Dank je wel dat je bij hem bent gebleven.'

'Dat spreekt voor zich.'

En dan ineens gooit ze haar maag leeg in de berm. Een paar rode klaprozen en een plukje margrieten verdwijnen onder de slijmerige massa, waarvan ze zich zo snel mogelijk, zodra de rust terugkeert in haar maag, afkeert. Ze voelt haar ogen branden, alsof ze een hele dag in de felle zon heeft gezeten zonder beschermingsfactor.

Huilend vertelt ze Simone met horten en stoten hoe bang ze is geweest. Dat ze niet om meer beveiliging vroeg omdat Markant haar dan van de zaak zou halen. Hoe ze Josien vonden. Hoe de horrorfilm van negentien jaar geleden door haar hoofd ging. En dat Jaap praat over 'zijn' dochter. Die laatste bekentenis klinkt zacht. Ze snuit haar neus. Ademt diep in en uit.

Simone slaat een arm om haar heen, ze lopen naar een houten bankje vanwaar ze ver over de weilanden uitkijken. Een moment rust, helemaal niks. Alleen het geluid van merels. Een koekkoek hoort ze zelfs, ondanks het gesuis in haar oren. Ze snuit haar neus nog eens, dan stopt het gesuis. De zon schijnt aangenaam warm in haar gezicht, enkele kraaien vliegen over. Ze sluit haar ogen. Emoties, een mix van huidige en oude, komen naar boven. De tranen biggelen opnieuw over haar wangen. Ze voelt feilloos de pijn van toen en wat ervan over is gebleven. Een leegheid, die ze niet van zich af kan schudden. Tegelijkertijd zijn haar gedachten bij de galerie. Ze vraagt zich af of het erg is dat ze aan de zaak denkt, terwijl ze zich grote zorgen moet maken om Josien, en Jaap vooral. Hij had hier naast haar moeten zitten.

'Jaap houdt van je,' zegt Simone. 'Juist om wat je doet. En hij is trots op hoe je het met de kinderen doet. Die willen je ook niet meer missen. Dat heeft hij me zondag nog gezegd.'

Ze zitten stil voor zich uit te kijken. Simone ook, vast, met haar eigen gedachten, wellicht terugdenkend aan de momenten dat ze in deze omgeving wandelde, zwanger van een kind dat haar niet werd gegund.

Ze kijkt op haar horloge en constateert dat over een uur de opening plaatsvindt.

'Is het raar dat ik nu denk aan de zaak die ik wil oplossen? Ik voel me een verrader.'

'Je wilt je met iets anders bezighouden dan pijn om dingen die zijn gebeurd, dat is niet zo vreemd. Afleiding is soms wel goed.' Simone strijkt haar bemoedigend over haar rug. 'Heb je een verdachte?'

'Ja. Hij liegt alles aan elkaar.'

'Heb je genoeg bewijs?'

'Nee.'

'Heeft hij het gedaan?'

'Ik weet het niet.'

'Is hij je enige verdachte?'

'Nee.'

'Jeetje. Sterkte. Ik hoop dat je de zaak oplost,' zegt Simone.

'Ben je druk vanavond?'

'Nee, ik kom nog wel even langs in de loop van de avond. Misschien kunnen we zelfs nog even een rondje doen.'

Ze geeft Simone een zoen, waarbij een traan van haar op haar vriendins wang achterblijft. Ze veegt de druppel voorzichtig weg.

Simone glimlacht.

Langzaam lopen ze terug naar haar huis. Is het dat nog wel? Het anders zo uitnodigende rieten dak komt haar nu vijandig voor, alsof elke rietstengel haar wil tegenhouden.

Simmelinck komt net naar buiten. 'Ik heb Wagener aan de lijn.'

Simone zwaait haar gedag en loopt naar binnen.

Ze pakt de telefoon van hem aan en beantwoordt een paar vragen. Zo te horen loopt alles in de galerie volgens planning.

'We moeten naar het bureau,' zegt ze. Ze geeft Simmelinck de sleutels, haar handen trillen.

Ze wil net instappen, als Jaap naar buiten komt stormen. Hij tilt haar van de grond en drukt haar vast in zijn armen. 'Doe je voorzichtig, Pumuckl? Ik houd namelijk erg van je.' Zijn lip trilt, maar daarna breekt zijn lach weer door, alsof die nooit weg is geweest. Ze omhelst hem. 'Ik ook van jou,' zegt ze. 'Ik beloof je rust hierna.'

'Ga jij nou maar snel boeven pakken,' zegt hij. 'Daar ben je nogal goed in.'

Ze geeft hem een kus. 'Pas je goed op je levende have?' 'Ik zal goed op ónze levende have letten.' Hij glimlacht en laat haar los. Josien komt naar buiten rennen en zwaait naar haar. De pup volgt haar als een schaduw. Jaap pakt hen allebei van de grond, alsof hij hen nooit meer los zal laten. Daya likt hem volop in zijn gezicht.

Simmelinck start de auto. Ze zucht. Haar handen trillen. Ze ademt een paar keer diep in en uit en dwingt zichzelf tot rust. Ze kijkt in de kleine spiegel boven haar hoofd; haar wangen zijn rood, haar ogen nog roder.

'Rijd even door de Schans, als je wilt.'

'De Schans?'

'Doe nou maar, we hebben nog wel even tijd.'

Als de rechercheur zijn auto heeft geparkeerd op de plek die ze hem heeft gewezen, vraagt hij voorzichtig wat ze wil doen.

'Ik moet even iets proberen,' zegt ze. Blijf in de auto, alsjeblieft, en als je iets hoort, dan ben ik het. Ik ben zo terug.'

Ze loopt langs de diepe Berenkuil en verzwikt bijna haar enkel in een van de vele sporen die de motoren hier wekelijks achterlaten. Eenmaal boven op het hoogste punt vraagt ze zich af of ze gek wordt. Is. En toch. Ze doet het. Haar eerste schreeuw is nog beschaafd, maar daarna volgen er kreten die uit het diepst van haar ziel komen. Eerst onzeker, daarna met alle kracht die ze in zich heeft. Ze hoort haar eigen echo nagalmen. Verbaasd kijkt ze om zich heen, dat er niks is veranderd. Alleen enkele vogels zijn verschrikt opgevlogen uit de hoge bomen. Haar keel voelt rauw aan, ze slikt een paar keer. En haalt diep adem. Ze lacht. Verdomd, het lucht echt op. Een beetje licht in het hoofd voelt ze zich. Anders. Alsof ze geroken heeft aan een soort oergevoel.

Simmelinck wacht in de auto. Mocht hij al iets gehoord hebben, dan laat hij het niet merken. 'Gaan?'
Ze knikt.
'Naar het bureau?'
'Graag.' Ze kijkt in de autospiegel en pakt poeder en oogschaduw uit haar tas. Een paar minuten later vindt ze zichzelf weer redelijk toonbaar.

Een kopje koffie?' Simmelinck smacht ernaar, aan zijn gretige ogen te zien. Ze gaat bij zijn bureau zitten.
'Ja. Koffie. Wat denk jij, Han, is Peters onze man?' vraagt ze.
'Alles wijst wel zijn kant op, maar ik zie in hem geen moordenaar.'
'Mee eens,' antwoordt ze.
'Waarom kwam die moeder van Hauser trouwens terug op haar getuigenverklaring?' vraagt de rechercheur. 'Wagener zei dat ze eerst vertelde dat haar zoon 's avonds thuis was, maar dat heeft ze niet herhaald. Ze wist het niet meer, zei ze.'
'Moeders beschermen hun kinderen tegen beter weten in, denk je niet?' oppert ze.
'Deze Alex is toch geadopteerd?' zegt Simmelinck.
'Wat maakt dat uit? Daarom doet ze waarschijnlijk alleen maar extra haar best.'
Nelleke springt ineens op uit haar stoel. Een broodje kaas valt op de grond, ze neemt niet de moeite om het op te rapen.
'Dat was ik helemaal vergeten. Ferry maakte ook al een soortgelijke opmerking.'
'Wat is er?' vraagt Simmelinck.
'Er schiet me ineens iets te binnen. Wacht even. Kun jij intussen een goede foto voor mij printen van die Rotteveel? Hij zit in de database.'

'We hadden toch een foto van hem?'

'Ja, maar die kwam van de fax, en ik heb geen idee waar die gebleven is.'

'Ik ga het meteen doen.'

Ze komt haar kantoor binnen en ziet Markant half op haar bureau zitten, een ongeduldige blik in zijn ogen. Haar baas wil natuurlijk dat ze stopt met het onderzoek naar de dood van Lucienne Vos.

'Ah, inspecteur De Winter,' zegt Markant, terwijl hij opstaat en een perforator recht zet op haar bureau. 'Ik hoor dat verdachte Rotteveel in het ziekenhuis ligt. Hopelijk lijdt hij veel pijn.'

Is dit zijn manier om een compliment uit te delen?

'Kan je luie week nog een dag wachten om met me mee te gaan naar Doetinchem?' vervolgt de commissaris, terwijl hij ijsbeert tussen haar bureau en de deur. 'We zitten met een nijpend tekort en er moeten zestien getuigen gehoord worden.'

Ze had het kunnen weten.

Ze schudt haar hoofd. 'Ik moet naar de galerie. Wagener is daar ook, en ik reken op een doorbraak in mijn onderzoek. En mochten we deze zaak vandaag oplossen, dan neem ik daarna acuut mijn week verlof op. U zult begrijpen dat ik, vooral na wat er vandaag is gebeurd, graag wat tijd thuis wil doorbrengen. En als u het niet erg vindt,' ze stuurt hem langzaam richting deur, 'ik moet iets opzoeken.'

De commissaris verdwijnt mopperend.

Ze start haar computer op en logt in op het hoogste niveau waarop ze informatie mag inwinnen.

Simmelinck kijkt voorzichtig bij haar om de deur. Hij komt binnen en zet een kop koffie en een glas water op haar bureau. 'Alsjeblieft. Kun je kiezen. En hier, de foto.'

Ze knikt. 'Ik ben zover.'

Op de portretfoto heeft Rotteveel wel degelijk een boeventronie. Maar zelfs de immer goedgeluimde kerstman zou een crimineel lijken op zo'n foto. Alleen al door die meetlat erachter. 'Ik heb zo'n gevoel alsof Rotteveel Josien alleen maar heeft meegelokt om mij van de zaak af te krijgen. Dat hij daarom ook zei dat ik me met mijn eigen zaken moest bemoeien.'

'O?'

'Zou hij iets te maken kunnen hebben met de moord op Lucienne Vos?'

Simmelinck haalt zijn schouders op. 'Ik zou niet weten hoe, of waarom.'

Het is een moment stil in het kantoor. Ze neemt een slok water en kijkt op haar horloge. 'Ik heb nog wat tijd nodig en ik wil graag weten of de bewaking van Rotteveel afdoende is. Waar ligt hij trouwens? In Doetinchem of Winterswijk?'

'Winterswijk.'

'Wil jij gaan kijken? Ik ben er niet gerust op, zo vaak maken ze dit soort dingen niet mee in het ziekenhuis.'

'Doe ik.'

'Kom je meteen terug? Dan gaan we naar de galerie.'

Ze loopt naar Wageners bureau. Er liggen enkele aantekeningen en zelfs het rapport van mevrouw Hauser ligt al klaar.

Ze trekt zich terug in haar kantoor en sluit de deur achter zich. Ze pakt een broodje van haar bureau, neemt er een hap van, maar krijgt die amper weg. Ze pakt de rapporten een voor een van haar bureau en kijkt ze door. Ze zoekt bevestiging van haar vermoedens. Een half uur later knort haar maag en hoopt ze op het beste.

Ze belt Wagener, of alles is gelukt. Hij zegt dat alles voorbereid is, hij zit net aan een pizza en heeft er voor haar en Simmelinck ook een laten komen.

Ze loopt naar het kantoor van haar collega's. De ruimte is leeg, maar Simmelinck komt net aanlopen. De twee agenten die hebben geassisteerd bij de arrestatie van Rotteveel schudden Simmelincks hand en gaan weg. Ze complimenteert hen met de vlotte afwerking.

'En, is de beveiliging goed geregeld?'

'Niks op aan te merken. Rotteveel is nog niet bij kennis geweest na de operatie. Ze houden hem nog een paar uur onder zeil,' zegt de rechercheur.

'Ga je mee?'

Hij staat al naast haar; kauwend op een mueslireep.

57

Al heeft ze de expositie vanmorgen vrijwel compleet gezien, het is anders met mensen erbij, die rondlopen, de film bekijken, notities maken bij een werk. Op de een of andere manier werkt de aanwezigheid van mensen bevreemdend, lijkt de kunst van Alex Hauser nog verder van de werkelijkheid af te staan.

De meningen over Hausers werk die ze om zich heen hoort zijn positief. Ze herkent een journaliste van *De Gelderlander*, die met Maarten Peters in gesprek is. En TV Gelderland is aanwezig, ze zag de bus van de omroep buiten staan. Ze hoort twee mensen praten over de publicatiedatum van een artikel in *Kunstbeeld*, een vakblad voor de kunstwereld en voor zover ze weet gerenommeerd. Zijn bedje lijkt gespreid. Alex Hauser oogt ontspannen, zijn ogen staren dromend in de verte als een fototoestel op hem wordt gericht. Ze vermoedt dat hij iets heeft gebruikt. Hij poseert voor een van zijn werken; het flitslicht doet iedereen opkijken.

Simmelinck zit bij Wagener, die een restje pizza naar binnen werkt. Beiden kijken rond, Wageners blik volgt vooral Peters. De drie vriendinnen staan onbeholpen bij Wagener te dralen. Ze heeft Simmelinck gevraagd om de meiden straks naar het bureau mee te nemen.

Ze loopt op de galeriehouder af. Peters is nog volop in gesprek met de journaliste, een aantrekkelijke jonge, blonde vrouw, en ze blijft op gepaste afstand, zogenaamd een kunstwerk bekijkend.

'Hoe hebt u zo'n fijne neus voor nieuw talent ontwikkeld?' vraagt de journaliste. 'U moet wel veel verstand hebben van kunst.' De vrouw flirt met Peters. En de galeriehouder is daar – waarom verbaast haar dat niet? – niet ongevoelig voor. Hij heeft een hand op haar arm gelegd.

'Weet u wat,' hoort ze hem antwoorden, 'dat is een nogal lang verhaal. Zal ik u dat op een later moment eens haarfijn vertellen?'

De dame glundert.

'Schrijft u een fijn, positief artikel in uw krant?' vraagt Peters.

'Daar zal ik voor zorgen. Ik ga kijken of onze fotograaf er al is, dan spreek ik u straks nog wel even.'

Peters knikt; kijkt haar tevreden na.

'Dat wordt vast een zeer objectief stukje,' zegt ze, terwijl ze naast hem gaat staan en de jonge journaliste nakijkt.

'Alle publiciteit is meer dan welkom,' zegt Peters, nuchter. 'Dat is het belangrijkste.'

'Hoe is Alex met de pers?'

'Een kei. Hij mag dan niet de knapste jongen van de klas zijn, hij is wel intrigerend, apart, en laten we eerlijk wezen, dat moeten kunstenaars zijn. Inspecteur De Winter, ik stond ervan te kijken dat u mij zomaar liet gaan. Heeft u de dader gevonden?'

'Daar zullen we binnen niet al te lange tijd achterkomen, hoop ik.'

Wagener kijkt naar haar, ze knikt en steekt vijf vingers op. Ze zwaait alleen even, zal een ander denken.

'Gaat u vooral praten met mensen die vandaag belangrijk voor u zijn,' zegt ze, uitnodigend. 'Ik kijk nog wel even rond.'

Peters knikt haar vriendelijk toe en loopt vervolgens naar een oudere man, die geïnteresseerd naar de film kijkt.

Cornelissen komt binnen met Eggelink. De leraar ziet er bleek en afgetrokken uit. Hij blikt timide de ruimte in en lijkt niet geïnteresseerd in zijn omgeving. Zijn gekreukte suède jasje en zijn haren, die onverzorgd op zijn hoofd pieken, verraden dat dit pietje precies zich allesbehalve goed voelt. Zo hoeft hij op school niet aan te komen bij Hennink, dan wordt hij vast de laan uit gestuurd. Peters verwelkomt haar collega en de leraar. Ze let nauwkeurig op zijn reactie. Eggelink lijkt de galerie voor de eerste keer te zien. Peters schudt hem de hand, de twee begroeten elkaar met een flauwe glimlach. Dat zijn allesbehalve vrienden.

Ze loopt op de leraar af, terwijl naast hem Cornelissen zichtbaar genietend een slok champagne neemt. Champagne?

'Dag chef,' zegt Cornelissen, terwijl hij proostend het glas omhoog houdt en tegelijkertijd een sigaret opsteekt. 'Een expositie in Lichtenvoorde, dat moet gevierd worden, hè? Geintje, dit is alcoholvrij, gezond spul. Niet zo lekker dus.'

Ze glimlacht naar hem, richt zich dan tot Eggelink. 'En, komt het u bekend voor?'

'Wat bedoelt u? Deze galerie? Ik ben hier nog nooit eerder geweest, dat heb ik u al verteld.'

'Hier is Lucienne Vos vermoord,' zegt ze.

Eggelink kijkt om zich heen. 'Zo ziet het er niet uit,' zegt hij droog.

Ze pakt de foto van Rotteveel uit haar tas. 'Was dit de man die bij u die print heeft gemaakt?'

Eggelink werpt een korte blik op de foto en knikt instemmend. 'Ja, ja, dat was hem. U gelooft mij dus?'

'Ja, maar dat maakt u nog geen held. Als u op het bureau bevestigt wat u zojuist heeft verteld én opbiecht waaraan u zichzelf schuldig acht, dan zal ik kijken wat ik ermee ga doen. Denkt u daarbij ook aan het grote verdriet dat u Lucienne Vos heeft aangedaan. Ik acht u wel degelijk voor een klein deel verantwoordelijk voor haar dood. Als u haar had opgevangen zoals een leraar behoort te doen, dan had ze misschien zaterdagavond iets anders gedaan dan haar moordenaar ontmoeten.'

Eggelink zwijgt. Ze waarschuwt Cornelissen, die de leraar zal meenemen naar het bureau.

Intussen verdwijnt Wagener naar de keuken. Ze glimlacht naar Hauser, gebaart of hij bij haar kan komen. Hij is voor de gelegenheid helemaal in het zwart gekleed, inclusief chic colbert, met een rode sjaal van satijn nonchalant om zijn nek. Zijn rechtopstaande lichte kuif en zijn bleke gezicht contrasteren sterk met het zwart en rood.

'Bent u zo geïnteresseerd in mijn werk dat u hier nu al weer bent?' Hij lacht breeduit, maar niet van harte. 'Of zoekt u nog steeds een moordenaar die niet bestaat?'

'Ik wil je iets vertellen, maar liever niet hier. Loop je even met me mee naar de keuken?'

'Nou, ik moet eigenlijk hier zijn, snapt u, de pers is helemaal wild van mijn werk.'

'Het duurt niet lang.'

Ze wijst richting keuken, en Hauser loopt met tegenzin mee.

Wagener is in de keuken, hij eet een broodje.

'Gefeliciteerd. De pers is vol lof.' Ze leunt tegen het aanrecht.

'Ja. Het is wel cool.'

'Je wordt beroemd. Ik hoop dat je ermee kunt leven dat daar iemand voor is gestorven. Of het nu zelfmoord, een ongeluk of moord is geweest; de dood van deze jonge vrouw hangt aan de rest van jouw leven, en aan dat van je vriend Maarten Peters.'

'Dood hoort bij het leven.'

'Zoals je als baby al hebt ervaren.'

Hausers bravoure van zo-even verdwijnt als sneeuw voor de zon. Voor haar zit, of liever gezegd hangt, een jongen half met zijn kont op de tafel, zijn lippen in een strakke streep, zijn ogen doelloos naar de grond starend.

'Je moeder is overleden toen jij geboren werd. Dat is niet niks. En je vader? Kort daarna verdwenen?'

'Geen idee. Fuck, wat maakt het uit? Ik heb wel iets beters te doen. Was dat alles?' Hij haalt een pakje sigaretten uit zijn colbert.

'Nee.'

De aansteker weigert enkele malen en hij smijt het ding weg. Geërgerd trekt hij een la open en vindt lucifers.

Hij steekt een sigaret op. Ze gaat iets dichter bij hem zitten. Haar stem klinkt zacht, vertrouwelijk. 'Vertel eens, hoe heeft Peters het gedaan?'

Hauser kijkt haar verbaasd aan, kijkt Wagener aan, en spiedt om zich heen, alsof hij verwacht dat er iemand binnenkomt. 'Peters?'

'Ja. Dat is mij wel duidelijk. Het is zijn galerie, we hebben sporen van zijn vest op het slachtoffer gevonden en sporen van coke hier in de keuken. Het is niet genoeg voor een veroordeling, allemaal indirect bewijs, maar ik weet het wel zeker. Hij heeft de perfecte moord gepleegd. Daar heb ik hem zojuist mee gefeliciteerd.'

Ze veegt, licht overdreven, wat denkbeeldige stofjes van haar mouw, waarop Wagener de keuken verlaat. Hij knikt in het voorbijgaan naar haar.

'Ik geloof er geen fuck van.'

Ze schuift nog iets dichter naar Alex Hauser toe. 'Weet je wat jammer is? Dat Peters dit werk niet zelf heeft gemaakt. Dan had hij zichzelf ongetwijfeld onsterfelijk gemaakt. Een kunstenaar die niet alleen de spraakmakendste expositie van het jaar heeft, maar ook nog eens de perfecte moord pleegt. Eeuwenlange beroemdheid gegarandeerd. Van Gogh heeft die voor een klein deel toch ook te danken aan zijn gestoordheid, denk je niet? Menigeen kent het verhaal van zijn oor, maar komt niet verder dan zijn zonnebloemenschilderij.'

'U ouwehoert maar wat.'

'En wat dan nog? Het gaat jou niets aan, zei je net al.' Ze maakt zogenaamd aanstalten om het gesprek te beëindigen. 'Ik zal Peters een hand gaan geven.'

Hauser kijkt om zich heen. Hij heeft een grijns op zijn gezicht, lijkt relaxt, maar ze voelt de onderhuidse spanning in zijn lijf. 'Denkt u dat echt?'

'Wat?'

'Dat van dat onsterfelijk worden?'

'Wat maakt dat jou nou uit?' Ze voelt dat ze dichterbij komt. 'Of was jij het, Alex? Vertel eens?' Ze ziet hem om zich heen loeren, of er per ongeluk niet iemand meeluistert. Ze horen lawaai in de galerie. Iemand laat een glas op de grond vallen, aan het geluid te horen. Het schudt Hauser wakker. Hij haalt zijn schouders op. 'Ach, wat. U heeft geen enkel bewijs.'

Verdomme. Ze had hem bijna. Ze besluit haar laatste troef uit te spelen.

'Wat denk je van een bekentenis van je broer Lodewijk?'

Alex Hauser verslikt zich in een trek van zijn sigaret en hoest uitbundig, waarbij hij zelfs rood aanloopt. 'Wat?'

'Wij hebben zo onze bronnen, Alex, om vertrouwelijke informatie te achterhalen. Hebben jullie altijd contact gehouden?'

Alex Hauser is even stil, lijkt zich dan te realiseren dat ze alles weet.

'Lodewijk wilde dat ik bij hem zou gaan wonen,' zegt hij. 'Ik kreeg coke van hem en hij gaf me geld.'

'Dus niet Peters.'

'Die is zelf zo goed als blut.'

'Hoe voelt het om te weten dat je straks beroemd bent?'

Hauser ontspant. Eindelijk. Haar hart maakt een sprongetje van opwinding.

'Ik moest dit gewoon maken, begrijpt u wel, het is werk dat gewoon gemaakt moet worden. Er is niets zo belangrijk als een kunstwerk dat eeuwige roem met zich meebrengt. Dat begrijpt u vast, u heeft niet alleen verstand van criminele geesten, u weet best wel wat van kunst.'

'Is zelfs een dode onbelangrijk in het belang van kunst?'

'Ja, natuurlijk.' Hij zegt het alsof hij zich afvraagt hoe ze in vredesnaam zo'n domme vraag kan stellen. 'Kunst is het geraamte van onze cultuur. Er is niets wat belangrijker is, zonder kunst is er geen cultuur, is er geen leven.'

'Vond Lucienne dat ook?'

Hauser lacht, maar hij lijkt zich er niet van bewust te zijn.

'Die trut vond dat ik misbruik maakte van de angst van mensen voor de dood. Ik wilde haar bewijzen dat ik wel degelijk kunst maak met een grote K, begrijpt u wel, dat ik beroemd word. Er gingen alleen geen geschikte mensen dood, van wie ik foto's mocht maken. Alleen oude taarten.'

'Zoals je tante.'

'Die foto's vonden ze allemaal geweldig. Ze werden zelfs in de kerk tentoongesteld. Met mijn naam eronder. Mijn naam.'

'En ze was dood.'

'Ze is gewoon gestorven hoor, aan kanker.'

'Niet zoals Lucienne.'

'Nee, niet zoals Lucienne. Die moest ik een handje helpen. Maar kijk nu eens in de galerie, luister naar alle lovende kritieken! Iedereen vindt het geweldig!'

'En daar draait het om.'

'Alles.'

Ze opent de deur naar de galerie. Daar is het doodstil. Het enige wat ze zo snel ziet is Maarten Peters, die lijkbleek op de grond zit, een stoffer en blik in zijn handen en een dampende sigaar in zijn mond. Ze gebaart naar Alex. 'Kijk hier.' Hij kijkt de galerie in. Triomfantelijk.

Dan ziet hij haar en zichzelf op het scherm. Hij ziet de mensen, die hem aankijken alsof hij een of ander eng, buitenaards wezen is. Ze ziet dat het tot hem doordringt.

Hij draait zich woedend om. 'Waar is die fucking camera?'

Zijn woorden weergalmen hard in de galerie. Hij loopt rond in de keuken, zoekend, opent kastjes en smijt ze weer dicht, gooit borden op de grond. Vanuit de deuropening ziet ze Simmelinck, die iedereen voortvarend de deur uit werkt, en de vertrekkende gasten, die verschrikt hun vingers in de oren steken om het lawaai te dempen. Enkele fotografen, onder wie Gerrit, met een brede grijns op zijn gezicht, komen met hun toestel de keuken binnen en schieten foto's van Alex Hauser, terwijl die als een dolle door de keuken banjert. Hauser ramt een magnetron van een plank.

De herrie in de galerie verstomt.

Er rolt een zwart cameraoogje over de grond. Alex Hauser pakt het oogje, gaat erbij op de grond zitten.

Ze doet de keukendeur dicht, gaat op een stoel naast hem zitten. Ze praat zacht.

'Alex, je moeder heeft verklaard dat je op je vaders computer bent ingelogd op een avond dat hij er niet was. Je hebt medische gegevens van Lucienne Vos gezien, je wist dat ze een hartafwijking had.'

'Heeft dat rotwijf dat verteld?'

Ze knikt. 'Later, toen ze zich realiseerde wat haar verklaring voor gevolgen kon hebben, trok ze die weer in. Ze wilde je beschermen.'

Alex Hausers ogen flitsen van links naar rechts, zonder duidelijk ergens naar te kijken. Hij lijkt het niet te willen geloven.

'En Maarten Peters heeft tussen de middag geholpen deze apparatuur te installeren.'

'Dat meent u niet. Verdomme.' Hauser wordt opnieuw woedend. Maar dit keer is het van korte duur. Hij kijkt wanhopig naar het oogje, alsof dat de schuld van alles is.

'Ik vertrouwde Maarten,' zegt hij. Zijn stem klinkt hees en hij slikt een paar keer moeilijk. 'Hij was de enige die ik vertrouwde. En Lodewijk. Natuurlijk Lodewijk. Wanneer heeft hij bekend?'

'Dat heeft hij niet. Tenminste, toen ik wegging bij hem in het ziekenhuis wilde hij nog steeds niet praten. Dat is ook moeilijk als je niet bij bewustzijn bent.'

58

Ze staat met Markant in verhoor twee, drinkt water en observeert Alex Hauser in verhoor één, door de confrontatiespiegel. Ontdaan van de kunst, waaraan hij zijn identiteit ontleende, blijft er weinig over van de jonge, veelbelovende artiest. Het doek is gevallen. Ze voelt zich moe, alsof ze een marathon heeft gelopen. Gelukkig heeft ze de finish met goed resultaat gehaald. Ze heeft hem net horen vertellen dat hij gegevens over de hartafwijking van Lucienne Vos in zijn vaders computer heeft gezien. En dat hij een afspraak had met Lucienne in de galerie. Ze zou nog een laatste keer voor hem poseren, juist in de galerie.

'Een officieel excuus van Hennink,' zegt Markant, terwijl hij haar een stuk papier overhandigt. 'Hier.'

Ze kijkt er vluchtig naar.

'We kunnen ervoor zorgen dat hij ontslagen wordt,' zegt haar baas.

Daar kijkt ze van op. 'Ontslagen?'

'Hij heeft zelfs Hauser van school laten vertrekken terwijl jij iedereen wilde interviewen. En die broer van hem kon zomaar een lokaal binnenkomen. Dat is reden genoeg.'

'Ik vind ontslag niet nodig, maar ik wil wel zijn belofte dat hij een volgende keer onvoorwaardelijk zal meewerken.'

'Dat zal ik hem zeggen. Je hebt een goed stukje werk gele-
verd, De Winter. Ik ben trots op je. Blijf niet te lang weg.'
Voordat ze iets kan antwoorden is Markant verdwenen. Ze
kijkt hem verbaasd na. Een compliment, uit zijn mond; de won-
deren zijn de wereld nog niet uit.

Ze heeft behoefte om Alex Hauser nog enkele vragen te stellen
en loopt, na een korte klop op de deur, verhoor één binnen. Simmelinck leunt achterover in zijn stoel, Wagener maakt notities.
Een taperecorder loopt. Ze pakt een stoel en schuift die aan de
zijkant van de tafel, zodat ze vlak bij Hauser zit.
    'Waarom Lucienne, Alex?'
    'Ze vond mijn kunst waardeloos.'
    'Nou en, niet iedereen vindt alles goed wat een ander doet. Er
zullen wel meer mensen zijn die liever makkelijkere doekjes in
hun kamer hangen.'
    'Maar Lucienne niet. Ze had juist een goede kijk op kunst.'
    'En dat maakt haar mening over jouw werk des te schrijnen-
der?'
    Hauser zwijgt.
    'Hoe kreeg je haar aan de coke?'
    'Ze wilde het zelf proberen,' zegt Hauser. 'Ik hoefde niet echt
aan te dringen.'
    'Ondanks haar hartkwaal?'
    'Ik zei haar dat mijn vader zeker wist dat één keer een lijn-
tje geen kwaad kon. Dat geloofde ze. Ik denk dat ze het wilde
geloven. Ze voelde zich shit, ziet u, omdat die leraar op wie
ze gek was haar had laten zitten. En omdat ze ruzie had, met
haar vader. En nou ja, toen heb ik haar misschien iets te veel
gegeven.'
    'Misschien?'
    'Ik ben even weggeweest. Ik had het koud en heb een vest van
Maarten aangetrokken. Het kan zijn dat ze intussen zelf iets
heeft genomen. Dat dacht ik eigenlijk, omdat er, dat zag ik later
pas, een lijntje verdwenen was, zeg maar. Anyway, ik was bezig

met de opnamen, ze poseerde zo prachtig, dacht ik, en het duurde een hele tijd voordat ik in de gaten had dat er iets serieus mis was. Toen voelde ik dat ze dood was. Daarom waren die opnamen ook zo prachtig, dacht ik nog. Ze was al dood toen ik begon met die serie foto's.'

Alex' laatste woorden blijven een moment in de ruimte hangen. Zelfs nu nog beginnen zijn ogen te stralen als hij over zijn werk praat. Ergens in zijn geest, in zijn gevoelsleven, is een steek los, die zijn normen en waarden een trap in een vreemde richting hebben gegeven. Een richting die zij niet kan volgen.

'Zullen wij koffie gaan drinken?' vraagt Simmelinck aan haar, terwijl hij naar Wagener knikt.

Ze knikt. 'Dat is goed, gaan jullie maar even.'

Alex Hauser lijkt niet eens te merken dat de twee rechercheurs weggaan. Ze neemt meer afstand van hem, gaat tegenover hem zitten. Veiligheid boven alles.

'Heb je je moeder gesproken?' vraagt ze. 'Ik zag haar vertrekken, een half uurtje geleden.' In tranen, dat zegt ze er niet bij.

Hauser knikt. 'Ze zei dat mijn vader niet wil komen en geen advocaat wil betalen. Dat was het enige wat die muts te melden had.'

'Je moeder wilde je beschermen, ze houdt van je.'

'Ze houdt van een Alex die ze zelf kan vormgeven. Een trouwe hond, die keurig gaat opzitten en pootjes geven als ze erom vraagt. Mensen houden alleen van iemand anders als ze er iets voor terugkrijgen.'

Ze heeft hem nog niet eerder zo cynisch gehoord. Is dit het gevolg van zijn slechte start in de eerste jaren? Dat mag toch niet als excuus voor zijn verdere leven gelden? Zij heeft toch ook geen vitale steken loshangen? Hier en daar een beschadiging, goed. Wie niet.

'Waarom heb je eigenlijk in de galerie afgesproken met Lucienne?'

'Ik wilde foto's met mijn eigen doeken op de achtergrond. Ik zag al helemaal voor me hoe het moest worden.'

'Ook met een dode Lucienne.'

Daarop antwoordt hij niet meteen. Dan haalt hij zijn schouders op. 'Wat maakt het uit. Ja, uiteraard, ik zag precies voor me hoe het moest worden.'

Ze zet de apparatuur uit en staat op. 'Mijn collega's komen zo terug.'

Simmelinck komt net aangelopen, als ze de verhoorkamer verlaat.

'Ik heb de tape stopgezet,' vertelt ze hem. 'Heb je zijn verhaal compleet?'

'Ja, in principe wel. We hebben nog wat vragen over exacte tijden en zijn doen en laten de afgelopen dagen. Een uurtje, schat ik. De officier heeft net toestemming voor de aanhouding gegeven; de papieren komen eraan. Dus alles is geregeld. Trouwens, die meiden zijn op jouw verzoek nog hier. We hebben ze in verhoor drie gezet.'

Dat is waar ook.

Het is stil in de kamer. De stemming is geladen. Vera kauwt op haar kauwgom, maar de gebruikelijke luchtbellen blijven achterwege.

De drie vriendinnen, Marieke voorop, geven onmiddellijk toe dat ze eerder hun mond open hadden moeten doen. Hun nerveuze stemmen klinken hol in de ruimte.

'Ik ga diep nadenken of dit officiële gevolgen gaat hebben voor jullie. Door te zwijgen hebben jullie de rechtsgang ernstig belemmerd,' zegt ze. 'Terwijl jullie als getuigen hadden kunnen helpen om de dader te pakken.'

'Het spijt ons ook enorm. Maar we hebben de hele tijd gedacht dat het een ongeluk is geweest,' zegt Marieke. 'Als we hadden geweten dat Alex met opzet...' Het meisje stottert zich door de woorden heen en barst dan in tranen uit. De andere twee kunnen hun tranen ook amper de baas.

Ze staat op. 'Jullie horen nog van me. Ga nu maar.' Verdere maatregelen zal ze niet treffen, er zijn geen strafbare feiten tegen hen, maar dat weten de meiden vast niet. Laat ze maar even zweten en zich bezinnen.

De jonge vrouwen druipen bleek en stilletjes af.

Op de gang komt ze Simmelinck tegen. 'Waar is Ferry?'

'O, shit, ja, die was nogal opgefokt. Hij is naar buiten gelopen, geloof ik.'

Ze pakt in de gauwigheid een stapel biscuits van het bureau van Simmelinck. Haar maag knort en ze eet er een paar op. Ze loopt naar buiten.

Aan de voorkant van het bureau vindt ze hem, zittend op de grote kei waarin de datum gehouwen is van de opening van het bureau, 21 februari 1992. Ze gaat naast hem zitten en bijt op een koekje. Ze houdt hem er een paar voor, maar hij schudt zijn hoofd.

'Wil je erover praten?' vraagt ze.

'Ik heb een keuze gemaakt,' zegt Wagener. Hij knakt zijn vingers, een voor een, tergend langzaam. Ze telt mee. Nadat ze ze alle tien heeft gehoord, slaakt hij een zucht.

Even vermoedt ze dat hij het recherchevak vaarwel zal zeggen, en ze wil haar verbazing al uiten, maar als ze in zijn ogen kijkt, ziet ze dat hij toch voor de politie heeft gekozen. 'Hoe dat zo?'

'Toen we aan deze moord begonnen was ik bijna zover om ermee te stoppen,' zegt haar assistent. 'Ik miste Londen. En ik zag er enorm tegenop om een sectie bij te wonen, dat wil je niet weten.'

'Wat heeft je mening doen veranderen?'

'Leo Klein Gunnewijk. Toetsenist van *The Fugitive*. Hij is wel eens gastdocent op de academie. Die heb ik gisteravond opgezocht, hij speelde met zijn band bij Van Ooijen. Hij was vroeger mijn grote voorbeeld, *you know*. Ik had posters van hem aan de muur, ik imiteerde zijn spel. Nu schrok ik van hem. Zo op zichzelf gefocust, zijn eigen succes, hij had helemaal geen oog voor mij, laat staan mijn *doubts*. Toen ik gisteravond thuiskwam werd het me ineens duidelijk. Ik wil mensen helpen, net als jij.'

'Daar ben je allang mee bezig.'

'Maar ik wil ook echt goed worden.'

'Wist je dat jij mij de oplossing hebt aangereikt met een van je opmerkingen?'

Verbaasder kan Wagener bijna niet kijken.

'Toen je het had over moederkloeken die hun kinderen beschermen, en broers die voor elkaar opkomen. Op dat moment ging mij een lichtje branden. Ik had een gevoel dat Rotteveel met deze zaak te maken had, maar kon de link niet leggen met Hauser. Later wel. Rotteveel beschermde zijn broer.'

'Die Rotteveel hoort toch niet bij de familie Hauser?'

'Nee. Lodewijk en Alex zijn vanuit een kindertehuis in verschillende gezinnen terechtgekomen, maar ze hebben altijd contact gehouden.'

'En de oudere broer beschermde de jongere,' vult Wagener aan.

'Broers en zussen die elkaar beschermen, als ik daarvan hoor...' Haar stem slaat over. 'Ik ben vroeger zelf geadopteerd, en van zulke familiedingen krijg ik altijd kippenvel. Alleen in dit geval nogal eng.'

'Goh. Ik hoor veel nieuws, vandaag. Wat heftig voor je.'

Ze knikt. Goed hè, Siem, dat ik dit heb verteld, zegt ze in zichzelf. Ze glimlacht. 'Wil je nu een biscuit?' Ze houdt er een paar voor zijn neus en hij pakt ze aan. 'Je hebt me de afgelopen dagen ondersteund zoals ik van je had verwacht, en dat ondanks je twijfel.'

'Bedankt voor je vertrouwen in mij. Had ik jou al gefeliciteerd met het oplossen van de zaak?'

'Dank je.'

Simmelinck komt op hen af lopen, een brede grijns op zijn gezicht. 'Kan ik even vangen?' vraagt hij. 'Tien euro.'

Wagener geeft hem het geld. 'Proficiat.'

'Dank je.' De rechercheur loopt vrolijk fluitend naar binnen.

Wagener kijkt bedremmeld.

Ze glimlacht. 'Troost je, Ton had het ook niet goed.'

'Ik mag het misschien niet vragen, maar je was erg aangeslagen toen Josien verdwenen was,' zegt Wagener. '*Are you allright?*'

Ze knikt. 'Ik praat er niet vaak over, maar de vaste mensen van mijn team weten het allemaal. Jaren geleden, toen ik net afgestudeerd was en als psychologe werkte in Utrecht, is mijn dochtertje Suzan van drie spoorloos verdwenen.' Ze haalt een keer diep adem voor ze verder kan. 'De politie heeft veel blunders gemaakt in het onderzoek. Maar het ergste vond ik dat er voor onze gevoelens, die van mijn man en mij, toen zo weinig aandacht was. Dat was de reden dat ik bij de recherche ben gegaan.'

Ze neemt een hap van een biscuit, Wagener doet toevallig net hetzelfde en even is er alleen het krakende geluid van koekjes.

'Wat erg voor je.'

'Jaap heeft het jaren geleden aan Han en Ton verteld, nu praat ik er zelf over. Dus ik ga erop vooruit.'

Een politieauto rijdt voorbij. Ze steken hun hand op. Ze staat op. 'En vanaf morgen ga ik uitvinden hoe lang ik het volhoud in die hangmat. Ik ga eerst bij Peters kijken. Die zou in de galerie blijven tot ik langs ben geweest. Ga je mee?'

Wagener knikt.

Ze lopen het bureau binnen. In de spreekkamer vegen ze samen het bord schoon en leggen de stiften in hun houders. Klaar voor een nieuwe zaak.

Wagener houdt ineens op met vegen en kijkt haar wat sullig aan.

'Shit, wat je daarnet zei, dat alleen mensen van je vaste team… betekent dit dat ik mezelf ook tot je vaste team mag rekenen?'

'Als je wilt, ja,' zegt ze lachend. 'Ik dacht al, wanneer dringt het tot hem door.'

Aan zijn danspasjes à la John Travolta in zijn *Fever*-tijd te zien is hij daar erg blij mee.

59

'Jullie komen me alsnog arresteren. Wat ben ik vreselijk naïef geweest,' verzucht Maarten Peters, zodra ze met Wagener de galerie binnen is. De galerie ziet er rommelig uit, het is zichtbaar dat mensen plotseling zijn weggegaan. Volle glazen op de tafels, half opgerookte sigaretten in de asbakken. Peters past in het plaatje, ook hij ziet er verlaten uit. Zijn das zit scheef en los, alsof hij hem met kracht af heeft willen doen. Er is weinig over van de innemende man die ze een paar dagen geleden leerde kennen. Jammer, in die hoedanigheid zag ze hem liever dan in deze als jaren ouder lijkende grijsaard die de weg kwijt schijnt te zijn.

Hij wrijft met zijn handen door zijn haar. 'Ik was bang, na de hele affaire met het overlijden van mijn vrouw, waarbij ik ten onrechte meegezogen werd in een poel van verdachtmakingen, dat ik opnieuw het slachtoffer zou worden van iets waar ik part noch deel aan had. Of, erger, dat het voor mijn galerie, waarin ik zo veel geld en energie had gestoken, een vroegtijdig einde zou betekenen. Ik had dringend behoefte aan een financieel succesje. U moet mijn excuses accepteren, dat smeek ik u,' pleit Peters voor zijn onschuld.

'Ik neem uw verklaringen mee in ons eindrapport, en ik hoop voor u dat het verder geen gevolgen zal hebben.'

'Het zij zo,' zegt Peters, terwijl hij zijn schouders ophaalt, alsof dat het laatste is waar hij zich druk om maakt. 'Als u mij maar gelooft.'

Ze knikt, zij het met de nodige reserve. Ze gelooft de galeriehouder inderdaad, zoals ze vanaf zondagmorgen tien uur in zijn onschuld heeft geloofd. Maar het was eenvoudiger geweest als hij direct de waarheid, en de hele waarheid, had verteld.

'God, wat een beeld was dat, vanmiddag, toen Alex zijn bekentenis deed,' zegt Peters. 'Het leek alsof het bij de installatie hoorde, ontstellend vond ik het. Ik kende hem niet terug; het was alsof er een andere Alex op dat scherm te zien was. Iedereen stond er met open mond naar te kijken en te luisteren, zich afvragend wat er echt was en wat niet.'

'Heeft u de afgelopen dagen Alex Hauser op geen enkel moment verdacht?'

'Nee. Hij heeft mij gezworen dat hij haar geen kwaad heeft gedaan. Op zijn moeders graf, zelfs. Hoe is het trouwens met u? Ik hoorde dat u en uw dochtertje vanmiddag doodsangsten hebben uitgestaan.'

'Het is niet mijn dochtertje, maar dat van mijn man,' zegt ze. Waarom eigenlijk, wat maakt het uit?

'Dat maakt het vast niet minder erg.'

'Nee, het waren inderdaad angstige momenten. Dank u voor uw belangstelling.'

'Uw ogen zijn rustiger, nu,' zegt Peters.

Hij heeft gelijk, haar ogen jeuken niet meer. In alle consternatie heeft ze de afgelopen uren haar gezicht geen blik waardig gegund, zelfs toen ze een uurtje geleden naar het toilet ging, is ze de manshoge spiegel naast de kapstok in de gang van het bureau klakkeloos voorbijgelopen.

'Wagener, wil jij meneer Peters uit de droom helpen?'

Ze excuseert zich en loopt naar het toilet, waar ze een kleine spiegel boven het hoekfonteintje weet. Ze is verrast door haar eigen blik; helder, zonder ook maar een spoor van enig rood om haar ogen.

Met haar hoofd op de kop schudt ze haar krullen in model en woelt er wat doorheen. Met haar vinger brengt ze een klein beetje oogschaduw op haar oogleden aan.

Ze lacht naar haar spiegelbeeld. De wereld ziet er iets zonniger uit. De zaak opgelost, een week vrij, Jaap houdt nog steeds van haar en haar allergie is verdwenen; in ieder geval voorlopig. Ze heeft zowaar uit zichzelf over Suzan gepraat. Zouden haar ogen daarom rustig zijn nu? Of komt het door de zaak, die opgelost is? Als ze haar oogschaduw terugstopt in haar tas ziet ze het doosje met de allergiepillen. Ze heeft de pilletjes vandaag vergeten en nu is het over. Dus wat nou, allergie. Wie hield ze eigenlijk voor de gek? Ze bedenkt zich geen moment en drukt de strip leeg, een voor een plonzen de tabletjes in het toilet. Bijna een vrolijk geluid. Het lege doosje gooit ze in de prullenbak ernaast.

Terug in de galerie ziet ze tot haar opluchting dat Peters positiever gestemd is. Hij glimlacht zelfs.

'Meneer Peters is opgelucht dat we hem niet gaan vervolgen,' zegt Wagener.

'Ik sluit de galerie voorlopig,' zegt Peters. 'Uit respect voor Lucienne Vos. Dat wilde ik maandag al doen, maar Alex smeekte me om zijn expositie niet uit te stellen. Over een week of wat kijk ik wel verder. Ik ga me eerst maar eens bezinnen over hoe ver ik de weg ben kwijtgeraakt de afgelopen maanden.'

'Ik hoop eerlijk gezegd wel dat uw grensoverschrijdende project doorgaat. Ik heb er alle vertrouwen in dat u er iets moois van gaat maken met uw Duitse collega.'

Aan het eind van de middag is ze thuis, waar de rust min of meer is teruggekeerd. Jaap zit buiten. Josien is met Anouk en de hond wandelen, vertelt hij.

'Zo snel mogelijk weer het bos in laten gaan, zei Markant.

Hij was zowaar bezorgd, die jandoedel, kun je het je voorstellen?' grijnst Jaap.

'Amper.'

Jaap trekt een fles wijn open en schenkt een glas voor hen in. 'Italië. Borolo. Voor een bijzonder moment, weet je nog?'

'Mmm.'

'Je ogen zijn weer normaal, of ligt dat aan de oogschaduw?' vraagt Jaap.

'Nee het klopt. Ik heb alle pilletjes door de wc gespoeld,' bekent ze.

'Groot gelijk. Die troep helpt natuurlijk niets. En hoe is het met onze vriend Peters?' vraagt hij.

'Flink geschrokken.'

'Hij gaat toch wel door met de galerie? De man heeft beslist verstand van kunst.'

'Dat denk ik wel. Dat hij doorgaat, bedoel ik.'

Haar mobiel gaat. Het districtsbureau?

'Met De Winter,' zegt ze.

'Markant. Nel, we zitten met een groot probleem.'

'Wat voor probleem?'

'Kun je komen? Het is erg belangrijk. Alsjeblieft?'

Ze kijkt Jaap aan. Die weet al hoe laat het is, ziet ze aan zijn blik. Hij doet alsof hij haar niet wil laten gaan, om direct daarna breeduit te grijzen. Hij geeft haar een zoen op haar neus. 'Wees voorzichtig Pumuckl,' fluistert hij.

Nawoord

*'Op een stralend zonnige dag vertelde ik zachtjes aan Bertha 7, die al-
tijd vooraan stond als het tijd was voor de stal, dat ik er stiekem van
droomde om later schrijver te worden. En toen zei mijn moeder dat ik
moest opschieten.'*
  Fictie of waar gebeurd? Er was in de verste verte geen koe te
zien vanuit ons huis dus nee, het is niet waar. Maar ik droomde
nogal eens en ik heb dat stukje tekst inderdaad ooit opgeschreven, toen ik twaalf was en verhaaltjes verzon, dus ergens is het
ook weer wel waar.

Er bevindt zich in Lichtenvoorde geen kunstgalerie zoals ik die
heb beschreven en er is geen inspecteur werkzaam die Nelleke
de Winter heet. Kortom, dit is een roman. Alle mensen en situaties zijn verzonnen en niemand hoeft zich dus aangesproken te
voelen. Overeenkomsten met bestaande personen en situaties
zijn aan de andere kant onvermijdelijk en ik vertel verhalen die
waar gebeurd zouden kunnen zijn, dus er zijn zeker waarheden
beschreven in *Schone kunsten*. En ook dat heb ik natuurlijk met
opzet gedaan.

Corine Hartman